HOROSCOPE
2022

ANNE-MARIE CHALIFOUX

D.N.

HOROSCOPE 2022

SANTÉ

ARGENT

AMOUR

TRAVAIL

LES ÉDITIONS
PUBLISTAR

LES ÉDITIONS PUBLISTAR

Édition : Johanne Guay
Coordination éditoriale : Pascale Jeanpierre
Révision linguistique et correction d'épreuves : Justine Paré
Couverture et mise en pages : Clémence Beaudoin
Photo de l'auteure : Charles Richer
Maquillage et coiffure : Macha Colas

Remerciements
Nous reconnaissons l'aide financière du gouvernement du Canada par l'entremise du Fonds du livre du Canada pour nos activités d'édition.
Gouvernement du Québec – Programme de crédit d'impôt pour l'édition de livres – gestion SODEC.

Les Éditions Publistar
Groupe Librex inc.
Une société de Québecor Média
4545, rue Frontenac
3ᵉ étage
Montréal (Québec) H2H 2R7
Tél. : 514 849-5259
www.edpublistar.com

Dépôt légal – Bibliothèque et Archives nationales du Québec
et Bibliothèque et Archives Canada, 2021

ISBN : 978-2-89562- 664-0

Distribution au Canada
Messageries ADP inc.
2315, rue de la Province
Longueuil (Québec) J4G 1G4
Tél. : 450 640-1234
Sans frais : 1 800 771-3022
www.messageries-adp.com

Ce livre appartient à

_____

Je vous souhaite que 2022 soit la plus belle année
que vous ayez connue à ce jour. De tout cœur !

Anne-Marie Chalifoux, D.N.

SOMMAIRE

PRÉFACE

Je me souviens d'un très beau texte de Julie Driscoll que j'ai partagé avec certains d'entre vous il y a fort longtemps et qui est plus d'actualité que jamais. Le voici.

« Un mot sur les couleurs »

« On nous a enseigné que le blanc représentait la pureté.
J'en ai entendu qui chuchotaient que l'homme blanc était un dieu.
D'autres prétendent que toutes les couleurs se retrouvent
dans l'arc-en-ciel.
Et moi je vous dis qu'il en existe qu'ils ont oubliées.

J'entends pleurer dans les caniveaux.
J'y entends rire aussi.
C'est la confusion et la douleur que je ressens.
Cherchez ma main, je vous donnerai peut-être mon âme.

Maintenant, je vois des arcs-en-ciel de beaucoup plus de couleurs.
La beauté est rouge, jaune, rose, brune et noire. »

Place à la beauté !

COMMENT GAGNER
DE L'ARGENT

Notre carte du ciel nous fournit de précieux indices sur notre rapport à l'argent ; nous pouvons y déceler les champs d'action pour lesquels nous avons le plus d'affinités, notre facilité à nous enrichir et aussi notre aptitude à gérer les gains.

Jupiter, planète de l'abondance, nous renseigne entre autres sur la vie matérielle. Elle fait la lumière sur nos dispositions en ce sens, mettant en relief nos talents pour gagner des sous mais aussi comment nous nous comportons avec nos avoirs. Lorsqu'on étudie sa position par rapport à notre signe de naissance, on obtient des résultats surprenants.

J'ai fait tous les calculs pour vous, et il ne vous reste donc qu'à identifier le groupe auquel vous appartenez dans le tableau qui suit.

C'est tout simple, vous n'avez qu'à repérer votre date de naissance, et vous verrez exactement quel est votre groupe jupitérien.

ENTRE LE ET LE	GROUPE	ENTRE LE ET LE	GROUPE	ENTRE LE ET LE	GROUPE
27 août 1920 – 25 sept. 1921	6	14 mai 1938 – 29 juil. 1938	12	2 déc. 1950 – 21 avril 1951	12
26 sept. 1921 – 26 oct. 1922	7	30 juil. 1938 – 29 déc. 1938	11	22 avril 1951 – 28 avril 1952	1
27 oct. 1922 – 24 nov. 1923	8	30 déc. 1938 – 11 mai 1939	12	29 avril 1952 – 9 mai 1953	2
25 nov. 1923 – 17 déc. 1924	9	12 mai 1939 – 29 oct. 1939	1	10 mai 1953 – 23 mai 1954	3
18 déc. 1924 – 5 janv. 1926	10	30 oct. 1939 – 20 déc. 1939	12	24 mai 1954 – 12 juin 1955	4
6 janv. 1926 – 17 janv. 1927	11	21 déc. 1939 – 15 mai 1940	1	13 juin 1955 – 16 nov. 1955	5
18 janv. 1927 – 5 juin 1927	12	16 mai 1940 – 26 mai 1941	2	17 nov. 1955 – 17 janv. 1956	6
6 juin 1927 – 10 sept. 1927	1	27 mai 1941 – 9 juin 1942	3	18 janv. 1956 – 7 juil. 1956	5
11 sept. 1927 – 22 janv. 1928	12	10 juin 1942 – 30 juin 1943	4	8 juil. 1956 – 12 déc. 1956	6
23 janv. 1928 – 4 juin 1928	1	1er juil. 1943 – 25 juil. 1944	5	13 déc. 1956 – 19 fév. 1957	7
5 juin 1928 – 12 juin 1929	2	26 juil. 1944 – 24 août 1945	6	20 fév. 1957 – 6 août 1957	6
13 juin 1929 – 26 juin 1930	3	25 août 1945 – 24 sept. 1946	7	7 août 1957 – 13 janv. 1958	7
27 juin 1930 – 16 juil. 1931	4	25 sept. 1946 – 23 oct. 1947	8	14 janv. 1958 – 20 mars 1958	8
17 juil. 1931 – 10 août 1932	5	24 oct. 1947 – 14 nov. 1948	9	21 mars 1958 – 6 sept. 1958	7
11 août 1932 – 9 sept. 1933	6	15 nov. 1948 – 12 avril 1949	10	7 sept. 1958 – 10 fév. 1959	8
10 sept. 1933 – 10 oct. 1934	7	13 avril 1949 – 27 juin 1949	11	11 fév. 1959 – 24 avril 1959	9
11 oct. 1934 – 8 nov. 1935	8	28 juin 1949 – 30 nov. 1949	10	25 avril 1959 – 5 oct. 1959	8
9 nov. 1935 – 1er déc. 1936	9	1er déc. 1949 – 14 avril 1950	11	6 oct. 1959 – 1er mars 1960	9
2 déc. 1936 – 19 déc. 1937	10	15 avril 1950 – 14 sept. 1950	12	2 mars 1960 – 9 juin 1960	10
20 déc. 1937 – 13 mai 1938	11	15 sept. 1950 – 1er déc. 1950	11	10 juin 1960 – 25 oct. 1960	9

ENTRE LE ET LE	GROUPE
26 oct. 1960 – 14 mars 1961	10
15 mars 1961 – 11 août 1961	11
12 août 1961 – 3 nov. 1961	10
4 nov. 1961 – 25 mars 1962	11
26 mars 1962 – 3 avril 1963	12
4 avril 1963 – 11 avril 1964	1
12 avril 1964 – 22 avril 1965	2
23 avril 1965 – 20 sept. 1965	3
21 sept. 1965 – 16 nov. 1965	4
17 nov. 1965 – 5 mai 1966	3
6 mai 1966 – 27 sept. 1966	4
28 sept. 1966 – 15 janv. 1967	5
16 janv. 1967 – 22 mai 1967	4
23 mai 1967 – 18 oct. 1967	5
19 oct. 1967 – 26 fév. 1968	6
27 fév. 1968 – 15 juin 1968	5
16 juin 1968 – 15 nov. 1968	6
16 nov. 1968 – 30 mars 1969	7
31 mars 1969 – 15 juil. 1969	6
16 juil. 1969 – 16 déc. 1969	7

ENTRE LE ET LE	GROUPE
17 déc. 1969 – 28 avril 1970	8
29 avril 1970 – 15 août 1970	7
16 août 1970 – 13 janv. 1971	8
14 janv. 1971 – 4 juin 1971	9
5 juin 1971 – 11 sept. 1971	8
12 sept. 1971 – 6 fév. 1972	9
7 fév. 1972 – 24 juil. 1972	10
25 juil. 1972 – 25 sept. 1972	9
26 sept. 1972 – 22 fév. 1973	10
23 fév. 1973 – 7 mars 1974	11
8 mars 1974 – 18 mars 1975	12
19 mars 1975 – 25 mars 1976	1
26 mars 1976 – 22 août 1976	2
23 août 1976 – 16 oct. 1976	3
17 oct. 1976 – 3 avril 1977	2
4 avril 1977 – 20 août 1977	3
21 août 1977 – 30 déc. 1977	4
31 déc. 1977 – 11 avril 1978	3
12 avril 1978 – 4 sept. 1978	4
5 sept. 1978 – 28 fév. 1979	5

ENTRE LE ET LE	GROUPE
1er mars 1979 – 19 avril 1979	4
20 avril 1979 – 28 sept. 1979	5
29 sept. 1979 – 26 oct. 1980	6
27 oct. 1980 – 26 nov. 1981	7
27 nov. 1981 – 25 déc. 1982	8
26 déc. 1982 – 19 janv. 1984	9
20 janv. 1984 – 6 fév. 1985	10
7 fév. 1985 – 20 fév. 1986	11
21 fév. 1986 – 2 mars 1987	12
3 mars 1987 – 8 mars 1988	1
9 mars 1988 – 21 juil. 1988	2
22 juil. 1988 – 30 nov. 1988	3
1er déc. 1988 – 10 mars 1989	2
11 mars 1989 – 30 juil. 1989	3
31 juil. 1989 – 17 août 1990	4
18 août 1990 – 11 sept. 1991	5
12 sept. 1991 – 10 oct. 1992	6
11 oct. 1992 – 9 nov. 1993	7
10 nov. 1993 – 8 déc. 1994	8
9 déc. 1994 – 2 janv. 1996	9

ENTRE LE ET LE	GROUPE
3 janv. 1996 – 21 janv. 1997	10
22 janv. 1997 – 3 fév. 1998	11
4 fév. 1998 – 11 fév. 1999	12
12 fév. 1999 – 27 juin 1999	1
28 juin 1999 – 24 oct. 1999	2
25 oct. 1999 – 13 fév. 2000	1
14 fév. 2000 – 29 juin 2000	2
30 juin 2000 – 11 juil. 2001	3
12 juil. 2001 – 31 juil. 2002	4
1er août 2002 – 26 août 2003	5
27 août 2003 – 24 sept. 2004	6
25 sept. 2004 – 24 oct. 2005	7
25 oct. 2005 – 22 nov. 2006	8
23 nov. 2006 – 17 déc. 2007	9
18 déc. 2007 – 4 janv. 2009	10
5 janv. 2009 – 16 janv. 2010	11
17 janv. 2010 – 5 juin 2010	12
6 juin 2010 – 7 sept. 2010	1
8 sept. 2010 – 21 janv. 2011	12
22 janv. 2011 – 3 juin 2011	1
4 juin 2011 – 10 juin 2012	2

ENTRE LE ET LE	GROUPE
11 juin 2012 – 20 juin 2013	3
21 juin 2013 – 15 juil. 2014	4
16 juil. 2014 – 10 août 2015	5
11 août 2015 – 8 sept. 2016	6
9 sept. 2016 – 9 oct. 2017	7
10 oct. 2017 – 7 nov. 2018	8
8 nov. 2018 – 1er déc. 2019	9
2 déc. 2019 – 18 déc. 2020	10
19 déc. 2020 – 12 mai 2021	11
13 mai 2021 – 27 juil. 2021	12
28 juil. 2021 – 27 déc. 2021	11
28 déc. 2021 – 31 déc. 2021	12

VOTRE CLÉ

Une autre petite recherche, et nous y sommes.

Maintenant que vous connaissez votre groupe, il suffit de le combiner à votre signe ; la combinaison des deux vous fournira votre « clé » pour gagner de l'argent.

BÉLIER

GROUPE	VOTRE CLÉ APPARAÎT DANS LA SECTION :
1	A
2	B
3	C
4	D
5	E
6	F
7	G
8	H
9	I
10	J
11	K
12	L

TAUREAU

GROUPE	VOTRE CLÉ APPARAÎT DANS LA SECTION :
2	A
3	B
4	C
5	D
6	E
7	F
8	G
9	H
10	I
11	J
12	K
1	L

GÉMEAUX

GROUPE	VOTRE CLÉ APPARAÎT DANS LA SECTION :
3	A
4	B
5	C
6	D
7	E
8	F
9	G
10	H
11	I
12	J
1	K
2	L

CANCER

GROUPE	VOTRE CLÉ APPARAÎT DANS LA SECTION :
4	A
5	B
6	C
7	D
8	E
9	F
10	G
11	H
12	I
1	J
2	K
3	L

LION

GROUPE	VOTRE CLÉ APPARAÎT DANS LA SECTION :
5	A
6	B
7	C
8	D
9	E
10	F
11	G
12	H
1	I
2	J
3	K
4	L

VIERGE

GROUPE	VOTRE CLÉ APPARAÎT DANS LA SECTION :
6	A
7	B
8	C
9	D
10	E
11	F
12	G
1	H
2	I
3	J
4	K
5	L

BALANCE

GROUPE	VOTRE CLÉ APPARAÎT DANS LA SECTION :
7	A
8	B
9	C
10	D
11	E
12	F
1	G
2	H
3	I
4	J
5	K
6	L

SCORPION

GROUPE	VOTRE CLÉ APPARAÎT DANS LA SECTION :
8	A
9	B
10	C
11	D
12	E
1	F
2	G
3	H
4	I
5	J
6	K
7	L

SAGITTAIRE

GROUPE	VOTRE CLÉ APPARAÎT DANS LA SECTION :
9	A
10	B
11	C
12	D
1	E
2	F
3	G
4	H
5	I
6	J
7	K
8	L

CAPRICORNE

GROUPE	VOTRE CLÉ APPARAÎT DANS LA SECTION :
10	A
11	B
12	C
1	D
2	E
3	F
4	G
5	H
6	I
7	J
8	K
9	L

VERSEAU

GROUPE	VOTRE CLÉ APPARAÎT DANS LA SECTION :
11	A
12	B
1	C
2	D
3	E
4	F
5	G
6	H
7	I
8	J
9	K
10	L

POISSONS

GROUPE	VOTRE CLÉ APPARAÎT DANS LA SECTION :
12	A
1	B
2	C
3	D
4	E
5	F
6	G
7	H
8	I
9	J
10	K
11	L

A

SI VOTRE CLÉ EST A

Jupiter se trouvait dans votre signe à la naissance. Par conséquent, cette planète façonne votre personnalité. Généralement optimiste et enthousiaste, vous avez le goût de l'aventure. L'argent est très important pour vous, vous n'hésitez pas à prendre les moyens nécessaires pour en gagner le plus possible. Vous croyez à l'expansion, au succès, bref, vous avez énormément d'ambition. Votre confiance en vous et en l'avenir est inébranlable, parfois même un peu trop, ce qui risque de vous faire commettre des erreurs de jugement. Vous aimez les bonnes choses de la vie, souvent à l'excès ; c'est sans doute ce qui explique votre propension aux abus et même au gaspillage.

Certains champs d'action qui vous caractérisent. Vous détestez la routine. Vous avez besoin que ça bouge, et ce, dans tous les sens du mot ; pas étonnant que plusieurs d'entre vous occupent des postes où les déplacements sont fréquents. Chose certaine, vous haïssez être enfermé ! Les affaires, le tourisme, le contact avec l'étranger, les finances, le transport, l'agriculture, les emplois liés au métal ou aux objets tranchants sont des domaines où vous pourriez vous illustrer. Ajoutons que vous êtes né pour diriger et que vous ne supportez pas qu'on vous donne des ordres.

Vos forces. Elles résident dans votre optimisme, votre grand besoin de bouger et votre confiance en vous, de même que dans votre sens du *timing*. Vous êtes souvent à la bonne place au bon moment.

Ce qui risque de jouer contre vous. Vous risquez gros si vous vous croyez invincible, si vous vous montrez arrogant ou agissez sans réfléchir. Planifiez un peu plus, ne laissez rien au hasard. Attention à votre goût effréné pour les dépenses de toutes sortes.

B

SI VOTRE CLÉ EST B

Vous prenez un malin plaisir à acquérir et à accumuler les biens ; d'ailleurs, votre maison n'est-elle pas sur le point d'éclater tant elle contient d'objets ? Souffrant d'insécurité, vous agissez avec prévoyance et préférez avoir un petit coussin financier au cas où. Vous ne croyez pas aux fortunes instantanées, mais plutôt au labeur répété qui finit par rapporter. Petit train va loin, dit-on, et en ce qui vous concerne, c'est tout à fait justifié. Vous avez une grande facilité à vous trouver du travail ; souvent les offres viennent à vous sans que vous ayez à vous déplacer. L'un de vos rêves est d'acquérir le plus tôt possible votre propre maison ; vous n'appréciez pas vraiment d'être locataire.

Certains champs d'action qui vous caractérisent. Plus que tout, vous avez besoin de stabilité ; vous seriez trop malheureux à voltiger d'un emploi à un autre. Les finances, la comptabilité, le commerce de produits essentiels et tout travail exigeant un bon sens de l'organisation vous conviennent à merveille.

Vos forces. Vous êtes un travailleur acharné, ce qui joue en votre faveur. Comme vous êtes honnête et intègre, on sait que l'on peut vous faire confiance. Votre sens des responsabilités est également surprenant.

Ce qui risque de jouer contre vous. Vous manquez de confiance en vous et vous vous résignez trop souvent à être sous-payé ; vous avez tellement peur de manquer de boulot que vous acceptez n'importe quoi. Si vous n'y prenez garde, vous pourriez montrer un petit côté avaricieux.

SI VOTRE CLÉ EST C

Vous cherchez constamment à élargir vos horizons ; tout ou à peu près vous intéresse. Avouez que vous adorez commencer de nouveaux projets, mais qu'il vous est bien plus difficile de les mener à terme. Bien que vous vous y connaissiez en de nombreux sujets, vos connaissances sont souvent plus superficielles qu'approfondies. Vous possédez le don de la communication et avez besoin d'échanger avec les gens ; sans contact humain, vous ne pouvez pas vraiment vous épanouir. Il vous arrive de mal gérer votre temps, d'attendre trop à la dernière minute pour entreprendre votre besogne, et vous devez alors courir à toute vitesse.

Certains champs d'action qui vous caractérisent. Comme la communication est un point fort chez vous, vous excellez dans la vente, la négociation, ainsi que dans toute activité où il faut se montrer convaincant. L'écriture et l'enseignement sont des milieux propices à votre développement. Nombre d'entre vous sont également doués pour les activités manuelles : massage, mécanique, couture, dessin, etc.

Vos forces. Votre créativité, votre amour des gens et votre enthousiasme pour les nouveaux projets vous avantagent. Vous avez des idées à la tonne et, surtout, vous savez les transmettre de façon remarquable. Vous êtes très stimulant pour votre entourage.

Ce qui risque de jouer contre vous. Hélas ! vous avez souvent tendance à vous éparpiller. Vous commencez mille choses mais n'allez au bout d'aucune. Cette propension à l'instabilité risque de vous faire saboter de belles entreprises.

D

SI VOTRE CLÉ EST D

Les valeurs que l'on vous a inculquées dans votre enfance condition-
nent votre rapport à l'argent : vous avez tendance à répéter les attitudes et comportements de vos parents en ce sens. Si ceux-ci étaient
gratte-sous ou si, au contraire, ils avaient tendance à jeter l'argent par
les fenêtres, vous reproduisez probablement ce *pattern*. En étudiant
leur situation et leur évolution, vous serez en mesure de déterminer ce
que vous souhaitez conserver de votre éducation et ce que vous désirez
changer. La sécurité financière est une condition essentielle à votre
épanouissement ; sans elle, vous vous sentez très angoissé. Voilà sans
doute ce qui explique votre grand sens de l'économie.

Certains champs d'action qui vous caractérisent. Comme le bien-être
des autres vous tient grandement à cœur, vous êtes très à l'aise dans
tout ce qui touche de près et de loin aux relations d'aide. La psychologie, le travail avec les enfants et les emplois dans le domaine de la
santé ne sont que quelques exemples. Les secteurs de l'alimentation,
des liquides et des produits ménagers vous conviennent également.

Vos forces. La courtoisie, la loyauté et le respect des autres comptent
parmi vos plus belles qualités ; bien sûr, elles constituent un atout
précieux dans votre vie professionnelle, chaque fois que vous avez à
transiger avec quelqu'un.

Ce qui risque de jouer contre vous. Trop souvent, vous vous can-
tonnez dans le passé ; en regardant en arrière, vous risquez de rater les
occasions qui se présentent. Ne faites pas trop de dépenses pour les
autres ; pensez davantage à vous.

E

SI VOTRE CLÉ EST E

Vous disposez d'une excellente signature planétaire pour réussir sur le plan financier ; on peut même dire que vous avez la bosse des affaires. Pour vous, il n'y a jamais de projet assez gros : il suffit que l'on vous dise qu'une chose est inaccessible pour que vous vous lanciez à sa conquête. Chef-né, vous savez vous faire obéir ; avouez pourtant que vous réagissez plutôt mal quand on essaie de vous dominer... Vous êtes très actif, et ce n'est pas la créativité qui fait défaut chez vous. Ajoutons que vous avez un véritable don pour motiver votre entourage, pour lui communiquer votre goût de l'aventure et du travail bien fait.

Certains champs d'action qui vous caractérisent. Indéniablement, vous êtes fait pour les affaires et le commerce. Les postes de direction vous attirent et vous fournissent l'occasion de démontrer vos talents d'organisateur, d'administrateur et de planificateur. Les arts vous intéressent tout autant.

Vos forces. Votre brillante personnalité et votre nature de leader vous permettent d'accéder à de hauts niveaux. Et comme l'enthousiasme qui vous anime est très communicatif, vous jouissez également d'une grande popularité.

Ce qui risque de jouer contre vous. N'allez pas croire que tout le monde est aussi loyal que vous. Ne vous fiez pas seulement à une simple poignée de main ou à une entente verbale ; exigez des garanties sérieuses. Comme vous avez du mal à déléguer, vous risquez de vous faire avoir si vous vous associez.

SI VOTRE CLÉ EST F

Vous cherchez sans cesse le sens de votre vie et peut-être perdez-vous un temps précieux avec toutes ces questions existentielles. Même chose avec les détails qui drainent trop votre énergie et qui vous font perdre la vue d'ensemble. Si vous arrivez à conserver une vision globale de la situation, vous pourrez devenir fort productif et ainsi mieux gagner votre vie. Vous êtes un employé modèle qui accomplit sa tâche comme si l'entreprise lui appartenait. Toutes vos craintes vous empêchent souvent de profiter pleinement de ce qui s'offre à vous ; faites-vous davantage confiance et vous en sortirez gagnant.

Certains champs d'action qui vous caractérisent. Tous les emplois qui requièrent de la minutie et de la méthode vous vont à ravir. Les aventures risquées ne sont pas pour vous, car vous préférez de loin la sécurité d'emploi. Les activités à caractère humanitaire, le secteur de la santé et les postes d'assistant vous conviennent également.

Vos forces. Votre souci du détail et votre loyauté envers votre employeur sont des qualités que l'on apprécie au plus haut point. Votre intelligence pratique fait des merveilles lorsqu'il s'agit de trouver des solutions concrètes.

Ce qui risque de jouer contre vous. Attention à votre manie de la perfection, qui freine vos progrès au lieu de les favoriser. Cessez de vous demander l'impossible. En travaillant votre estime de vous-même, vous pourrez aller encore plus loin.

G

SI VOTRE CLÉ EST G

Le moins que l'on puisse dire, c'est que vous avez des sentiments fort partagés au sujet de l'argent. Vous adorez le dépenser, mais vous avez du mal à vous astreindre à le gagner. En effet, vous craignez les engagements professionnels à long terme, qui risqueraient de brimer votre liberté. La clé du bonheur réside sans doute dans une carrière comportant différentes facettes et des activités variées afin de couper la monotonie. Vous ne fonctionnez pas très bien seul, car le fait de prendre des initiatives vous étouffe ; vous êtes beaucoup plus à l'aise au sein d'une équipe où vous vous sentez encadré. Votre sens inné de la justice vous pousse à traiter les autres avec rectitude ; il est tout à fait normal que vous attendiez la même chose en retour.

Certains champs d'action qui vous caractérisent. Le secteur juridique ou parajuridique, les arts et tout ce qui a trait à l'esthétisme (architecture, décoration, jardinage) vous conviennent à merveille. Peu importe le domaine, le plus important est que vous soyez entouré ; la solitude vous enlève toute envie de travailler.

Vos forces. Vous savez trouver les personnes idéales pour créer un environnement stimulant. Excellent médiateur, vous arrivez à composer avec des personnalités très différentes et devenez même celui qui facilite les échanges. On apprécie votre charme et votre délicatesse.

Ce qui risque de jouer contre vous. Vous remettez sans cesse les choses à plus tard, ce qui risque de vous faire perdre la maîtrise de la situation. La ponctualité et le sens de l'économie ne sont pas nécessairement vos points forts ; ce serait à développer.

SI VOTRE CLÉ EST H

Cette signature planétaire révèle que vous faites tout avec une intensité peu commune, et vos activités professionnelles n'y échappent pas : avec vous, c'est tout ou rien. Vous gérez vos affaires avec sérieux et de façon presque secrète ; en effet, vous vous confiez très peu sur les questions d'argent. Au fait, nul ne sait vraiment combien vous avez en banque. Votre sens critique, votre jugement sûr et votre flair constituent des outils précieux pour assurer votre avenir. Ajoutons qu'en affaires vous ne faites confiance à personne. Au cours de votre existence, il se peut que vous fassiez un changement majeur sur le plan professionnel. Après avoir œuvré pendant des années dans un certain domaine, plusieurs d'entre vous décideront de recommencer à zéro et d'embrasser une toute nouvelle carrière, surtout si la première ne comporte plus cet élément de passion dont vous avez tant besoin.

Certains champs d'action qui vous caractérisent. Tous les emplois requérant une aptitude pour la recherche, l'investigation ou les fouilles vous fournissent une belle occasion de vous réaliser. Les secteurs où l'on procède à la transformation de matières premières, au recyclage et à la récupération constituent d'autres bons choix, tout comme l'industrie de la chimie pétrolière, entre autres. Vous n'avez pas votre pareil pour la discipline et pour faire régner l'ordre.

Vos forces. Vous excellez dans votre métier, car vous allez au fond des choses. Vous vous investissez à 100 % ; avec vous, pas de demi-mesure ! La puissance de votre volonté est un autre atout majeur.

Ce qui risque de jouer contre vous. Vous manquez parfois de recul et vous vous montrez trop intransigeant. En jouant un peu plus souvent la carte de la souplesse, vous arriverez à de meilleurs résultats.

SI VOTRE CLÉ EST I

Vous en avez de la chance ! Cette configuration planétaire est l'une des meilleures qui soient pour l'argent. Les offres d'emploi viennent à vous, tout comme les propositions alléchantes. Votre plus grande priorité est d'acquérir votre indépendance financière le plus tôt possible. Vous êtes un gagnant, et les défis ne vous font pas peur. En règle générale, vous abordez la vie avec optimisme et conduisez vos affaires avec brio. Vous ne pouvez pas rester longtemps au même endroit ; la routine vous étouffe, et vous avez constamment besoin d'élargir vos horizons. On dirait que vous êtes né avec un parachute : chaque fois qu'une situation menace de devenir désespérée, quelque chose vient vous sortir du pétrin.

Certains champs d'action qui vous caractérisent. Les emplois qui demandent du mouvement, des déplacements et présentent de constants défis vous siéent parfaitement. Le transport, l'exportation, le tourisme, les loisirs et le sport, le contact avec les animaux ainsi que le monde des affaires en général vous conviennent.

Vos forces. Votre optimisme inébranlable et votre grande confiance en vous jouent en votre faveur. Ajoutons qu'une nature ambitieuse combinée à un sens du *timing* hors du commun est fréquemment responsable de vos succès impressionnants.

Ce qui risque de jouer contre vous. En étant trop indépendant, vous laissez filer de belles occasions. Évitez de trop vouloir imposer votre point de vue, soyez davantage à l'écoute des autres.

J

SI VOTRE CLÉ EST J

Vous cherchez toujours à faire bonne impression, et il en va de même sur le plan professionnel. Vous mettez la barre bien haut, cherchant constamment à vous dépasser, ce qui devient épuisant à la longue. Comme l'insécurité vous tenaille, vous faites de nombreux compromis pour ne pas mettre votre situation en péril. Trop souvent, hélas, ça se retourne contre vous. Dans votre jeunesse, vous aviez du mal à supporter l'autorité ; vous ne le montriez que rarement, vous contentant la plupart du temps de ronger votre frein. En vieillissant, vous apprenez à vous faire davantage confiance et, par le fait même, vous ne vous laissez plus manipuler par autrui. Vos débuts dans la vie sont en général modestes, mais vous finissez invariablement par vous élever. Pas de coups d'éclat en vue, mais plutôt un travail opiniâtre, qui se révèle très payant à long terme.

Certains champs d'action qui vous caractérisent. La comptabilité, la gestion, la politique ou les emplois à caractère humanitaire sont faits pour vous. Une fonction au sein du gouvernement ou dans l'immobilier présente d'autres possibilités intéressantes.

Vos forces. Votre vision à long terme et le fait que vous ne craignez pas de consacrer de longues heures à vos activités professionnelles augmentent vos chances de réussite.

Ce qui risque de jouer contre vous. N'allez pas croire qu'il n'y a que la carrière qui détermine ce que vous êtes ; il faut apprendre à dissocier qui l'on est vraiment de nos accomplissements. N'acceptez pas de travailler pour une bouchée de pain, vous valez trop pour cela.

SI VOTRE CLÉ EST K

Vous ne faites rien comme tout le monde. Plusieurs d'entre vous tendent véritablement à se détacher du peloton, cherchant des domaines inhabituels où ils peuvent donner libre cours à leur grande originalité. Vous abordez en général la vie professionnelle comme un jeu et, même si vous ne vous prenez pas au sérieux, vous atteignez de hauts sommets. Vous avez le tour de vous faire aimer ; ce n'est donc pas étonnant que l'on vous retrouve fréquemment à la tête de vos collègues. Vous voulez innover, vous cherchez à parfaire vos méthodes de travail. Ce n'est pas parce qu'une tâche s'effectue de la même façon depuis toujours que vous ferez pareil. Original et inventif de nature, vous cherchez à découvrir une nouvelle manière de procéder et, plus souvent qu'à votre tour, vous la trouvez.

Certains champs d'action qui vous caractérisent. Tous les emplois qui sortent de l'ordinaire vous attirent. Votre fascination pour le modernisme peut vous faire embrasser une carrière en informatique, en aéronautique ou en lien avec les nouvelles technologies. Grand communicateur, vous êtes également intéressé par les médias et les arts.

Vos forces. Vous êtes doué pour la communication et savez vous faire des amis partout où vous passez. Clients, collègues et patrons apprécient votre jovialité. Votre approche progressiste vous pousse à tout réinventer.

Ce qui risque de jouer contre vous. En faisant fi des conventions, vous risquez de vous attirer les foudres de certains. Vous êtes parfois trop détaché par rapport à l'argent ; l'idéalisme l'emporte alors sur le sens pratique.

L

SI VOTRE CLÉ EST L

Vous avez une imagination du tonnerre ; malheureusement, vous ne vous en servez pas toujours à des fins très utiles. Vous rêvassez plutôt que de vous consacrer à votre travail. Pourtant, en canalisant cette créativité vers des objectifs précis, vous pourriez accomplir mer et monde. Docile et généreux, vous êtes un employé modèle ; dommage que l'on abuse aussi souvent de vous... Votre intuition est un guide précieux ; n'hésitez pas à l'écouter. Cela vous permettra de saisir au vol de bonnes occasions et aussi de ne pas tomber dans les pièges que certaines personnes mal intentionnées pourraient vous tendre. Vous vous comportez en véritable psychologue avec votre entourage professionnel ; tous se confient à vous.

Certains champs d'action qui vous caractérisent. Vous excellez dans les relations d'aide ainsi que dans toute activité philanthropique. Le domaine de la santé morale ou physique, les médecines douces et la parapsychologie sont d'autres secteurs où vous vous épanouirez.

Vos forces. À coup sûr, la générosité et la créativité constituent vos meilleurs atouts. Vous ressentez énormément de sympathie pour les gens et vous avez leur mieux-être à cœur.

Ce qui risque de jouer contre vous. Vous vous découragez trop facilement ; soyez plus tenace et vous finirez par atteindre vos buts. Évitez d'être trop passif et de dilapider votre argent. Ne faites pas confiance au premier venu : tout le monde n'a pas votre grandeur d'âme.

SPÉCIAL LOTERIES ET JEUX DE HASARD POUR 2022

upiter fournit également de précieux renseignements sur notre potentiel de chance dans les jeux de hasard. Pour découvrir quel est le vôtre cette année, il suffit de déterminer si votre groupe (consultez le tableau des pages 11 à 13) et votre signe de naissance ou ascendant apparaissent dans le tableau qui suit.

✦ EXEMPLE

Si vous êtes né le 24 juin 1977, vous êtes un Cancer du groupe 2.

Vos chances au jeu sont donc :

· moyennes du 25 janvier au 5 mars et du 15 avril au 24 mai ;

· légères du 1er au 24 janvier, du 6 mars au 14 avril, puis du 27 novembre au 20 décembre.

Si votre signe et votre groupe se retrouvent dans ce tableau, vos chances sont meilleures que si seulement votre signe est mentionné.

PÉRIODE	SIGNES OU ASCENDANTS TRÈS FAVORISÉS	SIGNES OU ASCENDANTS MOYENNEMENT FAVORISÉS	SIGNES OU ASCENDANTS LÉGÈREMENT FAVORISÉS
1er janvier 24 janvier		**Cancer, Scorpion, Poissons** groupes 1, 4, 5, 8, 9, 12	**Cancer, Scorpion, Poissons** groupes 2, 3, 6, 7, 10, 11
25 janvier 5 mars		**Cancer, Scorpion, Poissons** groupes 2, 4, 6, 8, 10, 12	**Cancer, Scorpion, Poissons** groupes 1, 3, 5, 7, 9, 11
6 mars 14 avril		**Cancer, Scorpion, Poissons** groupes 3, 4, 7, 8, 11, 12	**Cancer, Scorpion, Poissons** groupes 1, 2, 5, 6, 9, 10
15 avril 24 mai	**Cancer, Scorpion, Poissons** groupes 4, 8, 12	**Cancer, Scorpion, Poissons** groupes 2, 10	**Cancer, Scorpion, Poissons** groupes 1, 3, 5, 6, 7, 9, 11
25 mai 4 juillet	**Bélier, Lion, Sagittaire** groupes 1, 5, 9	**Bélier, Lion, Sagittaire** groupes 3, 11	**Bélier, Lion, Sagittaire** groupes 2, 4, 6, 7, 8, 10, 12
5 juillet 19 août		**Bélier, Lion, Sagittaire** groupes 1, 2, 5, 6, 9, 10	**Bélier, Lion, Sagittaire** groupes 3, 4, 7, 8, 11, 12
20 août 26 novembre		**Bélier, Lion, Sagittaire** groupes 1, 3, 5, 7, 9, 11	**Bélier, Lion, Sagittaire** groupes 2, 4, 6, 8, 10, 12
27 novembre 20 décembre		**Cancer, Scorpion, Poissons** groupes 3, 4, 7, 8, 11, 12	**Cancer, Scorpion, Poissons** groupes 1, 2, 5, 6, 9, 10
21 décembre 31 décembre		**Bélier, Lion, Sagittaire** groupes 1, 3, 5, 7, 9, 11	**Bélier, Lion, Sagittaire** groupes 2, 4, 6, 8, 10, 12

LES MYSTÈRES
DE LA LUNE

L a Lune et le Soleil exercent une influence déterminante sur notre planète et sur ceux qui y vivent, que l'on parle des plantes, des animaux ou des êtres humains. En effet, l'attraction gravitationnelle de ces astres se fait sentir sur tous les éléments liquides, et toute vie est composée surtout d'eau, notamment le corps humain, qui en contient environ 70 %.

LE CYCLE LUNAIRE

La Lune possède un cycle de 28 jours divisé en quatre phases d'une semaine.

La lunaison constitue la première phase ; c'est ce qu'on appelle communément la nouvelle lune. Invisible dans le ciel, elle est représentée par un cercle noir dans les calendriers. ●

Puis le premier quartier de lune survient dans la deuxième phase, c'est-à-dire sept jours après la nouvelle lune. Cette phase est illustrée par un croissant de lune en forme de D. Elle dure aussi sept jours. ☽

La troisième phase est sans contredit le moment le plus spectaculaire et celui dont on parle le plus : il s'agit de la pleine lune, représentée par un cercle blanc. ○

Puis arrive la quatrième et dernière phase, le dernier quartier de lune, illustré par un croissant en forme de C. D'une durée d'une semaine également, cette phase précède la nouvelle lunaison. ☾

LES ÉCLIPSES EN QUELQUES MOTS

Au cours des millénaires et selon les civilisations, les astres ont beaucoup fait figure de divinités. Par ailleurs, les éclipses étaient souvent sources de crainte. Ainsi, chez les Mayas, une éclipse était vécue comme un conflit entre les astres, et celui-ci impliquait un conflit social chez les hommes, annonçant une période de malheur.

Sur le plan étymologique, le mot « éclipse » vient du grec et signifie « abandon ». Dans les civilisations antiques, l'éclipse était perçue comme l'expression du Soleil abandonnant la Terre.

Sachant que le Soleil est source de toute vie et qu'il réapparaît chaque jour, il est normal qu'on ait craint de le perdre lorsque se produisait une éclipse. Cet événement ne pouvait être qu'une chose terrible.

De nos jours, c'est surtout l'émerveillement, et non la crainte, qui prévaut pendant une éclipse, même s'il s'agit essentiellement d'un phénomène optique. Si, pendant un moment, on ne voit plus le Soleil ou la Lune, cela est causé par l'interposition de la Terre qui leur fait de l'ombre. Une éclipse de Soleil se produit toujours durant la nouvelle lune, tandis qu'une éclipse de la Lune survient en phase de pleine lune.

COMMENT UTILISER LE POUVOIR DE LA LUNE

De tout temps, les êtres humains ont cherché à tirer parti des pouvoirs de la Lune. Nos aïeules, femmes éclairées, et les cultivateurs, en relation étroite avec la nature et les phénomènes célestes, nous ont transmis croyances et astuces.

La semaine qui suit le jour de la **nouvelle lune** est propice pour trouver du travail et se lancer dans de nouveaux projets. On dit qu'un enfant né le premier jour de la nouvelle lune connaîtra une vie heureuse. Par contre, si quelqu'un tombe malade ce jour-là, il le restera durant toute la première phase de la lune. La lunaison est également la période idéale pour labourer, pour tailler ses plantes ou ses arbustes et pour enlever les mauvaises herbes. Si l'on souhaite que ses cheveux ou ses ongles repoussent avec davantage de vigueur, c'est le moment de les couper. Cette phase lunaire ne convient pas beaucoup aux questions amoureuses ; par contre, elle est formidable pour amorcer une cure de nettoyage.

Le **premier quartier** annonce une semaine où le sommeil de beaucoup d'entre nous est plus léger. La chance sourira à ceux qui vendront un bien ou effectueront une transaction quelconque. D'autres connaîtront une motivation accrue dans leurs activités professionnelles et pourraient avoir une promotion. En règle générale, les relations interpersonnelles sont plus faciles. Les amoureux se rapprochent, font table rase des divergences d'opinion et prennent des engagements sérieux. La plupart des semis, à quelques exceptions près, doivent être effectués pendant la période de la lune croissante. Par ailleurs, les vieux jardiniers avaient coutume de dire que les légumes poussant au-dessus de la terre comme les choux et les salades devaient être plantés au cours d'une phase de premier quartier de lune. Puisque les plantes sont en pleine période de croissance et demandent par conséquent un surcroît d'attention, c'est le moment de semer, de fertiliser, de diviser les plants et d'arroser davantage. Les ongles ou les cheveux profiteront également d'une bonne coupe. Une mise en garde cependant à ceux qui ont des problèmes émotionnels ou psychiques : ils risquent de faire durant cette période des gestes qu'ils regretteront.

La semaine qui suit le jour de la **pleine lune** est une période où règne un sentiment de confusion généralisé. Heureusement, cela ne dure pas. Les questions d'argent et de travail nous préoccupent davantage. En amour, les querelles se font plus nombreuses ; toutefois, scènes romantiques et prises de bec alternent souvent. Sur le plan social, la vie devient généralement plus intéressante. Pour les plantes, il s'agit d'une période très active, bourgeons et racines croissent plus vite. Les mycologues ont aussi remarqué qu'ils trouvaient plus de champignons quelques jours après la pleine lune. Toutefois, semer ou rempoter n'est pas conseillé, car cela pourrait interrompre la phase de croissance des végétaux. Ceux qui détestent aller chez le coiffeur devraient choisir cette semaine pour se faire couper les cheveux, car ils repousseront moins rapidement. Ce moment se révèle faste pour ceux qui désirent modifier leurs habitudes alimentaires.

Quant à la semaine du **dernier quartier**, il s'agit d'une période d'introspection ; on se cherche sans toujours bien savoir où l'on va. C'est aussi une semaine où l'on découvre que la persévérance est récompensée. Les efforts entrepris portent leurs fruits. En fait, les actions et les gestes du passé nous rattrapent. On récolte ce que l'on a semé. Si l'Amour avec un grand A devient plus important que l'amour de son partenaire, il est temps de revenir sur terre pour améliorer sa vie de couple. Cette phase lunaire est également marquée du sceau de la spiritualité, de l'intuition et de la vie sociale. Dans le jardin, il faut en profiter pour enlever les fleurs fanées, les feuilles jaunies et les mauvaises herbes. Un bon nettoyage s'impose. Il est recommandé de semer ou de planter pendant cette phase de lune décroissante tout ce qui se développe dans la terre : oignons, carottes, pommes de terre, etc. On dit aussi que c'est le meilleur moment pour faire des confitures, car le sucre ne remontera pas à la surface, ce qui préviendra tout risque d'acidité et de fermentation.

LES PHASES DE LA LUNE EN 2022

NOUVELLE LUNE	PREMIER QUARTIER	PLEINE LUNE	DERNIER QUARTIER
Janvier 2	Janvier 9	Janvier 17	Janvier 25
Février 1	Février 8	Février 16	Février 23
Mars 2	Mars 10	Mars 18	Mars 25
Avril 1	Avril 9	Avril 16	Avril 23
Avril 30 •	Mai 8	Mai 15 ••	Mai 22
Mai 30	Juin 7	Juin 14	Juin 20
Juin 28	Juillet 6	Juillet 13	Juillet 20
Juillet 28	Août 5	Août 11	Août 18
Août 27	Septembre 3	Septembre 10	Septembre 17
Septembre 25	Octobre 2	Octobre 9	Octobre 17
Octobre 25 •	Novembre 1	Novembre 8 ••	Novembre 16
Novembre 23	Novembre 30	Décembre 7	Décembre 16
Décembre 23	Décembre 29	-	-

TYPES D'ÉCLIPSES	
Solaire partielle	Lunaire totale
•	••

LA CARTE DU CIEL EN 2022

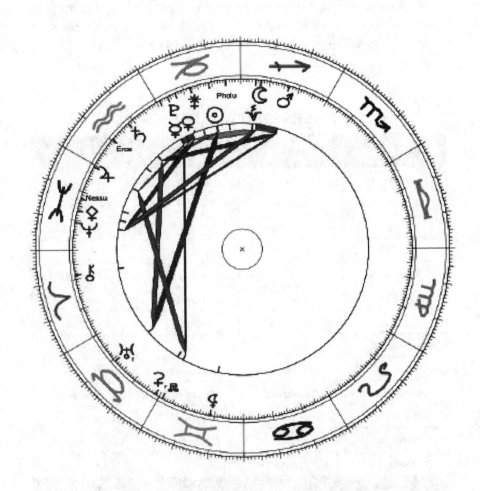

LA POSITION DES PLANÈTES EN 2022 ET LEUR IMPACT SUR LE PLAN MONDIAL

Veuillez noter que j'utiliserai ici le mot « planète » dans son acception astrologique et non astronomique. Nous savons tous que ni le Soleil ni la Lune ne sont des planètes au sens où l'entend l'astronomie. En astrologie, on considère les corps célestes possédant un mouvement régulier que l'on peut visualiser sur la toile de fond des étoiles fixes comme des planètes.

On distingue deux types de planètes : les planètes personnelles (aussi appelées rapides) et les planètes collectives (dites lentes).

Les planètes personnelles sont les suivantes : le Soleil, la Lune, Mercure et Vénus. Elles sont rapides car elles parcourent le zodiaque en peu de temps. Leur positionnement dans le thème astrologique d'un individu nous renseigne sur son caractère et sur les événements qui façonneront sa destinée. Leur rôle en astrologie mondiale est surtout mis en relief par leur relation avec les planètes collectives.

Les planètes collectives (Jupiter, Saturne, Uranus, Neptune et Pluton) affectent, comme leur nom le dit, les collectivités et ont un réel impact sur l'évolution du monde. Elles prennent de douze à deux cent quarante-huit ans pour faire le tour du zodiaque. En plus de nous livrer des informations précieuses sur ce qui se passe sur Terre, elles mettent en lumière les événements marquants de la vie de chacun.

Et il y a Mars, qui se situe entre les deux groupes et qui a à la fois une incidence sur la nature et le destin de chaque individu ainsi que sur ce qui survient sur le plan mondial. Elle parcourt le zodiaque en un an et deux cent vingt jours.

J'ai consacré un chapitre entier à la Lune (pages 32 à 35), que je vous invite à consulter pour comprendre ses effets.

Mercure et Vénus visiteront chacun des signes, comme elles le font chaque année.

MARS   On commencera l'année 2022 avec la présence de Mars en Sagittaire jusqu'au 24 janvier. Son carré à Jupiter et Neptune pourrait faire ressortir des tensions concernant la santé, la religion et les relations internationales. Inquiétudes et scandales sont à prévoir dans ces domaines. Des perturbations dans les transports sont aussi possibles.

On retrouvera ensuite Mars en Capricorne, signe de la politique mondiale, du 25 janvier au 5 mars. Les États-Unis, la Chine et la Russie feront souvent les manchettes tant individuellement qu'à cause de l'imbroglio de leurs relations. La proximité de Pluton rendra le climat parfois explosif, mais on finira par éviter un conflit généralisé.

Le Capricorne symbolise aussi le troisième âge, les lieux de retraite et les résidences pour personnes âgées. Les réformes et les nouvelles mesures dans ce domaine sont louables, mais elles n'arriveront toujours pas à enrayer plusieurs problèmes chroniques.

Du 6 mars au 14 avril, c'est en Verseau que l'on verra Mars aux côtés de Saturne. Ce signe représente le besoin de se réunir pour survivre, de même que le renouvellement, les soulèvements populaires, les révoltes et les bouleversements. Des dérangements affecteront aussi les usines, les coopératives ainsi que les secteurs de l'informatique, de l'électricité et des télécommunications.

Mars passera ensuite en Poissons, où elle séjournera jusqu'au 24 mai. Le Poissons évoque la nécessité d'aborder un nouveau cycle, en particulier pour les groupes victimes d'oppression. Les océans, les prisons, les lieux de culte et les hôpitaux retiendront notre attention. D'autres scandales religieux éclateront et des problèmes de santé mettront certaines populations en alerte. Beaucoup d'efforts seront consacrés au règlement de ces problèmes, mais on ne nous dira pas tout, encore une fois ! Pas étonnant que la situation soit explosive.

Justement, avec un transit de Mars en Bélier du 25 mai au 4 juillet, on peut s'attendre au déclenchement de conflits qui se préparent depuis un moment. On assistera à beaucoup d'expression d'agressivité, voire de violence. Des dirigeants feront appel à la force pour tenter de résoudre les problèmes, ce qui aura tôt fait de se retourner contre eux. Nous n'avons guère le choix, il faudra envisager des mesures humaines et respectueuses plutôt que la brutalité. Plusieurs dictateurs seront délogés. Des nouvelles importantes sur le plan des sports et des avancées scientifiques majeures sont également typiques de ce transit.

Entre le 5 juillet et le 19 août, la planète Mars rejoindra Uranus en Taureau, signe des banques et de la Bourse. Leur trigone à Pluton annonce une réforme favorable des systèmes bancaires, mais leur carré à Saturne apportera des fluctuations monétaires et boursières. Ce sera tout ou rien. Un jour, les indices boursiers basculeront et, le lendemain, nous assisterons à leur montée vertigineuse. Mère Nature pourrait compliquer la vie de certains maraîchers et producteurs laitiers. Des tremblements de terre, des éruptions ou des explosions sont malheureusement possibles durant cette période, tout comme une recrudescence des soulèvements populaires.

Le 20 août, Mars passera en Gémeaux pour y terminer l'année, un séjour anormalement long. Changement complet d'énergie puisque la puissance d'action s'extériorisera par les mots, la communication et les apprentissages. On s'intéressera à plusieurs questions en même temps, on multipliera les expérimentations avant d'en arriver à une véritable solution. La collectivité agira rapidement, mais aussi avec nervosité et impatience, souvent de manière éparpillée. On aura l'impression que le monde avance en zigzags. Au moins les choses bougent et on devra louer les efforts déployés. L'instabilité sera assurément présente à tous les niveaux, mais on se trouvera bien loin de la catastrophe. Au contraire, nous vivrons même des périodes d'accalmie, à la différence du tumulte des mois précédents.

JUPITER Jupiter transitera par le Poissons du 1ᵉʳ janvier au 9 mai, puis du 27 octobre au 20 décembre. Cette conjoncture confirmera de manière quasi violente le clivage entre les classes sociales. Les valeurs communautaires et humanistes seront brillamment défendues par de nombreux activistes, qui finiront par ouvrir les yeux à bien des gens, y compris à certains politiciens. Ils proclameront à quel point il est nécessaire de cultiver l'empathie et l'écoute envers nos semblables pour mieux bannir les exclusions et nourrir ainsi l'espoir d'un monde plus uni. Étape cruciale en ce qui concerne la guerre entre le pouvoir de l'argent et les droits de la personne.

Son passage en Bélier entre le 10 mai et le 26 octobre, de même qu'au cours des dix derniers jours de 2022, coïncidera avec une montée de la belligérance. Les peuples, en particulier les minorités, en auront assez d'être écrasés et ils le feront savoir avec conviction, quand ce ne sera pas avec violence.

SATURNE C'est dans le signe du Verseau qu'on retrouvera Saturne tout le long de l'année. Comme cette planète a une influence restrictive, des groupes ressentiront une insatisfaction encore plus grande à chercher leur place dans la société. Ce n'est qu'à force de rassemblements revendicateurs qu'ils feront progresser leur situation. Année importante aussi pour la culture, dont on a trop longtemps minimisé la nécessité. Si les religions sont de toute évidence en perte de vitesse, la spiritualité quant à elle connaîtra un essor considérable. Seul bémol, le travail acharné de certaines sectes pour recruter de nouveaux fidèles parmi bon nombre de personnes déçues et désillusionnées.

URANUS Elle a fait son entrée en Taureau en 2019 et y demeurera jusqu'en 2024. Cette planète, qu'on associe au progrès, voire aux révolutions industrielles et technologiques, n'est pas très à l'aise dans le signe ultraconservateur du Taureau. Le fossé entre le progrès et le conservatisme se creusera donc de plus belle dans le monde entier. Chez nous, on ressentira les effets de cette conjoncture principalement sur les scènes politiques du Québec et du Canada. On aura beau négocier, vouloir de nouveaux élus, ça ne rimera pas à grand-chose de concret. Pas de souveraineté en vue. Dans un tout autre ordre d'idées, on entrevoit des scandales affectant les banques et les établissements de crédit.

NEPTUNE   En Poissons de 2012 à 2025, cette planète continuera à jouer un rôle majeur puisqu'elle se trouve dans son domicile astrologique et mettra en évidence notre rapport dérangé avec l'environnement. Le rappel à l'ordre est alarmant. La nature nous signifie de manière extrêmement claire qu'on ne peut plus saboter la Terre sans qu'il y ait un gros prix à payer. On fera de plus en plus le lien entre la pollution et l'apparition de nouvelles infections et de certains types de cancer. Même chose pour les famines, les infestations parasitaires et la rareté grandissante des ressources naturelles. Bien entendu, comme le nom de ce signe le décrit, on a affaire ici à tout ce qui touche l'eau. La fonte accélérée des glaciers tout comme la contamination des océans, des lacs et des cours d'eau compromettent notre survie, et nous devons nous dépêcher avant qu'il soit trop tard. Il faudra également restreindre de plus en plus la pêche commerciale.

Neptune régit aussi tout ce qui est secret et, croyez-moi, les gouvernements continueront de faire l'impossible pour nous cacher la vérité. Heureusement, on peut compter sur Uranus et Pluton pour crever plusieurs abcès. Des têtes vont tomber !

PLUTON   En Capricorne de 2008 jusqu'à l'aube de 2025, cette signature planétaire a fait craindre la fin du monde à beaucoup, qui l'ont prédite à tort, d'ailleurs. C'est vrai que Pluton arrive toujours au terme d'un cycle, mais c'est pour mieux préparer la renaissance. Il serait donc plus juste de parler de la fin du monde comme on le connaît. Les passages précédents de Pluton en Capricorne ont coïncidé avec les conquêtes de Charlemagne, l'invasion de la Chine par les Mongols, la réforme de l'Église catholique, la révolution industrielle et la proclamation de l'indépendance des États-Unis. Tous ces événements marquants ont transformé l'histoire du monde, mais n'ont pas provoqué sa disparition. En 2025, Pluton ira dans le signe suivant, et le passage à l'ère du Verseau s'accélérera. On peut donc avoir de l'espoir. Moi, j'en ai !

L'HARMONIE ENTRE LES SIGNES

ÊTES-VOUS EN HARMONIE ?

S'il est une question qui revient souvent, c'est bien celle-ci : mon signe s'accorde-t-il bien avec tel ou tel autre ? Répondre à une telle question, qui semble anodine, n'est pas si facile, et surtout la réponse ne peut être catégorique. C'est comme me demander si une personne aux yeux bleus peut s'entendre avec une autre ayant les yeux verts... La réponse demeure : « Ça dépend... »

La carte du ciel d'une personne est un système complexe où plusieurs éléments entrent en ligne de compte, et non seulement le signe astrologique. L'ascendant, les planètes, les maisons et les aspects influencent plus ou moins la personnalité des individus. Il ne suffit pas de se baser sur le signe pour déterminer les affinités ou les antagonismes entre deux personnes.

Si toutefois le sujet vous préoccupe, et si vous connaissez votre ascendant et celui de l'être cher, vous pouvez constater, grâce au tableau qui suit, non seulement si vos signes sont compatibles, mais également si vos ascendants sont en harmonie. Vous pouvez voir si le signe de l'un a des points communs avec l'ascendant de l'autre, et vice versa. Cela vous permettra de juger de vos possibilités d'entente.

Puisque cela m'est demandé très souvent et que connaître la compatibilité entre les différents signes vous intéresse, je vous propose de découvrir les tendances générales. N'oubliez jamais que rien n'est définitif. Si vous avez rencontré l'homme de votre vie ou la femme de vos rêves, même si son signe ne semble pas être en totale harmonie avec le vôtre, dites-vous que la vie sera votre meilleur juge.

MON PETIT TEST INSTANTANÉ

	BÉLIER	TAUREAU	GÉMEAUX	CANCER	LION	VIERGE
Bélier	1	6	5	3	2	6
Taureau	6	1	6	5	3	2
Gémeaux	5	6	1	6	5	3
Cancer	3	5	6	1	6	5
Lion	2	3	5	6	1	6
Vierge	6	2	3	5	6	1
Balance	4	6	2	3	5	6
Scorpion	6	4	6	2	3	5
Sagittaire	2	6	4	6	2	3
Capricorne	3	2	6	4	6	2
Verseau	5	3	2	6	4	6
Poissons	6	5	3	2	6	4

	BALANCE	SCORPION	SAGITTAIRE	CAPRICORNE	VERSEAU	POISSONS
Bélier	4	6	2	3	5	6
Taureau	6	4	6	2	3	5
Gémeaux	2	6	4	6	2	3
Cancer	3	2	6	4	6	2
Lion	5	3	2	6	4	6
Vierge	6	5	3	2	6	4
Balance	1	6	5	3	2	6
Scorpion	6	1	6	5	3	2
Sagittaire	5	6	1	6	5	3
Capricorne	3	5	6	1	6	5
Verseau	2	3	5	6	1	6
Poissons	6	2	3	5	6	1

QUEL NOMBRE AVEZ-VOUS OBTENU ?

1 Puisque vous êtes tous les deux du même signe, les atomes crochus entre vous ne manquent pas. Vous vous ressemblez comme deux vieux copains, vous vous comprenez sans vous dire un mot. Vous avez les mêmes qualités… mais aussi les mêmes défauts, et c'est là que, parfois, les étincelles surgissent. Vos travers se retrouvent chez l'autre et vous agacent. Vos propres points faibles vous sautent au visage. Toutefois, puisque vous avez en commun les mêmes buts, les mêmes idéaux, les mêmes opinions sur plusieurs sujets, cette connivence naturelle vous rapproche. Attention, par contre, car il peut s'agir d'une arme à double tranchant : vous vous connaissez tellement bien – vous êtes issus du même moule – que rien ne vous étonne en l'autre, et vous risquez ainsi de percer tous ses mystères. Laissez-lui son jardin secret, et surtout ne le tenez pas pour acquis. Tâchez de le surprendre au moment où il s'y attend le moins ; vous pourrez dès lors vivre tous deux une relation passionnante empreinte de complicité.

2 Vos deux signes relèvent du même élément. Vous avez la même sensibilité, la même façon d'aborder l'existence et le quotidien, la même intensité dans vos relations interpersonnelles ; c'est d'ailleurs très probablement ce qui vous a plu chez l'autre. Malgré tout, vous possédez chacun votre individualité, vos différences. Dans la vie de tous les jours, l'entente est bonne et la relation, vraiment harmonieuse. Votre façon d'agir, de résoudre les problèmes est à peu près identique. En règle générale, ensemble, c'est le paradis sur terre… Mais tout n'est pas parfait, loin de là. Vous avez le même entêtement, et il est impossible à l'un ou à l'autre de prendre le dessus. Lorsque les choses tournent mal, vous vous isolez chacun de votre côté, ce qui ne règle rien. Les discussions, les divergences d'opinions ou d'avis font partie du vécu de chaque couple. Apprenez à rester amis même lorsque vous n'êtes pas d'accord et à vous respecter mutuellement… Lorsque vous travaillez de concert, rien n'est impossible pour vous. Votre relation pourrait être tout simplement magnifique si vous saviez travailler l'un avec l'autre et non chacun de votre côté.

3 Vos deux signes se retrouvent « en carré » ou en croix. Malgré des traits communs, vos personnalités sont très différentes l'une de l'autre ; cette différence vous a intrigués, attirés au départ, souvenez-vous-en. Même vos objectifs et votre sens des valeurs sont différents ; pourtant vous raisonnez de manière semblable. Lorsque tout va bien, c'est merveilleux, mais en cas de conflit, ça peut chauffer. Les divergences d'opinions, les situations délicates ne manquent pas entre vous. S'il est normal de ne pas être toujours du même avis sur tout, il est cependant essentiel d'apprendre à s'écouter pour éviter les malentendus. Ce qui vous a séduit chez l'autre, c'est justement sa vision différente de la vie. Il est donc important d'allier respect et compréhension si vous voulez éviter les heurts. La passion entre vous est très importante, mais attention de ne pas vous enflammer à tout bout de champ. Laissez l'autre s'exprimer. Vous lui coupez facilement la parole sans toujours vous rendre compte qu'un peu d'écoute et d'attention serait tellement plus profitable. Ouvrez votre cœur… et vos oreilles ! Vous pourrez vivre une relation très enrichissante.

4 Vos deux signes sont en opposition ; vous êtes aux antipodes l'un de l'autre… Peut-être est-ce ce qui vous a fait vibrer lors de votre première rencontre. Même si vous êtes très différents, vous vous complétez magnifiquement, malgré quelques petites escarmouches sans conséquence. Puisque les forces de l'un comblent les points faibles de l'autre, vous avez l'impression de voir votre propre image inversée, comme le négatif d'une photo. Votre conjoint vous permet de découvrir des horizons que vous n'imaginiez pas, de voir le monde sous un jour totalement différent, de vous surpasser. Il vous aide aussi à percevoir vos faiblesses. Sans vous l'avouer, ce qui vous agace en lui met en lumière vos propres défauts. Une telle perception des choses peut créer des frictions, mais vous sentez bien que votre union est très originale et particulière, et vous réussissez à surmonter vos problèmes. Votre couple est équilibré, complémentaire et harmonieux ; vous vous apportez beaucoup l'un à l'autre, et les chances qu'une stabilité et qu'un enrichissement mutuel s'installent dans votre couple sont excellentes.

5 Vos deux signes se trouvent en sextile : vos éléments sont donc compatibles. Votre union sera facile, agréable et sans problèmes insurmontables. Vous n'avez peut-être pas eu de coup de foudre l'un pour l'autre, et la passion ne vous a pas littéralement emportés. Mais avec le temps vous avez appris à vous connaître et à vous apprécier, et c'est là l'essentiel. Votre affection est profonde. L'amitié qui vous unit, votre compréhension et votre communication exceptionnelles vous permettent de dialoguer sans heurts et de vous expliquer : comme on dit, vous êtes sur la même longueur d'onde. Si votre vision des choses diffère, d'autres éléments et d'autres caractéristiques vous réunissent. Vos sensibilités et vos désirs se rejoignent. Par le dialogue, les petites difficultés s'aplanissent toujours. Le rire et l'humour vous rapprochent l'un de l'autre. Avec un minimum d'efforts, votre relation sera douce, tendre et revigorante. Vous irez là où vos pas vous porteront, main dans la main.

6 Seriez-vous étrangers l'un à l'autre ? Pour trouver des points communs entre vous, il faut bien chercher. Souvent, vous avez même l'impression de ne pas parler la même langue. Et pourtant… vous pourriez vous entendre, avec un peu de travail de part et d'autre. Le plus amusant est que cette différence peut se révéler un précieux atout au cours d'activités communes, dans vos loisirs ou même au boulot. Le manque de communication dans votre couple est flagrant ; vous le déplorez et aurez à certains moments l'impression que votre conjoint ne vous comprend pas et ne répond pas à vos attentes. Vos valeurs et vos objectifs divergent du tout au tout parfois. Dans de telles conditions, votre vie de couple repose sur vos efforts. Il est inutile d'essayer de changer votre partenaire. Acceptez-le, sans condition. Pour rendre votre vie à deux plus harmonieuse, vous pourriez jouer sur le romantisme. Sachez surprendre votre partenaire en proposant des sorties en amoureux, des dîners aux chandelles à l'improviste et des surprises de toutes sortes. Si votre partenaire n'arrive pas à cerner complètement votre personnalité, cela peut être un plus. Alliez cette carte « mystère » à la carte « romantisme » et, à coup sûr, vous ferez battre son cœur. Des liens psychiques très forts peuvent être tissés entre vous deux ; une compréhension au-delà des mots, voire de la télépathie, n'est pas impossible. Voilà une autre énigme dont vous pourrez vous servir pour stimuler votre couple.

TROUVER SON ASCENDANT, C'EST FACILE !

VOUS NE CONNAISSEZ PAS VOTRE ASCENDANT ? NOUS ALLONS VOUS DONNER UNE MÉTHODE TRÈS SIMPLE POUR LE TROUVER.

De quoi avez-vous besoin ?
De votre heure de naissance, c'est tout.

Comment faire ?
1. Prenez votre heure de naissance ;
2. ajoutez le temps sidéral ;
3. additionnez le tout.
Vous voyez, ce n'est pas bien compliqué.

Dans les lignes qui suivent, nous vous donnons :
1. quelques renseignements sur votre heure de naissance ;
2. le temps sidéral qui correspond à votre date de naissance ;
3. des indications pour additionner l'un à l'autre.

Avant d'aller plus loin, lisez donc les paragraphes qui suivent ; vous serez sûr de ne pas faire d'erreur.

1. VOTRE HEURE DE NAISSANCE

L'ascendant se calcule à partir de l'heure de naissance ; il faut donc que vous sachiez à quelle heure vous êtes né pour le calculer.

NOTE Si vous ne connaissez pas votre heure de naissance, seul un astrologue expérimenté pourrait trouver votre ascendant. Mais informez-vous : des parents, des proches, des frères ou sœurs, voire l'hôpital où vous êtes né peuvent vous renseigner sur votre heure de naissance.

Si votre heure de naissance est imprécise, vous pouvez essayer quand même. Évidemment, l'ascendant que vous obtiendrez alors sera imprécis, lui aussi.

Donc, vous savez maintenant que votre ascendant se calcule à partir de votre heure de naissance. Rappelez-vous cependant les deux petites choses suivantes.

Si vous êtes né en après-midi ou en soirée, il faut que vous preniez votre heure **en système de 0 à 24 heures**. Donc, au lieu d'écrire 2 h de l'après-midi, vous écrivez 14 h ; au lieu de 9 h du soir, vous écrivez 21 h.

C'EST BIEN IMPORTANT, NE L'OUBLIEZ PAS !

En effet, si vous êtes né en soirée ou en après-midi, vous n'aurez pas le même ascendant que si vous étiez né le matin.

En astrologie, il faut toujours prendre **l'heure réelle** et non pas l'heure avancée. Vous ne voulez pas calculer l'ascendant de quelqu'un qui serait né une heure plus tard que vous !

Savez-vous si vous êtes né pendant une période d'heure avancée ? C'est facile : dans les lignes qui suivent, vous le verrez aisément.

TABLEAU DE L'HEURE AVANCÉE

Si vous êtes né entre les dates suivantes, enlevez une heure à votre heure de naissance pour avoir votre heure réelle de naissance.

De 1919 à 1927 inclusivement, l'heure était avancée à **Montréal seulement** :

- en 1919, du 31 mars au 25 octobre* ;
- en 1920, du 2 mai au 3 octobre* ;
- en 1921, du 1er mai au 2 octobre* ;
- en 1922, du 30 avril au 1er octobre* ;
- en 1923, du 13 mai au 30 septembre* ;
- en 1924, du 18 mai au 28 septembre* ;
- en 1925, du 3 mai au 27 septembre* ;
- en 1926, du 2 mai au 26 septembre* ;
- en 1927, du 1er mai au 25 septembre*.

* À Montréal seulement – pas dans le reste du Québec. Donc, si vous êtes né entre ces dates à Montréal, enlevez une heure. Si vous êtes né ailleurs dans la province, laissez votre heure telle quelle.

À partir de 1928, l'heure est avancée **à Montréal et dans tout le reste de la province** entre les dates suivantes :
- en 1928, du 29 avril au 30 septembre ;
- en 1929, du 28 avril au 29 septembre ;
- en 1930, du 27 avril au 28 septembre ;
- en 1931, du 26 avril au 27 septembre ;
- en 1932, du 24 avril au 25 septembre ;
- en 1933, du 30 avril au 24 septembre ;
- en 1934, du 29 avril au 30 septembre ;
- en 1935, du 28 avril au 29 septembre ;
- en 1936, du 26 avril au 27 septembre ;
- en 1937, du 25 avril au 26 septembre ;
- en 1938, du 24 avril au 25 septembre ;
- en 1939, du 30 avril au 24 septembre ;
- en 1940, du 28 avril au 31 décembre* ;
- en 1941, TOUTE L'ANNÉE* ;

- en 1942, TOUTE L'ANNÉE*;
- en 1943, TOUTE L'ANNÉE*;
- en 1944, TOUTE L'ANNÉE*;
- en 1945, du 1er janvier au 30 septembre*.

* L'heure fut avancée continuellement, hiver comme été, durant la guerre.

- en 1946, du 28 avril au 29 septembre;
- en 1947, du 27 avril au 28 septembre;
- en 1948, du 25 avril au 26 septembre;
- en 1949, du 24 avril au 25 septembre;
- en 1950, du 30 avril au 24 septembre;
- en 1951, du 29 avril au 30 septembre;
- en 1952, du 27 avril au 28 septembre;
- en 1953, du 26 avril au 27 septembre;
- en 1954, du 25 avril au 26 septembre;
- en 1955, du 24 avril au 25 septembre;
- en 1956, du 29 avril au 30 septembre;
- en 1957, du 28 avril au 27 octobre;
- en 1958, du 27 avril au 26 octobre;
- en 1959, du 26 avril au 25 octobre;
- en 1960, du 24 avril au 30 octobre;
- en 1961, du 30 avril au 29 octobre;
- en 1962, du 29 avril au 28 octobre;
- en 1963, du 28 avril au 27 octobre;
- en 1964, du 26 avril au 25 octobre;
- en 1965, du 25 avril au 31 octobre;
- en 1966, du 24 avril au 30 octobre;
- en 1967, du 30 avril au 29 octobre;
- en 1968, du 28 avril au 27 octobre;
- en 1969, du 27 avril au 26 octobre;
- en 1970, du 26 avril au 25 octobre;
- en 1971, du 25 avril au 31 octobre;
- en 1972, du 30 avril au 29 octobre;
- en 1973, du 29 avril au 28 octobre;
- en 1974, du 28 avril au 27 octobre;
- en 1975, du 27 avril au 26 octobre;
- en 1976, du 25 avril au 31 octobre;
- en 1977, du 24 avril au 30 octobre;
- en 1978, du 30 avril au 29 octobre;
- en 1979, du 29 avril au 28 octobre;
- en 1980, du 27 avril au 26 octobre;
- en 1981, du 26 avril au 25 octobre;
- en 1982, du 25 avril au 31 octobre;
- en 1983, du 24 avril au 30 octobre;
- en 1984, du 29 avril au 28 octobre;

- en 1985, du 28 avril au 27 octobre ;
- en 1986, du 27 avril au 26 octobre ;
- en 1987, du 5 avril au 25 octobre ;
- en 1988, du 3 avril au 30 octobre ;
- en 1989, du 2 avril au 29 octobre ;
- en 1990, du 1er avril au 28 octobre ;
- en 1991, du 7 avril au 29 octobre ;
- en 1992, du 5 avril au 25 octobre ;
- en 1993, du 4 avril au 31 octobre ;
- en 1994, du 3 avril au 30 octobre ;
- en 1995, du 2 avril au 29 octobre ;
- en 1996, du 7 avril au 27 octobre ;
- en 1997, du 6 avril au 26 octobre ;
- en 1998, du 5 avril au 25 octobre ;
- en 1999, du 4 avril au 31 octobre ;
- en 2000, du 2 avril au 29 octobre ;
- en 2001, du 1er avril au 28 octobre ;
- en 2002, du 7 avril au 27 octobre ;
- en 2003, du 6 avril au 26 octobre ;
- en 2004, du 4 avril au 31 octobre ;
- en 2005, du 3 avril au 28 octobre ;
- en 2006, du 2 avril au 29 octobre ;
- en 2007, du 11 mars au 4 novembre ;
- en 2008, du 9 mars au 2 novembre ;
- en 2009, du 8 mars au 1er novembre ;
- en 2010, du 14 mars au 7 novembre ;
- en 2011, du 13 mars au 6 novembre ;
- en 2012, du 11 mars au 4 novembre ;
- en 2013, du 10 mars au 3 novembre ;
- en 2014, du 9 mars au 2 novembre ;
- en 2015, du 8 mars au 1er novembre ;
- en 2016, du 13 mars au 6 novembre ;
- en 2017, du 12 mars au 5 novembre ;
- en 2018, du 11 mars au 4 novembre ;
- en 2019, du 10 mars au 3 novembre ;
- en 2020, du 8 mars au 1er novembre ;
- en 2021, du 14 mars au 7 novembre ;
- en 2022, du 13 mars au 6 novembre.

Donc, si vous êtes né entre les dates que nous venons de donner, n'oubliez pas d'enlever une heure à votre heure de naissance pour obtenir votre heure réelle de naissance.

2. LE TEMPS SIDÉRAL

Comme nous l'avons vu précédemment, pour calculer l'ascendant, il suffit d'additionner votre heure réelle de naissance au temps sidéral qui correspond à votre journée de naissance. Le temps sidéral est une heure qui correspond à une seule journée de l'année. Chaque journée a le sien ; il n'y a pas deux journées qui ont le même temps.

Pour calculer votre ascendant, vous avez donc besoin de connaître le temps sidéral qui correspond au jour de votre anniversaire. Comment faire ? Rien de plus simple.

Aux pages 55 et 56, vous trouverez un tableau : à la première ligne du tableau figurent les 12 mois de l'année, chacun correspondant à une colonne. La première colonne comporte des chiffres allant de 1 à 31. Ces chiffres correspondent, bien sûr, aux quantièmes (jours) des mois.

Il vous suffit maintenant de trouver, dans la colonne qui correspond à votre mois de naissance, la ligne de votre jour d'anniversaire, et le tour est joué.

PAR EXEMPLE Si vous êtes né le 1er janvier, vous cherchez sous janvier, et à la première ligne vous voyez 6 h 36. Le temps sidéral qui correspond à votre jour de naissance est donc 6 h 36.

De même, si vous êtes né le 14 mai, vous allez voir, sous la colonne de mai, la ligne qui correspond au 14, et vous trouvez votre temps sidéral, qui est 15 h 24.

NOTE Pour vous faciliter la tâche, les tableaux des pages 55 et 56 indiquent le temps sidéral corrigé et simplifié. Suivez la ligne qui correspond à votre jour d'anniversaire jusqu'à la colonne de votre mois de naissance : vous avez maintenant le temps sidéral qui correspond à votre jour de naissance.

3. ET PUIS VOUS ADDITIONNEZ

Vous avez donc maintenant votre heure réelle de naissance et le temps sidéral qui correspond à votre journée de naissance : il vous suffit de faire une toute petite addition. Bien sûr, vous avez pris soin de vous assurer que votre heure de naissance est inscrite **en système de 0 à 24 heures,** surtout si vous êtes né en après-midi ou en soirée.

ATTENTION Vous avez des heures et des minutes. Vous savez qu'il y a 60 minutes dans une heure et 24 heures dans une journée.

Donc si, en additionnant, vous avez un total de minutes supérieur à 60, vous soustrayez 60 du nombre des minutes et vous ajoutez 1 au nombre des heures.

Si, en additionnant, vous avez un total d'heures supérieur à 24, vous soustrayez 24.

Vous avez maintenant un total en heures et en minutes ; vous n'avez plus qu'à consulter le petit tableau de la page 57, à trouver la section qui correspond à la vôtre et à lire votre ascendant.

Voici un exemple pour illustrer cette méthode. Supposons qu'une personne soit née le 24 juin 1967, à 2 h 25 de l'après-midi. Nous savons que, pour calculer l'ascendant, il faut utiliser l'heure en système de 0 à 24 heures. Donc, **2 h 25** de l'après-midi, c'est en réalité **14 h 25.** Comme l'heure était avancée (voir le tableau de l'heure avancée), il faut soustraire **1 heure,** ce qui donne **14 h 25 - 1 h = 13 h 25.** Maintenant que nous avons l'heure réelle de naissance, faisons le calcul :

HEURE RÉELLE DE NAISSANCE	13 h 25
TEMPS SIDÉRAL (DU 24 JUIN)	+ 18 h 06
TOTAL	31 h 31

Comme le nombre des heures est supérieur à 24, nous soustrayons 24 heures à 31 h 31, ce qui donne :

$$
\begin{array}{r}
31\ h\ 31 \\
-\ 24\ h\ 00 \\
\hline
7\ h\ 31
\end{array}
$$

En consultant la **Table des ascendants** (en page 57), on voit bien que l'ascendant de cette personne est Balance.

Faites vous-même vos calculs

1. Inscrivez votre heure de naissance _____ h _____
    (en système de 0 à 24 heures).

2. Enlevez 1 heure,   (- 1 heure)
    mais seulement si vous êtes né
    en période d'heure avancée.   =   _____ h _____

Cela vous donne votre heure de naissance réelle

3. Inscrivez le temps sidéral qui
    correspond à votre jour de naissance.   +   _____ h _____

4. Additionnez les deux lignes
    précédentes.   =   _____ h _____

5. Si le nombre des minutes dépasse 60,
    enlevez 60 minutes et ajoutez 1 heure ;
    sinon, laissez tel quel.

    Si le nombre des heures dépasse 24,
    enlevez 24 heures ; sinon, laissez tel quel.

Vous obtenez _____ h _____

Maintenant, consultez la Table des ascendants et trouvez le vôtre.

TEMPS SIDÉRAL
Du 1er janvier au 30 juin

JOUR	JANV.	FÉV.	MARS	AVRIL	MAI	JUIN
1	6 h 36	8 h 38	10 h 33	12 h 36	14 h 33	16 h 36
2	6 h 40	8 h 42	10 h 37	12 h 40	14 h 37	16 h 40
3	6 h 44	8 h 46	10 h 40	12 h 44	14 h 41	16 h 43
4	6 h 48	8 h 50	10 h 44	12 h 48	14 h 45	16 h 47
5	6 h 52	8 h 54	10 h 48	12 h 52	14 h 49	16 h 51
6	6 h 56	8 h 58	10 h 52	12 h 55	14 h 53	16 h 55
7	7 h 00	9 h 02	10 h 56	12 h 58	14 h 57	16 h 59
8	7 h 04	9 h 06	11 h 00	13 h 02	15 h 01	17 h 03
9	7 h 08	9 h 10	11 h 04	13 h 06	15 h 05	17 h 07
10	7 h 12	9 h 14	11 h 08	13 h 10	15 h 09	17 h 11
11	7 h 15	9 h 18	11 h 12	13 h 14	15 h 13	17 h 15
12	7 h 19	9 h 22	11 h 16	13 h 18	15 h 17	17 h 19
13	7 h 23	9 h 26	11 h 20	13 h 22	15 h 21	17 h 23
14	7 h 27	9 h 30	11 h 24	13 h 26	15 h 24	17 h 27
15	7 h 31	9 h 33	11 h 28	13 h 30	15 h 28	17 h 31
16	7 h 35	9 h 37	11 h 32	13 h 34	15 h 32	17 h 34
17	7 h 39	9 h 41	11 h 36	13 h 38	15 h 36	17 h 38
18	7 h 43	9 h 45	11 h 40	13 h 42	15 h 40	17 h 42
19	7 h 47	9 h 49	11 h 44	13 h 46	15 h 44	17 h 46
20	7 h 51	9 h 53	11 h 48	13 h 50	15 h 48	17 h 50
21	7 h 55	9 h 57	11 h 52	13 h 54	15 h 52	17 h 54
22	7 h 59	10 h 01	11 h 55	13 h 58	15 h 56	17 h 58
23	8 h 03	10 h 05	11 h 58	14 h 02	16 h 00	18 h 02
24	8 h 07	10 h 09	12 h 02	14 h 06	16 h 04	18 h 06
25	8 h 11	10 h 13	12 h 06	14 h 10	16 h 08	18 h 10
26	8 h 15	10 h 17	12 h 10	14 h 14	16 h 12	18 h 14
27	8 h 19	10 h 21	12 h 14	14 h 18	16 h 16	18 h 18
28	8 h 23	10 h 25	12 h 18	14 h 22	16 h 20	18 h 22
29	8 h 26	10 h 29	12 h 22	14 h 26	16 h 24	18 h 26
30	8 h 30		12 h 26	14 h 29	16 h 28	18 h 30
31	8 h 34		12 h 30		16 h 32	

TEMPS SIDÉRAL
Du 1er juillet au 31 décembre

JOUR	JUIL.	AOÛT	SEPT.	OCT.	NOV.	DÉC.
1	18 h 34	20 h 37	22 h 39	0 h 37	2 h 39	4 h 38
2	18 h 38	20 h 41	22 h 43	0 h 41	2 h 43	4 h 42
3	18 h 42	20 h 45	22 h 47	0 h 45	2 h 47	4 h 46
4	18 h 46	20 h 49	22 h 51	0 h 49	2 h 51	4 h 50
5	18 h 50	20 h 53	22 h 55	0 h 53	2 h 55	4 h 54
6	18 h 54	20 h 57	22 h 59	0 h 57	2 h 59	4 h 57
7	18 h 58	21 h 00	23 h 03	1 h 01	3 h 03	5 h 01
8	19 h 02	21 h 04	23 h 07	1 h 05	3 h 07	5 h 05
9	19 h 06	21 h 08	23 h 11	1 h 09	3 h 11	5 h 09
10	19 h 10	21 h 12	23 h 14	1 h 13	3 h 15	5 h 13
11	19 h 14	21 h 16	23 h 18	1 h 17	3 h 19	5 h 17
12	19 h 18	21 h 20	23 h 22	1 h 21	3 h 23	5 h 21
13	19 h 22	21 h 24	23 h 26	1 h 25	3 h 27	5 h 25
14	19 h 26	21 h 28	23 h 30	1 h 29	3 h 31	5 h 29
15	19 h 30	21 h 32	23 h 34	1 h 32	3 h 35	5 h 33
16	19 h 34	21 h 36	23 h 38	1 h 36	3 h 39	5 h 37
17	19 h 38	21 h 40	23 h 42	1 h 40	3 h 43	5 h 41
18	19 h 42	21 h 44	23 h 46	1 h 44	3 h 47	5 h 45
19	19 h 46	21 h 48	23 h 50	1 h 48	3 h 50	5 h 49
20	19 h 49	21 h 52	23 h 54	1 h 52	3 h 54	5 h 53
21	19 h 53	21 h 56	23 h 58	1 h 56	3 h 58	5 h 57
22	19 h 57	22 h 00	0 h 02	2 h 00	4 h 02	6 h 01
23	20 h 02	22 h 04	0 h 06	2 h 04	4 h 06	6 h 05
24	20 h 06	22 h 08	0 h 10	2 h 06	4 h 10	6 h 09
25	20 h 10	22 h 12	0 h 14	2 h 12	4 h 14	6 h 13
26	20 h 14	22 h 16	0 h 18	2 h 16	4 h 18	6 h 17
27	20 h 18	22 h 20	0 h 23	2 h 20	4 h 22	6 h 21
28	20 h 22	22 h 24	0 h 26	2 h 24	4 h 26	6 h 24
29	20 h 26	22 h 27	0 h 30	2 h 28	4 h 30	6 h 28
30	20 h 30	22 h 31	0 h 34	2 h 32	4 h 34	6 h 32
31	20 h 33	22 h 35		2 h 36		6 h 36

TABLE DES ASCENDANTS

Quel est le vôtre?

Comparez le total obtenu en additionnant votre heure de naissance réelle et le temps sidéral du jour de votre naissance aux tranches d'heures ci-dessous pour connaître votre ascendant.

HEURES	ASCENDANTS
- de 0 h 00 à 0 h 34	Cancer
- de 0 h 35 à 3 h 21	Lion
- de 3 h 22 à 5 h 59	Vierge
- de 6 h 00 à 8 h 40	Balance
- de 8 h 41 à 11 h 18	Scorpion
- de 11 h 19 à 13 h 43	Sagittaire
- de 13 h 44 à 15 h 35	Capricorne
- de 15 h 36 à 16 h 58	Verseau
- de 16 h 59 à 17 h 59	Poissons
- de 18 h 00 à 19 h 04	Bélier
- de 19 h 05 à 20 h 24	Taureau
- de 20 h 25 à 22 h 22	Gémeaux
- de 22 h 23 à 24 h 00	Cancer

DÉFINITION DES ASCENDANTS

BÉLIER : ce signe prédispose à l'impulsivité et même à l'agressivité. Vous êtes franc, mais vous vous faites souvent des ennemis, car votre entourage n'est pas toujours prêt à admettre la vérité. Vous êtes essentiellement un être dynamique ; toutefois, il vous arrive fréquemment de commencer mille et un projets et de n'en terminer aucun. Vos sentiments sont vifs et entiers. Nous devons souligner ici que vous détenez le record des accidents.

TAUREAU : vous êtes tenace, persévérant, mais bien souvent têtu. Vous allez toujours au bout de ce que vous entreprenez. Vous refusez les échecs et vous vous battez jusqu'à la mort pour réussir. L'argent est essentiel à votre bien-être, et vous avez constamment peur d'en manquer. Vous êtes lent à vous attacher, mais vos sentiments sont d'une profondeur et d'une stabilité peu communes. Il est vrai que vous n'êtes pas bavard mais, quand vous parlez, on sait à quoi s'en tenir.

GÉMEAUX : j'ai surnommé cet ascendant « le courant d'air ». Effectivement, vous bougez sans cesse, vous êtes partout à la fois et vous ne voulez rien manquer. C'est d'ailleurs pour cette raison que vous avez tellement tendance à vous éparpiller. Vos réflexes et vos réactions sont très rapides. Vous adorez parler et communiquer ; voilà pourquoi vous êtes si doué pour travailler avec le public. Même si vous parlez beaucoup, vous n'exprimez pas toujours facilement vos sentiments.

CANCER : cet ascendant confère une nature très maternelle ou paternelle, selon le cas. Vous avez énormément besoin de vous sentir aimé. Vous dorlotez les vôtres et vous comblez leurs besoins avant même qu'ils ne les aient exprimés. Votre hypersensibilité et votre naïveté vous jouent bien souvent de vilains tours. Pour vous, l'amour, l'amitié et la famille sont sacrés. D'ailleurs, les sentiments sont votre meilleur carburant.

LION : vous êtes le roi des animaux et, effectivement, vous ne détestez pas régner sur votre entourage. Vous n'acceptez pas de passer inaperçu et, finalement, vous avez presque toujours besoin d'un public. Il y a cependant une exception : quand vous êtes triste ou déprimé, vous ne voulez plus voir personne. Vous partagez facilement vos gains et vos succès, mais vous ne voulez aucun témoin de vos chagrins. Assurément, vous êtes doué pour l'administration... et pour le vedettariat.

VIERGE : cet ascendant rend méthodique, méticuleux, logique et rationnel. Avouons toutefois que vous êtes souvent maniaque des détails, de l'hygiène et de la propreté. On peut vous compter parmi les êtres les plus responsables et les plus dévoués du zodiaque. Malheureusement, vous vous sentez toujours coupable de tout et vous estimez que vous n'en avez jamais assez fait. Votre mémoire est davantage axée sur les mauvais souvenirs que sur les bons. Si je peux me permettre de vous donner un conseil, je vous dirais de moins penser et de mettre plus de fantaisie dans votre vie.

BALANCE : votre charme est incontestable, vous trouvez tout beau et, avec vous, rien n'est jamais totalement négatif. Vous détestez la solitude et vous éprouvez constamment le besoin d'être entouré, que ce soit au travail ou dans votre vie privée. Vous ne pouvez supporter ni le mensonge, ni l'hypocrisie, ni l'injustice. Le seul problème que vous ayez, c'est quand il s'agit de prendre une décision : vous n'en finissez plus de balancer.

SCORPION : vous avez bien mauvaise réputation et, pourtant, elle n'est absolument pas fondée. Il n'y a pas de bons ni de mauvais signes ; chacun a ses qualités et ses défauts. Ces rumeurs qui circulent sur votre compte viennent sûrement d'un astrologue qui n'aimait pas les Scorpion ; moi, je vous aime bien. N'oublions pas que vous êtes méfiant et que vous ne laissez pas facilement paraître vos sentiments. Vous êtes un travailleur acharné et votre mémoire est phénoménale. D'ailleurs, ne vous souvenez-vous pas toujours de ce qu'on vous a fait ?

SAGITTAIRE : votre indépendance frise souvent les extrêmes. Vous ne voulez rien devoir à personne et vous remettez chaque fois au centuple les faveurs qu'on vous fait. Vous avez la bougeotte, vous ne tenez pas en place et vous adorez voyager. La nature et les animaux vous attirent beaucoup. Un emploi sédentaire ne vous convient pas tellement ; cependant, s'il est question de mouvement au travail, vous serez parfaitement satisfait.

CAPRICORNE : vous êtes comme le bon vin, plus vous vieillissez, plus vous prenez de la force et du piquant. Et puisque vous vous bonifiez avec le temps, la deuxième partie de votre vie est toujours bien meilleure que la première. Il est vrai que vous mettez sans cesse les bouchées doubles lorsqu'il s'agit de travail et que vous êtes plutôt perfectionniste. Vous parlez peu et, souvent, votre entourage vous reprochera d'être renfermé et replié sur vous-même.

VERSEAU : vous êtes très humain, mais votre bonté se retourne facilement contre vous. En effet, vous êtes fréquemment victime de profiteurs, de parasites et de faux amis qui abusent carrément de vous. Apprenez à dire non et vous serez gagnant. Vous jugez d'après vous-même et vous êtes constamment déçu. Votre intuition est pourtant surprenante : vous auriez intérêt à vous y fier davantage.

POISSONS : de tous les signes, vous êtes le plus sensible et le plus vulnérable. Vous vous découragez facilement et vous abandonnez la partie après le premier échec. Par peur de la solitude, vous vous entourez de gens qui vous causent beaucoup plus de chagrin que de joie. Attention ! Vous avez une âme de missionnaire et vous êtes incapable de refuser quoi que ce soit à votre prochain. Les paradis artificiels et les croyances utopiques exercent une forte attraction sur vous.

IMPORTANT Il n'existe pas de signes purs ; ainsi, il est impossible d'être un pur Bélier, un pur Taureau, etc. L'influence de votre ascendant et celle des positions planétaires à votre naissance sont tout aussi importantes. J'ai constaté que l'influence de l'ascendant est de plus en plus forte avec le temps. En vieillissant, c'est l'ascendant qui prédomine et, dans la deuxième partie de la vie, il prend une valeur significative. Toutefois, on compte deux exceptions : l'ascendant Capricorne et l'ascendant Vierge, qui obéissent à la règle inverse.

LES 12 SIGNES ET LES 36 DÉCANS

Signe	1er décan	2e décan	3e décan
Bélier 21 mars au 20 avril	21 mars au 31 mars	1er avril au 10 avril	11 avril au 20 avril
Taureau 21 avril au 20 mai	21 avril au 29 avril	30 avril au 10 mai	11 mai au 20 mai
Gémeaux 21 mai au 21 juin	21 mai au 1er juin	2 juin au 11 juin	12 juin au 21 juin
Cancer 22 juin au 23 juillet	22 juin au 1er juillet	2 juillet au 12 juillet	13 juillet au 23 juillet
Lion 24 juillet au 23 août	24 juillet au 3 août	4 août au 13 août	14 août au 23 août
Vierge 24 août au 23 septembre	24 août au 3 septembre	4 septembre au 13 septembre	14 septembre au 23 septembre
Balance 24 septembre au 23 octobre	24 septembre au 3 octobre	4 octobre au 13 octobre	14 octobre au 23 octobre
Scorpion 24 octobre au 22 novembre	24 octobre au 2 novembre	3 novembre au 12 novembre	13 novembre au 22 novembre
Sagittaire 23 novembre au 20 décembre	23 novembre au 2 décembre	3 décembre au 12 décembre	13 décembre au 20 décembre
Capricorne 21 décembre au 20 janvier	21 décembre au 31 décembre	1er janvier au 10 janvier	11 janvier au 20 janvier
Verseau 21 janvier au 19 février	21 janvier au 31 janvier	1er février au 10 février	11 février au 19 février
Poissons 20 février au 20 mars	20 février au 29 février	1er mars au 10 mars	11 mars au 20 mars

LES SUBTILITÉS DE VOTRE DÉCAN

On entend souvent parler des différents décans, et vous connaissez peut-être le vôtre. Pourtant, la plupart des gens ne savent pas trop ce que c'est ni à quoi cela correspond. Vous avez dû constater que les natifs de votre signe sont loin d'être tous comme vous. En fait, chaque décan a une influence bien particulière et renseigne sur votre personnalité, mais aussi sur vos tendances, vos goûts et vos besoins. Dans les lignes qui suivent, signe par signe, vous trouverez quelle est l'influence du décan et comment il touche votre façon d'être.

BÉLIER (DU 21 MARS AU 20 AVRIL)

Ce que vous avez en commun avec les autres natifs de votre signe

Vous êtes actif et dynamique, vous avez constamment quelque chose en tête et, comme vous n'aimez pas attendre, vous allez droit au but. Ardent, compétitif, vous êtes très stimulé par les défis, ce qui vous pousse à commencer un tas de choses ; pourtant, lorsque ça démarre, votre motivation baisse, et vous vous attaquez à un autre projet. Franc mais brusque, vous dites tout ce que vous pensez, ce qui crée parfois des frictions. Vous ne supportez pas la contrariété, vous piquez des colères terribles, mais vous n'êtes pas rancunier pour deux sous. En amour, vous êtes fougueux : c'est la passion et rien d'autre qui vous attire.

Quelle sorte de Bélier êtes-vous ?

✦ **Bélier du 1er décan (du 21 au 31 mars)**

Votre vitalité est incroyable, vous êtes une vraie dynamo. Vous vous sentez vivre lorsque vous êtes dans le feu de l'action, vous avez donc tout le temps besoin de bouger, d'accomplir quelque chose. Les obstacles ne vous font pas peur, vous avez même tendance à les oublier, ce qui joue parfois contre vous, dans les questions matérielles notamment. Rapide en tout, vous ne supportez pas qu'on vous fasse attendre : sur la route, vous faites des excès, ce qui peut vous occasionner accidents et contraventions. Leader de nature, vous avez tendance à diriger les gens autour de vous : les collègues, parfois même les supérieurs. Vous contrôlez, vous donnez des ordres, mais n'aimez pas en recevoir.

✦ **Bélier du 2e décan (du 1er au 10 avril)**

Décidément, on vous remarque de loin ! Vous avez une personnalité éclatante, vous aimez les vêtements luxueux, le beau : vous attachez une grande importance à votre image. Pour vous, réussir est la priorité : vous vous arrangez pour y arriver, vous gardez votre direction. Votre attitude reflète la confiance, ce qui vous aide beaucoup sur le plan professionnel. Dans votre petit univers comme dans votre bande d'amis, c'est vous le roi, pourtant vous êtes très généreux avec ceux qui vous entourent. Vous êtes droit et fier de nature, mais vous ne pardonnez pas lorsqu'on vous critique ou qu'on vous met en boîte.

✦ **Bélier du 3e décan (du 11 au 20 avril)**

Vous êtes le plus affectueux des Bélier. Vous bouillonnez d'énergie, mais vous avez un peu de mal à prendre des décisions et fonctionnez mieux en équipe que seul. Les tensions interpersonnelles et la chicane vous indisposent au plus haut point ; heureusement, votre sens de la diplomatie vous permet d'éviter bien des affrontements. Vous êtes fort habile sur le plan humain, ce qui vous aide à atteindre vos buts. Votre vie sociale est remplie, mais le centre de votre existence, ce sont vos amours. Votre couple est très important pour vous, vous êtes passionné, aimant, mais vos attentes ne sont pas toujours réalistes.

TAUREAU (DU 21 AVRIL AU 20 MAI)

Ce que vous avez en commun avec les autres natifs de votre signe

Votre sens pratique est incroyable. Déterminé et travailleur, vous atteignez presque toujours les buts que vous vous êtes fixés. Vous êtes prudent, vous pesez le pour et le contre avant de vous décider, mais une fois que votre idée est faite, vous n'en changez plus. Il faut dire que vous êtes un peu anxieux, que les changements et les risques ne vous plaisent pas du tout. Un brin casanier, vous appréciez la nature, le calme et les bonnes choses de la vie. Sur le plan interpersonnel, vous êtes plutôt timide, mais en amour comme en amitié, vous êtes fidèle et loyal.

Quelle sorte de Taureau êtes-vous ?

✦ **Taureau du 1er décan (du 21 au 29 avril)**

De tous les Taureau, c'est vous le plus rapide et le plus curieux. Votre esprit est vif, votre sens du commerce, incroyable. Vous ne perdez jamais vos intérêts de vue. Vous êtes très communicatif, vous parlez beaucoup (quoique vous soyez assez discret sur vous-même), vous savez vous attirer des sympathies, surtout vous avez le don de convaincre les autres. En affaires, vous jouez habilement vos cartes, vous réussissez toujours à obtenir l'aide ou les faveurs nécessaires pour atteindre vos buts. Assez mondain, vous aimez les sorties, rencontrer du monde : vous connaissez bien des gens, mais ce sont davantage des relations sociales que de vrais amis.

✦ **Taureau du 2e décan (du 30 avril au 10 mai)**

Vous avez le sens de la famille, vous misez beaucoup sur votre petit monde, vous faites de gros efforts pour votre partenaire et vos enfants. Même avec vos amis, vous êtes un papa gâteau ou une maman poule. Plutôt inquiet de nature, vous vous tracassez pour ceux que vous aimez, vous cherchez constamment à les protéger. Généreux, hospitalier, vous aimez recevoir et gâter ceux qui sont à votre table. On vous apprécie beaucoup et avec raison. Assez rêveur par moments, vous avez de fortes émotions et une grande sensibilité.

♦ **Taureau du 3ᵉ décan (du 11 au 20 mai)**

Vous avez le sens pratique, le tangible est très important pour vous. Sage, prévoyant, vous prenez votre temps, ce qui vous évite bien des erreurs, en affaires notamment. Assez matérialiste, vous êtes fort avisé dans les questions d'argent et vous pensez à long terme ; vous gardez de petites réserves en cas de besoin, et votre compte en banque est certainement plus rondelet que vous ne le dites. Avec les autres, vous êtes discret, vous parlez peu, pourtant vos gestes en disent long et l'on peut toujours compter sur vous.

GÉMEAUX (DU 21 MAI AU 21 JUIN)

Ce que vous avez en commun avec les autres natifs de votre signe

Votre intelligence est remarquable, votre esprit aussi. Curieux, vous vous intéressez à un tas de choses, vous allez spontanément vers les gens, vous nouez des amitiés, voire des flirts, mais vous êtes un peu changeant, et ce qui vous intéresse un jour peut vous ennuyer le lendemain. Intellectuel, brillant, vous avez presque toujours le dernier mot. Vos champs d'intérêt sont variés, vous connaissez un tas de choses, quoique pas toujours en profondeur. Très mondain, vous raffolez des sorties, des réunions sociales. Vous êtes constamment « sur la trotte ».

Quelle sorte de Gémeaux êtes-vous ?

♦ **Gémeaux du 1ᵉʳ décan (du 21 mai au 1ᵉʳ juin)**

La réussite compte beaucoup à vos yeux, vous appréciez les belles choses, vous avez des goûts luxueux, et vous savez que cela prend des sous pour vous les offrir. Vous aimez bien être le centre d'attraction, être admiré, et vous misez beaucoup sur la réussite professionnelle ou sociale. Communicatif et plein d'entrain, vous avez le talent d'aller chercher les appuis ou les faveurs et, en affaires, vous possédez un flair incroyable. Vous avez donc toutes les chances de finir vos jours bien à l'aise.

♦ **Gémeaux du 2ᵉ décan (du 2 au 11 juin)**

Vous êtes pétillant, vous aimez bouger, vous avez toujours envie de faire quelque chose, de vous investir dans un projet. Que ce soit dans vos loisirs ou sur le plan professionnel, votre esprit compétitif vous pousse constamment à vous surpasser. Démonstratif, franc, vous n'avez pas peur de dire ce que vous pensez, même si cela peut blesser vos interlocuteurs. Vous êtes très chaleureux, vous prenez les devants dans votre groupe d'amis, d'ailleurs vous ne supportez pas qu'on vous contredise. En amour, quand vous voulez quelque chose, rien ne peut vous arrêter.

✦ Gémeaux du 3ᵉ décan (du 12 au 21 juin)

Quelle vedette vous êtes ! Que ce soit dans votre cercle d'amis ou avec des inconnus, on apprécie votre esprit, votre humour et votre intelligence. Vous rayonnez sur votre entourage, vous ne dérogez jamais à votre sens des valeurs. Confiant, vous aimez bien qu'on remarque votre intelligence, votre humour, votre allure ; vous prenez spontanément la première place, que ce soit dans votre milieu de travail, dans votre groupe d'amis ou dans votre couple. Très mondain, hyperséduisant, vous avez le don de charmer les gens, et l'on ne vous résiste pas longtemps. Comédienné, confiant, voire un brin snob, vous ne passez pas inaperçu.

CANCER (DU 22 JUIN AU 23 JUILLET)

Ce que vous avez en commun avec les autres natifs de votre signe

Vous êtes né sous le signe des émotions et de la famille : vous êtes donc sensible, fragile, même si vous vous faites une carapace en société. Doux, affectueux, un peu rêveur, vous avez du mal à supporter qu'il y ait de la chicane autour de vous. Votre petite famille est le centre de votre vie ; vous adorez votre conjoint, vos enfants. Généreux, accueillant, vous êtes bien chez vous, entouré des vieux copains et des vôtres. Vous avez une nature d'artiste et une très grande créativité.

Quelle sorte de Cancer êtes-vous ?

✦ Cancer du 1ᵉʳ décan (du 22 juin au 1ᵉʳ juillet)

Vous avez soif d'harmonie et de tendresse, vous êtes un grand romantique, mais vous avez beaucoup de mal à passer aux actes, à faire des choix. Être bien entouré est essentiel à votre équilibre ; vous avez besoin de rapports agréables avec les gens. La dispute et l'injustice vous horripilent. Votre gentillesse et votre charme font qu'on vous apprécie, mais vous avez souvent du mal à vous affirmer par peur des conflits. La vie sentimentale est très importante à vos yeux, vous rêvez tellement d'aimer et d'être aimé.

✦ Cancer du 2ᵉ décan (du 2 au 12 juillet)

Quel esprit vous avez ! Très communicatif, vous éprouvez de fortes émotions, mais vous dites ce que vous ressentez, vous exprimez vos opinions, vous faites valoir vos arguments avec brio. Votre vie sociale est bien remplie ; vous avez de nombreuses activités, un tas d'amis et vous vous déplacez beaucoup. Indépendant de nature, même si vous adorez votre conjoint, vous aimez bien avoir vos propres occupations, vos relations, votre métier… et surtout votre propre compte en banque.

✦ Cancer du 3ᵉ décan (du 13 au 23 juillet)

Votre sensibilité est vraiment à fleur de peau. Très généreux, toujours aux aguets, vous cherchez à faire plaisir à votre petit monde, à dorloter ceux que vous aimez et à les protéger, car vous êtes un peu inquiet de nature. Hypermaternel ou paternel, vous en faites beaucoup pour les vôtres, peut-être trop même ; vous avez du mal à établir vos limites, à dire non. Vous changez constamment d'humeur, d'idée : prendre des décisions est parfois un tour de force pour vous. Par bonheur, vous êtes très souple et vous vous adaptez bien aux circonstances.

LION (DU 24 JUILLET AU 23 AOÛT)

Ce que vous avez en commun avec les autres natifs de votre signe

Vous avez une personnalité forte, vous vous affirmez, que ce soit parmi vos intimes ou avec des inconnus. Sûr de vous, vous consacrez énormément d'énergie à gravir des échelons, vous voulez réussir tant sur le plan social que financier. Tout semble facile pour vous, et pourtant vous y mettez beaucoup d'efforts. On vous remarque, on vous estime, et cela fait parfois l'envie de certaines personnes de votre entourage. Vous êtes d'une très grande générosité et vous avez horreur de l'hypocrisie. En amour, vous donnez sans compter, mais vous exigez beaucoup aussi.

Quelle sorte de Lion êtes-vous ?

✦ Lion du 1ᵉʳ décan (du 24 juillet au 3 août)

Vous êtes le plus sage, mais aussi le plus ambitieux des Lion. Vous êtes responsable, sérieux. Votre diplomatie et votre sens politique servent vos intérêts. Vous êtes habile avec les gens, vous pouvez même les manipuler au besoin. Côté sous, vous êtes très prévoyant, vous misez sur le solide, sur le long terme, et cela finit chaque fois par rapporter. Perfectionniste, malgré vos réalisations, vous voulez toujours faire plus, faire mieux. En amour et sur le plan personnel, vous êtes entier, stable, mais il faut que le partenaire soit à la hauteur.

✦ Lion du 2ᵉ décan (du 4 au 13 août)

On vous remarque de loin, vous êtes tellement flamboyant ! Votre optimisme fait plaisir à voir. Confiant, chef-né, vous prenez des initiatives, vous donnez forme à vos projets. Même en affaires, le risque ne vous fait pas peur ; généralement, cela vous avantage, mais il ne faut pas sous-estimer les difficultés ou donner votre confiance trop facilement. En général, c'est seul que vous maximiserez vos chances de réussite. Vous régnez dans votre milieu de travail, dans votre cercle d'amis, à la maison et aussi en amour.

✦ Lion du 3ᵉ décan (du 14 au 23 août)

Vous êtes le plus intrépide des Lion, vous avez une énergie prodigieuse, rien ne vous arrête ni ne vous résiste. Les défis ne vous font pas peur ; vous surmontez les obstacles, mais quelquefois vous allez trop vite, ce qui vous expose à des erreurs coûteuses. Une bonne planification vous permettrait d'atteindre plus rapidement vos objectifs ambitieux. Vous êtes très entier en amour comme en amitié. Vous êtes franc, direct, quoique parfois un peu trop contrôlant avec votre entourage. Laissez davantage de place aux autres, vos rapports humains n'en seront que plus agréables.

VIERGE (DU 24 AOÛT AU 23 SEPTEMBRE)

Ce que vous avez en commun avec les autres natifs de votre signe

Vous avez soif de perfection. Votre intelligence est vive ; vous raisonnez beaucoup, un peu trop même. Pratique, minutieux, vous êtes prévoyant, et ce, dans toutes les sphères de votre vie. Travailleur, assidu, responsable, sans bruit vous faites votre chemin. Souvent d'ailleurs votre timidité vous empêche de prendre vraiment le crédit de vos réalisations. Avec votre entourage, vous avez peur de déplaire, de faire de la peine ; cela fait en sorte que vous n'arrivez pas toujours à imposer des limites. Votre sens du dévouement est remarquable.

Quelle sorte de Vierge êtes-vous?

✦ **Vierge du 1ᵉʳ décan (du 24 août au 3 septembre)**

Très logique, vous raisonnez bien, vous savez faire passer vos opinions, vos idées sans qu'on s'en rende compte. Votre entourage se fie largement à votre jugement. Votre bon sens et votre esprit constructif peuvent vous mener très loin, d'ailleurs vous êtes un excellent administrateur. Économe, prudent, vous réussissez à vous imposer sur le plan professionnel et à avoir un compte en banque bien garni. Vos amis sont peu nombreux, mais leur fidélité est à toute épreuve. En amour, vous savez ce que vous voulez : très entier, vous vous investissez beaucoup dans votre couple.

✦ **Vierge du 2ᵉ décan (du 4 au 13 septembre)**

Vous êtes le plus affectueux des Vierge. Sur le plan professionnel, vous êtes travailleur, organisé, mais vous manquez un peu d'initiative. Tranquille, discret, vous avez soif de romantisme et vous rêvez de l'Amour parfait. Conciliant, vous faites beaucoup de compromis et d'efforts pour que tout aille bien dans votre couple. Vous avez même tendance à esquiver les discussions tant vous avez peur de la chicane ; pourtant certaines sont nécessaires. Avec les années, vous vous affirmerez davantage, ce qui sera pour le mieux.

✦ **Vierge du 3ᵉ décan (du 14 au 23 septembre)**

Que vous êtes sociable ! Vous recherchez les contacts humains, vous raffolez des sorties et des réceptions, vous faites bonne impression sur les gens que vous croisez. Votre logique est brillante ; vous avez un sens de l'humour bien à vous. Dans vos activités, on apprécie votre sens critique, votre esprit d'équipe et votre efficacité. Habile communicateur, vous avez la bosse du commerce et gardez toujours vos intérêts en tête. Le renouveau vous stimule, et vous avez certainement une allure beaucoup plus jeune que votre âge.

BALANCE (DU 24 SEPTEMBRE AU 23 OCTOBRE)

Ce que vous avez en commun avec les autres natifs de votre signe

Votre désir de plaire vous ouvre bien des portes! Votre gentillesse et votre côté humain charment ceux que vous rencontrez. Positif, sociable, vous aimez beaucoup les rapports interpersonnels. Vous appréciez les arts, la beauté, l'harmonie; d'ailleurs la chicane vous déplaît tellement que, parfois, vous avez du mal à vous affirmer. Votre sens de la justice est marqué; à vrai dire, vous recherchez la perfection en tout, ce qui vous rend par moments indécis, hésitant. Vous êtes hyper-romantique, et l'amour occupe une place très importante dans votre cœur. La solitude vous fait peur, une vie à deux agréable et sereine est donc essentielle à votre bonheur.

Quelle sorte de Balance êtes-vous?

✦ **Balance du 1er décan (du 24 septembre au 3 octobre)**

Vous êtes d'une sensibilité extrême; c'est vous le plus tendre des Balance. Imaginatif, romanesque, vous êtes constamment à la recherche du partenaire idéal. Cela peut même vous empêcher de vous engager avec un être en chair et en os. C'est dommage, car vous avez vraiment soif d'amour et de tendresse. Vous avez des attentions délicieuses pour ceux qui vous entourent, vous cherchez à faire plaisir à tous; cela fait en sorte que vous hésitez à établir vos limites, à dire non. Sur le plan professionnel, vous avez une grande créativité et beaucoup de potentiel, mais vous manquez d'initiative et vous attendez trop, ce qui peut parfois retarder vos réalisations.

✦ **Balance du 2e décan (du 4 au 13 octobre)**

Vous êtes le plus sage et le plus sérieux des Balance. Idéaliste, vous recherchez sans cesse la perfection. Cela fait en sorte que vous avez toujours peur de commettre des erreurs. Vous cherchez toujours à en faire plus, à vous surpasser. Dans les questions financières, vous vous trompez rarement; économe, vous misez sur le long terme, vous finissez invariablement par atteindre vos objectifs matériels. Sur le plan affectif, vous avez soif de stabilité; vous n'êtes pas très démonstratif, pourtant vos actes parlent pour vous. Vous êtes tendre, fidèle et dévoué. Vous vous investissez pleinement dans votre vie intime et, avec le temps, vous trouverez le bonheur dont vous rêvez.

✦ **Balance du 3ᵉ décan (du 14 au 23 octobre)**

Vous avez une personnalité expansive, vous prenez votre place, vous vous affirmez. Optimiste, vous avez des goûts artistiques, vous appréciez les belles choses, le luxe, et vous dépensez sans compter. Heureusement que vous avez des aptitudes pour gagner de l'argent ! Votre tact et votre diplomatie vous aident sur le plan professionnel, vous permettent de trouver des appuis. Vous aimez la vie mondaine, les rencontres, les belles sorties : vous avez beaucoup de charme et vous en êtes conscient. Pourtant, lorsque vous aimez, vous devenez très stable, très aimant et vous déployez nombre d'efforts pour que votre couple fonctionne.

SCORPION (DU 24 OCTOBRE AU 22 NOVEMBRE)

Ce que vous avez en commun avec les autres natifs de votre signe

Vous avez un charme énigmatique qui fait tourner bien des têtes. Votre charisme est fort, mais les gens ne savent pas trop comment réagir avec vous. Vous êtes passionné, entier et vous ne faites aucune concession. Émotif, vous vous cachez sous une carapace, vous testez les gens. Vous devinez même ce qu'ils ont derrière la tête. Vous avez une mémoire d'éléphant, vous ressassez longtemps ce qu'on vous a fait. Vous êtes déterminé, volontaire et très tenace ; lorsque vous voulez quelque chose, aucune difficulté ne vous rebute. Pas surprenant qu'on vous trouve un peu mystérieux.

Quelle sorte de Scorpion êtes-vous ?

✦ **Scorpion du 1ᵉʳ décan (du 24 octobre au 2 novembre)**

Quel caractère ! Quand vous vous fâchez, ce n'est pas drôle. Vous savez ce que vous voulez, vous n'avez pas peur des affrontements, vous dites ce que vous pensez. Vos sentiments sont d'une intensité incroyable, que ce soit l'amour ou la haine. Dans vos occupations, les défis vous stimulent. Vous déployez une telle volonté que vous surmontez les obstacles, celle-ci est étonnante. Vous avez toutefois peu de vrais amis. Sur le plan intime, vous recherchez la passion : vous êtes impulsif, ardent, mais jaloux avec ceux que vous aimez.

◆ **Scorpion du 2ᵉ décan (du 3 au 12 novembre)**

Vous avez une personnalité très « magnétique ». Même si vous ne vous en rendez pas compte, vous faites tourner les têtes. Vous êtes très généreux avec votre entourage, vos proches notamment, mais vous ne supportez pas qu'on essaie d'abuser de vous ou qu'on vous mente. En amour, vous donnez sans compter, mais vous êtes possessif : la fidélité est très importante à vos yeux. Vous avez du flair en affaires. Intense dans tout ce que vous faites, vous vous engagez beaucoup dans vos activités professionnelles, vous planifiez, vous savez utiliser les gens qui vous entourent ; vous avez donc tous les atouts pour atteindre les plus hautes sphères.

◆ **Scorpion du 3ᵉ décan (du 13 au 22 novembre)**

Vous êtes le plus doux et le plus sociable des Scorpion. Très sensible, vous placez votre vie intime au centre de votre existence : vous savez faire naître et entretenir la passion dans votre couple. Les sacrifices ne vous font pas peur lorsqu'il s'agit de faire plaisir à ceux que vous aimez. Perspicace, vous devinez tout. Votre intuition est phénoménale et vous permet de découvrir ce qu'on voulait vous cacher. Côté carrière, vous savez vous faire aimer et apprécier de vos collaborateurs, et vous utilisez votre pouvoir de séduction. En société, vous êtes aimable, charmant en apparence, quoique toujours un peu sur vos gardes. Fin observateur, vous voyez tout.

SAGITTAIRE (DU 23 NOVEMBRE AU 20 DÉCEMBRE)

Ce que vous avez en commun avec les autres natifs de votre signe

Quel entrain vous avez ! Vous êtes confiant, positif, vous bougez sans cesse. Ouvert à tout, aux autres cultures, aux gens, vous êtes toujours bien entouré. Très indépendant, vous dites ce que vous pensez, vous ne supportez pas qu'on vous empêche d'agir ; conseils et contraintes vous font horreur, en ce qui concerne vos finances notamment. Le renouveau vous stimule, d'ailleurs vous rêvez constamment de voyages, de nouvelles activités ; vous appréciez beaucoup les plaisirs, la bonne bouffe. Sur le plan sentimental, vous êtes fougueux, passionné, mais vous tenez à votre autonomie.

Quelle sorte de Sagittaire êtes-vous?

✦ **Sagittaire du 1er décan (du 23 novembre au 2 décembre)**

Vous êtes le plus communicatif et le plus spirituel des Sagittaire. Enjoué, amusant, vous parlez beaucoup, vous vous faites spontanément des amis, mais vous en changez souvent. En fait, vous êtes tellement changeant qu'on a du mal à vous suivre. Cela ne vous empêche pas d'avoir du plaisir en société, de vous faire remarquer. Vos sentiments sont vifs quoique pas toujours profonds. Très doué pour les affaires ou le commerce, vous avez une grande aptitude à gagner des sous, mais vous dépensez libéralement; avec vous, l'argent roule, et étrangement vous vous en sortez chaque fois brillamment.

✦ **Sagittaire du 2e décan (du 3 au 12 décembre)**

C'est vous le plus sensible et le plus affectueux des Sagittaire. Vous avez une énergie incroyable quoique fluctuante: tantôt vous déplacez des montagnes, tantôt vous restez passif, sans bouger. Les gens vous stimulent. Vous adorez les déplacements, les sorties, les voyages, en fait vous seriez toujours prêt à partir. Recevant, hospitalier, votre maison est continuellement pleine de monde, et votre table, bien garnie. Votre petite famille est très importante pour vous; vous adorez votre conjoint et vos enfants.

✦ **Sagittaire du 3e décan (du 13 au 20 décembre)**

De tous les Sagittaire, c'est vous le plus stable, le plus raisonnable. Vous misez sur l'avenir, vous avez des idées constructives et la ténacité nécessaire pour les mettre à exécution. Dans les questions d'argent, vous calculez tout, vous finissez toujours par tirer avantage de toutes les situations. Tant mieux parce que vous appréciez les bonnes choses, les plaisirs, les voyages, et cela prend des sous. Votre indépendance financière vous est essentielle; vous mettez beaucoup d'efforts pour réussir sur le plan professionnel et, tôt ou tard, vous y arriverez. Socialement, vous êtes chaleureux, plein d'entrain, pourtant vous gardez une certaine réserve. Vous savez ce que vous voulez. Avec votre petit monde et votre partenaire, votre loyauté ne fait aucun doute.

CAPRICORNE (DU 21 DÉCEMBRE AU 20 JANVIER)

Ce que vous avez en commun avec les autres natifs de votre signe

Sans faire de bruit, vous finissez toujours par atteindre vos objectifs. Très jeune, vous étiez déjà sage, mûr et intelligent. Votre ténacité et votre détermination vous permettent d'atteindre vos buts, lentement mais sûrement. Prévoyant, vous mettez beaucoup de cœur dans ce que vous faites, et vos résultats sont spectaculaires, sur le plan matériel notamment. Le temps travaille pour vous et vous finirez vos jours à l'abri du besoin. Vous êtes pourtant bien discret, timide même, mais très stable, tant en amitié qu'en amour. Vos proches savent qu'ils peuvent vraiment compter sur vous. Étrangement, vous rajeunissez avec les ans.

Quelle sorte de Capricorne êtes-vous ?

✦ **Capricorne du 1ᵉʳ décan (du 21 au 31 décembre)**

Vous êtes enthousiaste, votre optimisme fait plaisir à voir. Capable de vous vendre, de faire passer vos idées, vous travaillez fort pour atteindre le succès professionnel et financier. Avec le temps, vous dépassez même vos objectifs, et un certain facteur chance peut vous avantager épisodiquement. Votre sens des valeurs est fort, vous respectez l'ordre, les traditions, et vous avez la faculté de trouver des gens qui vous aident à réaliser vos projets. Vous aimez les plaisirs de la vie, mais avec modération. Sur le plan interpersonnel, vous êtes enjoué, affectueux et stable.

✦ **Capricorne du 2ᵉ décan (du 1ᵉʳ au 10 janvier)**

Vous êtes le plus énergique des Capricorne, le plus pétillant. Votre tête est pleine de projets, d'idées, et en même temps vous avez tout ce qu'il faut pour les mener à terme. Vous ne perdez pas une minute, les défis vous stimulent, et vous êtes d'ailleurs plutôt compétitif : cela vous permet de vous hisser assez haut dans votre sphère d'activité. En finances, vous prenez des risques bien calculés, ce qui sert vos intérêts. Malgré votre diplomatie naturelle, vous n'hésitez pas à affirmer vos idées. Sur le plan affectif, vous êtes ardent, intense, mais vous misez sur la stabilité et le long terme.

◆ Capricorne du 3ᵉ décan (du 11 au 20 janvier)

Bien des têtes se retournent sur votre passage, et cela ne vous déplaît pas. Votre bon goût vous permet d'apprécier les belles choses, les objets luxueux, mais vous demeurez discret. Cela fait en sorte qu'on vous trouve parfois un peu froid. Vous faites nombre d'efforts pour que les gens qui vous entourent soient heureux, vous êtes exceptionnellement loyal dans vos affections. À la fois ambitieux et déterminé, vous finirez par connaître la réussite tant sociale que matérielle : les deux comptent beaucoup à vos yeux. En fait, vous finissez toujours par atteindre vos buts, si élevés soient-ils.

VERSEAU (DU 21 JANVIER AU 19 FÉVRIER)

Ce que vous avez en commun avec les autres natifs de votre signe

Il n'y a pas à dire, vous êtes quelqu'un d'original, vous avez vos idées, vos valeurs bien à vous, et cela ne vous dérange pas de choquer les bien-pensants. Avant-gardiste, un brin artiste, vous avez une allure qu'on remarque. Vous appréciez le changement, les technologies de pointe. Vous avez des éclairs de génie, mais côté pratique vous ne faites pas preuve d'assiduité, vous remettez à plus tard, ce qui vous empêche de donner forme à vos projets. Dans les questions de sous, vous manquez de persévérance. Les contacts humains comptent beaucoup pour vous, vos amis passent avant tout. Côté cœur, vous êtes fougueux mais un peu volage : chose certaine, les conventions, ce n'est pas pour vous.

Quelle sorte de Verseau êtes-vous ?

◆ Verseau du 1ᵉʳ décan (du 21 au 31 janvier)

Vous êtes un rêveur, vous idéalisez l'amour, vous cherchez le conjoint idéal, l'âme sœur. Vos attentes ne sont pas toujours réalistes. Cela vous fait papillonner d'un partenaire à l'autre, jusqu'au jour où vous comprenez que la perfection n'existe pas. Hypersociable, vous adorez rencontrer des gens, vous vous faites des amis de toutes sortes ; ceux que vous côtoyez apprécient beaucoup vos qualités humaines. Côté carrière, vous êtes créatif, vous avez de bonnes idées, quoique la ténacité vous fasse parfois défaut.

✦ **Verseau du 2ᵉ décan (du 1ᵉʳ au 10 février)**

Vous êtes le plus intellectuel et le plus vif des Verseau. Vous comprenez rapidement les concepts et les théories, vous donnez l'impression de tout savoir, vous êtes dangereusement convaincant. Vous avez soif d'apprendre, il y a constamment de nouveaux champs d'intérêt qui vous stimulent. En affaires, vous avez le sens de l'opportunité et vous jouez bien vos cartes. Votre vie sociale est trépidante, votre réseau social s'élargit sans cesse, toutefois vos relations interpersonnelles demeurent souvent un brin superficielles.

✦ **Verseau du 3ᵉ décan (du 11 au 19 février)**

Votre sensibilité est grande, vos émotions vous gouvernent toujours. Sur le plan intime, vous êtes plein d'amour pour votre conjoint, pour vos enfants, pourtant vos relations avec eux sont loin d'être traditionnelles : c'est la complicité qui compte pour vous. Très sociable, vous adorez rencontrer des gens, vous êtes sensible aux ambiances, vous ressentez les problèmes des autres avec beaucoup d'intensité, un peu trop même. Généreux, accueillant, vous rêvez de vous engager socialement, d'être utile dans votre milieu.

POISSONS (DU 20 FÉVRIER AU 20 MARS)

Ce que vous avez en commun avec les autres natifs de votre signe

Vous vivez au rythme de vos émotions, vous êtes hypersensible. En fait, vous avez de très belles valeurs humaines, vous êtes compatissant, vous cherchez toujours à faire plaisir, à aider ceux qui vous entourent. Intuitif, vous devinez bien des choses, mais vous avez tendance à rêver plutôt qu'à agir, et certaines facettes de votre vie en pâtissent. Sur le plan matériel notamment, vous êtes négligent. Cela ne vous empêche pas d'être toujours prêt à dépanner ceux qui sont dans le besoin, et il y en a probablement beaucoup dans votre entourage. Vous adorez vos amis, votre famille et votre partenaire, vous cherchez à les dorloter, à les gâter, bref, vous avez bien du mal à dire non.

Quelle sorte de Poissons êtes-vous?

✦ Poissons du 1er décan (du 20 au 29 février)

Vous êtes nettement plus structuré que les autres Poissons. Certes, vous êtes souple sur le plan humain, mais lorsque vous avez un but, vous savez être tenace, ce qui vous sert tant sur le plan professionnel que dans les questions d'argent. Vous êtes bon gestionnaire, économe, mais votre grand cœur vous coûte parfois cher. Sur le plan intime, vous êtes sérieux, tendre, vous en faites beaucoup pour ceux que vous aimez, un peu trop même. Plutôt anxieux, vous attendez avant de donner votre confiance ou votre cœur, mais lorsque vous le faites, c'est pour la vie. Avec le temps, vous vous affirmerez davantage, vous serez plus ferme, et votre existence n'en sera que plus agréable.

✦ Poissons du 2e décan (du 1er au 10 mars)

Vous êtes la générosité en personne, vous cherchez constamment à faire le bonheur des autres. Boute-en-train et optimiste, vous adorez les contacts humains, les sorties, les voyages, vous profitez des bonnes choses. À vrai dire, la modération n'est pas votre fort. Dans vos activités, vous faites plus que votre part; sur le plan matériel, par contre, vous auriez avantage à calculer plus, à être plus prudent. Heureusement, vous avez souvent beaucoup de flair, et de bonnes occasions peuvent vous tirer d'embarras à la dernière minute. Parfois, des personnes influentes peuvent vous donner un petit coup de pouce. En amour, vous êtes exalté, vous vous donnez sans réserve.

✦ Poissons du 3e décan (du 11 au 20 mars)

Il n'y a pas à dire, vous êtes le plus actif et le plus dynamique des Poissons. Lorsque vous êtes en forme, vous pouvez déplacer des montagnes, vous élaborez des projets, vous entraînez les gens à vous suivre. Si les défis vous stimulent, la petite routine a tôt fait de vous ennuyer: vous devenez alors négligent, vous avez la tête ailleurs. Vous avez des qualités humaines exceptionnelles, mais l'organisation et la prévoyance ne sont pas votre fort: cela joue souvent contre vous en affaires. Vous vivez des émotions à fleur de peau; vous dites ce que vous avez sur le cœur, quoiqu'en de nombreux cas vous le regrettiez après coup. Côté cœur, vous êtes amoureux, insatiable même: la passion vous donne des ailes.

BÉLIER

DU 21 MARS AU 20 AVRIL

Dynamique, énergique, tels sont les qualificatifs qui décrivent le mieux votre signe. Entreprendre ne vous fait pas peur, et vous n'hésitez pas un instant à aller de l'avant dans mille et un projets. En fait, vous êtes infatigable.

Tout comme la nature qui se réveille après un long hiver dans votre signe, votre activité est débordante. Avec autant d'idées en tête et une aussi grande envie de bouger, il n'est pas étonnant de vous voir mettre plusieurs projets en marche simultanément. Cependant, comme il est presque impossible de tout mener de front, vous ne pouvez tout réaliser, et ce sont souvent les autres qui terminent votre travail ou en tirent profit.

Chez vous, les demi-mesures n'existent pas. Vous aimez ou vous détestez; c'est clair et net. Le mot « compromis » ne fait pas partie de votre vocabulaire. Vous n'avez pas un tempérament qui vous porte à faire des courbettes devant les gens qui vous irritent ou dont le comportement vous déplaît; votre franchise est parfois bien mal perçue et peut créer des froids ou des inimitiés. Mais ce n'est sûrement pas cela qui vous fera changer d'avis ou de façon d'être.

Homme ou femme d'action, seule l'inactivité parvient à vous perturber. N'avoir rien à faire ou devoir attendre vous met les nerfs à fleur de peau : vous trépignez, vous ne tenez pas en place, vous vous rongez les sangs en pensant à tout ce que vous pourriez faire au lieu d'attendre, et vous n'en pouvez plus. Non, la patience n'est pas votre fort.

Votre dynamisme et votre ardeur au travail font de vous un être sensationnel pour amorcer ou même lancer les activités, et, dans les sprints de dernière minute, personne ne vous égale. Mais le revers de la médaille d'une telle énergie, c'est qu'elle n'est pas éternelle. Votre intérêt commence à s'émousser dès qu'une autre idée prend forme. Les travaux de longue haleine, les projets à long terme et les études poussées ne vous conviennent pas très bien. Pour vous, il n'y a que le changement qui soit un véritable défi.

Évidemment, le plan émotif n'est pas en reste. Encore une fois, il vous faut de l'action ; vos sentiments ne sont pas mitigés, loin de là. Il n'est pas rare de vous voir piquer une crise terrible pour une bagatelle ; heureusement, la rancune n'est pas un trait de votre caractère, et vous ne restez pas fâché longtemps. La personne à qui vous en vouliez tant peut devenir celle que vous aimez le plus en quelques minutes.

Direct, franc, vous ne mâchez pas vos mots, notamment envers les gens qui tardent à se décider et qui hésitent sans cesse. Ils vous mettent les nerfs en boule, et vous ne vous gênez pas pour le leur faire savoir. Attendre, c'est déjà difficile, mais attendre à cause des autres, c'est carrément insupportable.

Avec un caractère aussi net, la petite vie de « pépère pantoufle », un travail routinier et le train-train quotidien ne sont décidément pas pour vous. Que l'on parle défis de taille, choses à accomplir, gens à convaincre, voilà qui vous plaît et vous passionne.

En amour, que vous soyez homme ou femme, c'est vous qui choisissez votre partenaire, et plus l'entreprise vous semble difficile, plus la personne vous attire. Vous avez un tempérament ardent et entreprenant, et rien ne vous empêchera de défendre ceux que vous aimez, au risque de vous mettre vous-même en danger.

Enfin, même si la colère vous submerge facilement, avec vos fameux coups de tête, et qu'il faut vous prendre avec des pincettes dans ces moments-là, vous avez un cœur d'or et savez vous faire pardonner.

COMMENT SE COMPORTER AVEC UN BÉLIER ?

Le meilleur moyen de bien s'entendre avec un Bélier est de ne pas le contrarier. Puisqu'il a l'esprit de contradiction, il suffit de dire blanc pour qu'il dise noir. Donc, en se rangeant à son avis, on évite bien des problèmes. Il pourrait même piquer une de ses célèbres colères sous prétexte de défendre son point de vue ; dans ce cas, attendre que l'orage soit passé est encore la meilleure attitude à adopter. Si vous tentez de le raisonner sur le coup, à force d'arguments logiques, vous ne ferez qu'attiser sa colère. Lorsque la tempête se sera apaisée, vous pourrez discuter.

N'oubliez pas que le Bélier est extrêmement actif. Alors ne tentez pas de lui demander de vous attendre toute une soirée, assis à ne rien faire. Rester tranquille, se reposer sont des choses qu'il ne peut concevoir. Pour développer une relation agréable avec lui, il faut le stimuler, lui trouver des activités, l'appuyer dans tous ses projets... et ne pas se décourager s'il abandonne après avoir commencé.

En somme, il vous faudra de la patience pour deux, mais comme il a de l'énergie pour quatre, sinon plus, vous ne vous ennuierez jamais.

SES GOÛTS

Ses vêtements sont plutôt voyants et de couleur vive. Il porte de gros bijoux, et en grande quantité. Son intérieur est chargé, coloré, parfois hétéroclite aux yeux des autres, mais cela lui plaît ; c'est le plus important, après tout ! Ses goûts le portent vers ce qui se voit, va vite ou fait du bruit. Il aime montrer ce qu'il possède et n'hésite pas à faire étalage de ses avoirs en public.

Ce n'est pas un fin gastronome : on le voit plus souvent fréquenter les endroits de restauration rapide que les salles de nouvelle cuisine. Il mange rapidement, avale sans mastiquer. Si c'est lui qui prépare le repas, gare aux casseroles brûlées, car évidemment, pour gagner du temps, il ne fera pas mijoter les petits plats à feu doux mais les fera plutôt cuire à gros bouillons.

SON POTENTIEL

Comme il s'agit d'un être rempli d'énergie, débordant d'idées, il est toujours en train de commencer quelque chose. Par contre, quand il est question de fignoler, il préfère confier la finition à quelqu'un d'autre. Il n'a pas la patience qu'il faut pour remettre cent fois son ouvrage sur le métier. Son raisonnement est surtout logique et pratique ; ce n'est pas lui qui pourra disserter sur la philosophie taoïste. Très habile de ses mains, le Bélier fera des merveilles avec le métal, le feu, la soudure, le génie et la chirurgie. Il est aussi très doué pour la politique et ferait un excellent stratège militaire, dans le domaine de la Défense. Son dynamisme et ses nombreuses idées lui permettent également d'ouvrir sa propre entreprise, mais comme il a du mal à penser à long terme, cela pourrait ne pas durer éternellement. Son caractère autoritaire en fait un chef naturel ; il est donc bien placé pour commander... et déléguer.

SES LOISIRS

Puisque c'est le dynamisme qui l'anime, le Bélier adore les activités qui lui permettent de se mesurer aux autres. Il sera donc naturellement attiré par les sports de compétition. Mais il y a tant de disciplines qui le fascinent qu'il aura bien des difficultés à s'en tenir à une seule, il en changera souvent. Dès qu'il maîtrise les rudiments d'une activité, qu'il sait comment elle fonctionne et qu'il s'est frotté aux autres, cela l'intéresse moins et il s'envole pour aller voir ailleurs. Comme c'est la rapidité qui le passionne, on le verra plus souvent au volant d'une Formule 1 que derrière une table pour une partie d'échecs. On ne le verra pas non plus assis avec un livre, mais plutôt en train de s'élancer d'une falaise en deltaplane. Puisqu'il est superactif et ne semble pas rebuté par le danger, au grand désespoir de ceux qui l'aiment, il optera pour la course automobile (il conduit vite « naturellement »), le saut en parachute, l'alpinisme ou le saut à l'élastique... Il n'est donc pas étonnant de le voir revenir couvert de plaies et de bosses, qui ne le ralentiront certes pas ! Si vous voulez le retenir à la maison pour la soirée, proposez-lui de visionner le plus récent film d'action et non un film philosophique japonais.

SA DÉCORATION

Ça brille, ça attire le regard, alors c'est pour lui. Pour son décor, proposez-lui des objets aux couleurs gaies, et même vives ; par exemple, le rouge franc que les décorateurs hésitent à utiliser ne lui fait pas peur. Les teintes pastel et les nuances subtiles ne sont pas franchement de son goût ; ça le déprime même. Il choisira son mobilier dans le style moderne ou contemporain. Il aime aussi les objets inusités, les meubles imposants, et les accessoires et bibelots en grand nombre. Chez lui, le décor est plutôt surchargé, et il n'hésite pas à le renouveler de fond en comble. Les souvenirs l'encombrent. Il ne faut donc pas s'étonner de trouver le vieux fauteuil de grand-père au fond du garage ou, pire, dans la remise au bout de la cour. Bref, son environnement lui ressemble. On aime ou on n'aime pas, mais une chose est sûre, il ne laisse personne indifférent.

SON BUDGET

Puisque le Bélier démarre au quart de tour et agit généralement sur un coup de tête, il ne faut certes pas lui demander de faire preuve de prévoyance, pas même sur le plan financier. De temps en temps, il décidera de faire un budget et d'économiser. Vous serez très étonné, car il le fera... durant quelques jours ! Mais il est tellement sujet aux coups de foudre qu'il finit souvent par vider son compte en banque pour un objet qui attirera son attention dans un magasin, pour de nouveaux vêtements à la mode, pour des appareils qui lui feront gagner du temps... Bref, il videra son portefeuille et n'hésitera pas longtemps à surcharger ses cartes de crédit. Et, bien entendu, il attendra de recevoir les « derniers rappels » avant de remettre de l'ordre dans ses affaires. Devant un tel comportement, on est toujours étonné de constater qu'il arrive à s'en sortir sans trop de problèmes.

QUEL CADEAU LUI OFFRIR ?

Il n'est pas facile d'offrir un cadeau à une personne qui se procure elle-même tout ce qui la tente et qui semble posséder tout ce qu'il lui faut. Le meilleur cadeau est donc celui qui le surprendra. Il adore les nouveautés. Soyez aux aguets pour dénicher des articles dernier cri, ceux qui viennent de sortir et qu'il n'a pas encore vus. Vous pouvez aussi orienter votre choix sur le modèle « revu et amélioré ». Un vêtement à la dernière mode, un gros bijou, un accessoire énorme, et bien sûr tout cela dans les couleurs les plus vives, le raviront. N'essayez pas de lui offrir un casse-tête ou un jeu d'échecs ; allez-y plutôt avec le plus récent jeu vidéo, mais pas un jeu d'énigmes à résoudre. Il appréciera plus une course de Formule 1. Il aime que ça aille vite, que ça fasse du bruit et que ça se voie. N'oubliez jamais que c'est un être impatient. S'il lui faut commander un article et attendre de quatre à huit semaines avant de le recevoir, il ne tiendra pas en place ; faites-lui la surprise, commandez-le pour lui.

LES ENFANTS BÉLIER

Les enfants Bélier marchent et parlent souvent plus tôt que les autres enfants du même âge. Ils courent, bougent, sautent, grimpent, rien ne les effraie ; ils sont même un peu casse-cou. Ils ont peu conscience du danger, ne regardent pas souvent où ils posent leurs pieds et, pour cela, sont les champions des accidents. Leurs parents doivent se montrer très vigilants avec eux. Attention aussi aux allumettes : ils adorent jouer avec le feu. Ils sont étourdissants ; il faut avoir des yeux tout autour de la tête pour les surveiller.

Ce sont aussi des chefs de bande qui aiment commander et prendre des initiatives. Colériques, batailleurs et parfois hyperactifs, ils ont besoin d'activités qui leur permettront de dépenser leur surplus d'énergie. En classe, le jeune Bélier, qui a un esprit vif, sera porté à s'intéresser à tout. Il faudra donc redoubler d'efforts pour capter son intérêt et l'amener à se concentrer sur un seul sujet à la fois. Autant à l'école qu'à la maison, il faut l'encourager à terminer ce qu'il entreprend, lui inculquer la patience et la détermination, deux qualités qu'il n'a pas naturellement, mais qui lui permettront d'aller très loin s'il sait les utiliser.

L'ADO BÉLIER

L'élément qui régit ton signe est le feu, ce qui te donne une énergie puissante, le goût d'entreprendre, de bouger. On remarque souvent ton enthousiasme, tes idées du tonnerre, ton courage et même ta témérité. Ton entourage te reproche de ne pas réfléchir, d'aller trop vite, de commencer mille et une choses sans rien terminer, tout simplement parce que tu aimes expérimenter, essayer, relever de nouveaux défis et ne pas t'attarder sur ce qui prend trop de temps. Tu n'aimes pas la routine, le train-train, mais avoue que ce qui te demande des efforts ne te plaît guère non plus. Tu as tendance à te démotiver et à t'ennuyer rapidement ; il te faut toujours du nouveau.

Tu aimes les sports qui te permettent de bouger, de démontrer ta force et ton endurance. Tu as besoin de te défouler, de te dépenser physiquement, car tu es rempli d'énergie. Mais tu fais tout très rapidement, même manger. Tu avales trop vite et n'importe quoi. N'oublie pas que tu es en pleine croissance et qu'il te faut de bons aliments sains pour renouveler toute l'énergie que tu dépenses sans compter. Méfie-toi aussi des accidents, car tu agis souvent sans réfléchir, et cela peut te causer des problèmes.

Ta spontanéité et ta franchise sont de belles qualités, mais il faut savoir les utiliser avec discernement. Tu ne mâches pas tes mots lorsque tu as quelque chose à dire, et parfois cela blesse tes proches. Pourtant, ta sincérité est aussi très appréciée par tes amis.

Tes études

Tu aimes quand ça bouge ; il te faut donc trouver des projets à court terme qui te permettront de franchir les étapes avec rapidité. Tu seras fier lorsque tu les réussiras. Par contre, tu as tendance à te décourager lorsque tu dois exécuter des travaux à long terme ; tu as l'impression de piétiner et tu voudrais rapidement faire autre chose. Pour tes études, il faudra trouver un programme court qui débouche vite sur un emploi concret, accessible. Ne te lance pas dans de longues années d'études ; tu ne le supporterais pas.

Ton orientation

Un métier où il y a du nouveau, où ça bouge te conviendra parfaitement. Les métiers qui demandent des idées et un esprit vif t'attireront, que ce soit la vente, la publicité, le marketing, les affaires, la mécanique, la justice, les forces policières, les soins dentaires, le journalisme, les emplois où l'on travaille le métal ou avec le feu, bref tout ce qui nécessite de l'initiative et un esprit d'entreprise te passionnera. Tu pourrais même avoir l'idée de créer une entreprise et d'être ton propre patron. Tu es un chef-né.

Tes rapports avec les autres

Puisque tu ne restes jamais en place, tu rencontreras beaucoup de gens et connaîtras de nombreuses personnes ; c'est ce que tu recherches. Tu aimes confronter tes idées à celles des autres, mais tu veux toujours avoir le dernier mot. En fait, tu n'es pas très réceptif aux idées des gens ; ce que tu aimes surtout, c'est la compétition. Tu as beaucoup d'amis, mais tu en changes souvent. Dans ton groupe, tu chercheras constamment à diriger. Tu seras un meneur. Cela t'exposera aussi à des conflits de personnalité, et tu pourrais perdre de très bons amis.

LE PARENT BÉLIER

Le parent coach

Cela bouge avec vous, vous êtes dynamique et passionné. Vous donnez beaucoup d'attention à vos enfants, et vous faites du renforcement positif. Vous jouez avec eux, vous les motivez à accomplir plein de choses, vous les inscrivez à un tas d'activités... Et comme vous avez un côté compétitif, vous ne détestez pas qu'ils soient les meilleurs. Vous pouvez être exigeant avec votre progéniture : un peu, c'est bien, mais ne forcez pas trop la note. Par ailleurs, votre intensité vous amène à défendre vos enfants bec et ongles au besoin.

L'EMPLOYÉ BÉLIER

Il travaille fort, il est fonceur et il veut être le meilleur, les choses ne traînent pas avec lui. Hyperdynamique, il se doit d'être passionné par ce qu'il fait, sinon il perd sa motivation. C'est un meneur, il fonctionne plus ou moins bien en équipe, sauf lorsqu'il la dirige.

LE PATRON BÉLIER

Il est très ambitieux et audacieux ; c'est un chef-né et il a des aptitudes de leader. Il a besoin qu'on le suive, et souvent qu'on repasse derrière lui. Autocrate, direct, il déteste que l'on conteste son autorité ou qu'on la mette en doute. La patience lui fait défaut : quand il veut quelque chose, c'est tout de suite.

LE BÉLIER DANS LA CUISINE

Vous aimez l'action, mais la patience n'est pas votre point fort. Savez-vous que votre cuisinière a d'autres réglages que « maximum » ? Vous êtes le champion de la vitesse, vous voulez cuisiner rapidement, mais vous avez tendance à brûler vos plats.

Il faut que ce soit goûteux pour qu'une recette vous plaise. Vous voulez que les plats chauds soient servis très chauds, surtout pas tièdes.

Vous adorez :
- expérimenter ; vous êtes toujours à l'affût de nouvelles recettes ;
- les aliments colorés, rouges, orangés et jaunes ;
- les combinaisons inhabituelles ;
- la variété (vous êtes incapable de manger deux fois de suite la même chose) ;
- les repas en une seule casserole ;
- les plats relevés ;
- l'ail et les épices.

✦ CE QUE LA NATUROPATHE VOUS SUGGÈRE

Mastiquez davantage vos aliments, cela améliorera votre digestion. En effet, vous avalez à toute vitesse.

Ajoutez une touche de verdure à vos plats.

Réduisez vos quantités de viande.

Modérez aussi la restauration rapide (le *fast food*).

Buvez plus d'eau pour tempérer votre signe de feu !

ILS SONT BÉLIER EUX AUSSI

Janette Bertrand, Hélène Bourgeois-Leclerc, Jackie Chan, Alain Choquette, Corneille, Russell Crowe, France D'Amour, Céline Dion, Angèle Dubeau, Sophie Faucher, Lady Gaga, Denis Gagné, Jennifer Garner, Patrice Godin, Élise Guilbault, Kate Hudson, Anik Jean, Norah Jones, Dany Laferrière, Stéphanie Lapointe, Pauline Martin, Martin Matte, Pascale Nadeau, François Paradis, Jean-Marc Parent, Sarah Jessica Parker, Yann Perreau, Daniel Pinard, Marie-Hélène Proulx, Francis Reddy, Michèle Richard, Phil Roy, Maria Sharapova, Joss Stone, Quentin Tarantino, Marie-Élaine Thibert, Jacques Villeneuve, Roch Voisine, Reese Witherspoon

✦ OUTILS POUR TRANSFORMER VOTRE DESTINÉE

Acceptez que les choses ne soient pas forcément toutes blanches ou toutes noires. La vie est plus nuancée, et vous êtes parfois trop catégorique.

Méfiez-vous des «toujours» et des «jamais». Vous êtes si passionné que vos paroles dépassent souvent votre pensée.

Donnez-vous du temps ; en voulant aller trop vite, vous risquez de compromettre votre succès.

Pensée positive pour le Bélier

Je reçois les cadeaux de la Vie avec reconnaissance et
je les partage dans la joie. Plus je donne et plus je reçois.

Pensée positive spéciale pour 2022

Je renais et j'accueille cette nouvelle étape avec confiance.
La Vie me gâte et j'en fais profiter les autres.

Le subconscient nous dirige toujours selon nos pensées. En répétant le plus souvent possible ces pensées conçues tout spécialement pour vous, vous vous attirerez plein de belles choses.

Signe : Bélier

Élément : feu

Catégorie : cardinal

Symbole : ♈

Points sensibles : dents, vertèbres cervicales, fièvre, blessures et accidents, à la tête notamment.

Planète maîtresse : Mars, planète de l'énergie.

Pierres précieuses : sanguine, rubis, diamant.

Couleurs : rouge, orange, jaune ; les teintes vives.

Fleurs : tulipe, marguerite, œillet.

Chiffres chanceux : 4-7-13-16-20-24-31-36.

Qualités : énergique, actif, dynamique, entreprenant, courageux.

Défauts : imprudent, égocentrique, pas assez tenace.

Ce qu'il pense en lui-même
Je n'ai pas de temps à perdre…

Ce que les autres disent de lui
Quelle bombe d'énergie… Impossible de le suivre !

PRÉDICTIONS ANNUELLES

Les années durant lesquelles votre existence a été bouleversée sont maintenant loin derrière vous. À vrai dire, vous avez désormais tout ce qu'il faut non seulement pour prendre votre vie en main, mais aussi pour en faire un authentique succès. Au cours des quatre premiers mois, vous effacerez toutes les séquelles des problèmes que vous avez connus, et vous pourrez repartir du bon pied. Le 10 mai, vous recevrez la visite de Jupiter, qui s'installera chez vous pour un bon moment. Cette signature planétaire est toujours l'indice d'une libération importante et, surtout, d'un coefficient de chance fortement à la hausse.

SANTÉ. Un peu de gros bon sens vous gardera à l'abri des contretemps tout en vous permettant de tirer pleinement profit de la période de récupération qui s'amorce. En 2022, vous éprouverez un impérieux besoin de mordre dans la vie à pleines dents. Il y a d'ailleurs longtemps que vous ne vous êtes pas senti autant en forme, et beaucoup remarqueront à quel point vous semblez revigoré. À partir de votre anniversaire, l'influence de Jupiter pourrait vous pousser à la gourmandise, ce qui aurait des répercussions décevantes sur votre poids, mais aussi sur votre bien-être général. À vous d'agir en conséquence ! Méfiez-vous également du sentiment d'invincibilité que procure Jupiter, il pourrait vous jouer des tours.

SENTIMENTS. L'année commence sur le thème de la transformation intérieure. Vous êtes en pleine redécouverte de vous-même et vous arrivez enfin à vous pardonner certaines erreurs passées. Vous entamerez un cycle de popularité à partir du début de mai. Bien des gens seront très attirés par votre charisme et votre brillante personnalité, ce qui est formidable si vous souhaitez élargir votre cercle d'amis ou refaire votre vie. Le temps des relations à sens unique est définitivement révolu, vous misez désormais sur le partage et le respect mutuel. Excellente année pour les engagements à long terme.

AFFAIRES. L'année 2022 se divise en deux tranches. Pendant les trois premiers mois, vous approfondirez ce que vous avez commencé récemment et vous caresserez de nouveaux objectifs. Vous vous débarrasserez aussi de plusieurs contraintes financières ou professionnelles, bref, vous aurez de plus en plus la voie libre. Vous pourrez compter sur la chance pendant tout le reste de l'année : vos entreprises deviendront florissantes, vous mettrez des sous de côté et vous pourrez même faire des envieux au jeu. Bonne période pour un investissement sérieux, pour une nouvelle carrière ainsi que pour voir du pays.

JANVIER

DIM	LUN	MAR	MER	JEU	VEN	SAM
						1 F
2 ● D	3 D	4	5	6	7	8
9	10	11	12	13	14	15
16 D	17 ○ D	18 D	19 F	20 F	21	22
23	24	25	26	27 F	28 F	29 D
30 D	31					

F Jour favorable		D Jour difficile	
○ Pleine lune		● Nouvelle lune	

SANTÉ. Quelle magnifique façon de commencer l'année ! Vous avez de l'énergie à revendre et rien ne semble vous arrêter. Merveilleux mois pour faire davantage d'exercice, pour mettre le nez dehors plus souvent ou pour entreprendre un entraînement. Pour que tout soit parfait, ne brûlez pas la chandelle par les deux bouts et ne prenez pas trop à cœur ce qu'on vous dit.

SENTIMENTS. Vous éprouvez justement quelques frustrations, et vous trouvez qu'on vous néglige ou qu'on vous parle durement. Ce n'est certes pas en vous plaignant que vous arrangerez les choses, au contraire. Soyez plus autonome, votre entourage changera vite d'attitude si vous gardez vos distances.

AFFAIRES. De toute évidence, vous êtes sur une excellente lancée ! C'est la période idéale, donc, pour donner suite à vos projets et pour aller de l'avant avec de nouvelles initiatives. Vos demandes portent leurs fruits, vos finances remontent et vous vous rapprochez de votre but. Ce n'est pas le moment de lâcher !

FÉVRIER

DIM	LUN	MAR	MER	JEU	VEN	SAM
		1 ●	2	3	4	5
6	7	8	9	10	11	12 D
13 D	14 F	15 F	16 ○ F	17	18	19
20	21	22	23 F	24 F	25 F	26 D
27 D	28					

F Jour favorable		D Jour difficile	
○ Pleine lune		● Nouvelle lune	

SANTÉ. Les choses pourraient se corser. La quadrature de Mars tend à diminuer votre résistance ainsi que votre vitalité, sans compter qu'elle vous expose aux accidents. En vous occupant davantage de vous et en demeurant prudent, vous éviterez les ennuis. Votre propension à l'inquiétude et votre hypersensibilité vous empêchent de fonctionner à plein.

SENTIMENTS. L'orage gronde et vous auriez tort d'abuser de votre pouvoir. En vous montrant tyrannique ou en tenant l'affection de vos proches pour acquise, vous risquez de provoquer toutes sortes de désaccords et ce serait dommage. Des tracasseries familiales et sentimentales jouent avec vos nerfs. Attention, vous êtes sur le point d'exploser ! Tout rentrera dans l'ordre sous peu, ne vous en faites pas.

AFFAIRES. Ici aussi, les astres s'amusent à vos dépens. Vous avez l'impression de piétiner et qu'il ne se passe rien de concret. Il est vrai que février est un peu routinier, mais vos exploits sont bien réels et, bientôt, vous serez récompensé. Un dégât, une perte ou un bris pourrait être évité si vous faites preuve de prévoyance.

MARS

DIM	LUN	MAR	MER	JEU	VEN	SAM
		1	2 ●	3	4	5
6	7	8	9	10	11 D	12 D
13 D	14 F	15 F	16	17	18 ○	19
20	21	22	23 F	24 F	25 D	26 D
27	28	29	30	31		

F Jour favorable		D Jour difficile	
○ Pleine lune		● Nouvelle lune	

SANTÉ. Les choses devraient se replacer rapidement à partir du 7, sur le plan tant moral que physique. Vous retrouverez votre entrain ainsi que votre joie de vivre, ce qui vous conférera un magnétisme peu commun. Avant, cependant, vous devez continuer à vous montrer vigilant, sans quoi une blessure, des ennuis de santé ou une crise de nerfs risquent de vous déstabiliser.

SENTIMENTS. N'attendez rien de la première semaine. Vous auriez même intérêt à rester discret afin d'éviter de jeter de l'huile sur le feu. Votre vie affective deviendra bien plus agréable par la suite. Les conflits se régleront, vos amours et vos amitiés repartiront de plus belle et on vous choiera.

AFFAIRES. La conjoncture est la même dans ce secteur. Le mois commence de travers, vous avez l'impression que tout se ligue contre vous. Puis, comme par enchantement, les restrictions et les obstacles tomberont les uns après les autres. Vos finances s'annoncent aussi nettement plus reluisantes.

AVRIL

DIM	LUN	MAR	MER	JEU	VEN	SAM
					1 ●	2
3	4	5	6	7 D	8 D	9 D
10 F	11 F	12 F	13	14	15	16 ○
17	18	19 F	20 F	21 D	22 D	23
24	25	26	27	28	29 D	30 ● D.

F Jour favorable		D Jour difficile	
○ Pleine lune		● Nouvelle lune, celle du 30, combinée à une éclipse solaire partielle	

SANTÉ. La première quinzaine s'annonce spectaculaire et vous pouvez faire ce que bon vous semble, vous n'êtes pas arrêtable ! Ensuite, la présence de Mars et Jupiter dans votre douzième secteur marque un moment de fragilité, bien plus que l'éclipse. Rien de grave, mais vous risquez d'être dépassé par les événements si vous n'y prenez garde. Ne laissez pas les petits bobos s'accumuler, remédiez-y sans tarder et mettez de côté les exploits surhumains.

SENTIMENTS. Misez sur la première semaine pour régler les désaccords qui subsisteraient ou pour faire les premiers pas auprès de quelqu'un qui vous intéresse. Le reste d'avril ne présente pas d'écueils, mais vous pourriez le trouver un peu trop tranquille. Au lieu de vous morfondre chez vous, profitez-en donc pour réunir quelques copains.

AFFAIRES. Ici aussi, le même scénario tend à se reproduire : un début de mois fantastique suivi d'une période plus délicate durant laquelle des retards et quelques légères déceptions peuvent survenir. Inutile de trop vous en faire, vous savez que les choses finiront par s'arranger. Mieux encore, planifiez vos grands coups en conséquence !

MAI

DIM	LUN	MAR	MER	JEU	VEN	SAM
1	2	3	4	5 D	6 D	7 D
8 F	9 F	10	11	12	13	14
15 ○	16	17 F	18 F	19 D	20 D	21
22	23	24	25	26	27	28
29	30 ●	31				

F Jour favorable		D Jour difficile	
○ Pleine lune et éclipse lunaire totale		● Nouvelle lune	

SANTÉ. Bien que l'éclipse de ce mois ne se produise pas sur un point stratégique de votre thème astrologique, il vaut mieux prendre quelques précautions. Il vous suffit d'investir dans votre capital santé : alimentez-vous convenablement, ne rognez pas sur les heures de repos et apprenez à vous relaxer. Tout ira alors à merveille et vous ne ressentirez rien de très dérangeant.

SENTIMENTS. Vénus occupera un secteur privilégié de votre ciel entre le 3 et le 28. Voilà plus qu'il n'en faut pour redonner de la fougue à votre vie de couple ou pour mettre sur votre route un être particulièrement compatible. Si ça promet dans l'intimité, Vénus vous comblera également en société, on n'aura d'yeux que pour vous !

AFFAIRES. Le 10 marque une date fort importante, celle de l'arrivée de Jupiter, l'astre de la chance. Vos espoirs commenceront à se matérialiser et vous pouvez assurément envisager un avenir meilleur tant dans vos activités que sur le plan financier. Un tirage pourrait même vous réserver une surprise.

JUIN

DIM	LUN	MAR	MER	JEU	VEN	SAM
			1 D	2 D	3 D	4 F
5 F	6	7	8	9	10	11
12	13 F	14 ○ F	15 D	16 D	17	18
19	20	21	22	23	24	25
26	27	28 ●	29 D	30 D		

F Jour favorable	D Jour difficile
○ Pleine lune	● Nouvelle lune

SANTÉ. Vous pétez le feu, mais faites attention. Avec Mars dans votre signe, vous n'êtes à l'abri ni d'un accident ni de soucis physiques ou nerveux. Je compte donc sur vous pour prendre les précautions qui s'imposent. Bon mois pour une remise en beauté. Évitez cependant de trop succomber à la gourmandise.

SENTIMENTS. Beaucoup envient la stabilité de votre couple, mais vous trouvez personnellement votre quotidien un peu monotone et votre partenaire passablement pantouflard. Inutile de vous en faire puisque votre vie sociale et vos amours redeviendront particulièrement pétillantes au cours de la dernière semaine.

AFFAIRES. Peu importe ce que vous choisirez de faire, ce mois-ci, la réussite est au bout. Des annonces réjouissantes concernant vos finances vous raviront, vous pourriez même gagner une jolie somme dans un tirage. Tous les espoirs sont permis, il vous suffit d'avoir confiance en vous et de foncer. Et comme les bonnes nouvelles n'arrivent jamais seules, vous êtes aussi favorisés dans les déplacements, les déménagements et les investissements.

JUILLET

DIM	LUN	MAR	MER	JEU	VEN	SAM
					1 F	2 F
3	4	5	6	7	8	9
10 F	11 F	12 D	13 ○ D	14	15	16
17	18	19	20	21	22	23
24	25	26 D	27 D	28 ● F	29 F	30 F
31						

F Jour favorable	D Jour difficile
○ Pleine lune	● Nouvelle lune

SANTÉ. La planète Mars occupe toujours votre signe jusqu'au 6. Ne laissez pas une distraction ou une négligence être à l'origine d'une blessure ou d'une défaillance. Vous aurez également du mal à gérer votre énergie : tantôt vous serez survolté, tantôt vous vous sentirez plus amorphe. Sur le plan psychologique, vous pourriez vous en faire inutilement entre le 5 et le 20.

SENTIMENTS. La vie sociale demeure tourbillonnante. On vous lance une foule d'invitations, les occasions de sortir se multiplient et vous impressionnez la galerie. Les célibataires pourraient même conquérir un être séduisant. Si tout va bien dans les mondanités, il n'en sera pas nécessairement de même avec vos proches, les discussions risquent d'être nombreuses et plutôt difficiles à résoudre après le 15.

AFFAIRES. Bon mois pour mettre vos projets en marche, pour présenter vos demandes et pour négocier même si, parfois, vous devez vous ajuster aux caprices de la vie. Soyez souple et vous en sortirez triomphant. La chance dans les tirages vous sourit, en particulier durant la première semaine.

AOÛT

DIM	LUN	MAR	MER	JEU	VEN	SAM
	1	2	3	4	5	6 F
7 F	8 F	9 D	10 D	11 ○	12	13
14	15	16	17	18	19	20
21	22 D	23 D	24	25 F	26 F	27 ●
28	29	30	31			

F Jour favorable	D Jour difficile
○ Pleine lune	● Nouvelle lune

SANTÉ. Les choses vont de mieux en mieux. Vous avez beaucoup d'énergie, la résistance remonte et les nerfs sont plus solides. Pourquoi ne pas en profiter pour vous débarrasser de vos ennuis et pour soigner vos petits bobos ? La période est aussi idéale pour changer de look ou pour modifier votre alimentation.

SENTIMENTS. Vénus symbolise le bonheur amoureux et la popularité. Bonne nouvelle, elle sera particulièrement bien positionnée dans votre ciel entre le 12 août et le 5 septembre, attendez-vous donc à toutes sortes de surprises agréables. Invitations, rencontres et déclarations sont au programme. Beaucoup prendront d'importantes décisions quant à leur avenir sentimental, et le moment ne saurait être mieux choisi.

AFFAIRES. Les influences positives ne cessent de croître, si bien que vous remporterez d'énormes succès à partir du 20. Le changement vous convient fortement et vous accomplirez des prouesses, même le jeu vous favorise. Les démarches visant à redresser votre situation financière ou professionnelle donneront des résultats stupéfiants. C'est le moment de régler ce qui achoppait et de tourner certaines pages afin de repartir du bon pied.

SEPTEMBRE

DIM	LUN	MAR	MER	JEU	VEN	SAM
				1	2	3 F
4 F	5 D	6 D	7	8	9	10 ○
11	12	13	14	15	16	17
18 D	19 D	20 D	21 F	22 F	23	24
25 ●	26	27	28	29	30 F	

F Jour favorable	**D** Jour difficile	
○ Pleine lune	● Nouvelle lune	

SANTÉ. Magnifique mois en perspective. Vous vous sentez bien dans votre peau, et ça se voit : il y a longtemps que vous avez eu une mine aussi radieuse. Profitez de cette occasion fantastique pour jouer la carte de la beauté, par exemple en adoptant une nouvelle tête ou un style différent. Attention cependant aux excès de toutes sortes.

SENTIMENTS. Jupiter et Mars vous annoncent beaucoup de bonheur. Un coup de foudre transformera la vie des célibataires, alors que ceux qui sont en couple retomberont en amour avec leur chéri. Il n'y a pas qu'à la maison qu'on veut vous dorloter, les invitations se multiplient. Vous ne vous ennuierez pas.

AFFAIRES. Ici aussi les choses continuent d'aller rondement. Ce qui s'éternisait évolue favorablement, vos démarches aboutissent encore plus facilement que le mois dernier tandis que vos projets se concrétisent. Période propice aux déplacements, aux signatures de contrat et à la restructuration. Vous conservez des possibilités dans les tirages.

OCTOBRE

DIM	LUN	MAR	MER	JEU	VEN	SAM
						1 F
2 D	3 D	4	5	6	7	8
9 ○	10	11	12	13	14	15
16 D	17 D	18 F	19 F	20 F	21	22
23	24	25 ●	26	27 F	28 F	29 D
30 D	31 D					

F　Jour favorable	D　Jour difficile	
○　Pleine lune	●　Nouvelle lune et éclipse solaire partielle	

SANTÉ. La rétrogradation de Jupiter et l'éclipse peuvent vous rendre plus nonchalant, voire négligent, ce qui risque de provoquer une blessure ou un malaise. Je vous invite donc à veiller davantage sur vous. Le moral fait parfois des siennes, mais cessez de ressasser de vieilles histoires, elles ne peuvent que vous déprimer.

SENTIMENTS. Votre état psychologique vous amène à perdre patience avec vos proches, qui le prennent fort mal. Il ne faut pas grand-chose pour que les discussions s'enflamment ou qu'on se mette à bouder. Pourtant, avec un petit effort, vous pourriez en venir à bout. La situation d'un membre de la famille vous tracasse.

AFFAIRES. On s'attend à beaucoup de vous, et avouez que vous avez toujours trop donné... La tâche est lourde, mais elle n'arrivera certainement pas à vous écraser. Vous êtes né pour conquérir, ce qui ne manque pas d'impressionner l'entourage. Gardez un peu d'argent pour une dépense imprévue.

NOVEMBRE

DIM	LUN	MAR	MER	JEU	VEN	SAM
		1	2	3	4	5
6	7	8 ○	9	10	11	12 D
13 D	14 F	15 F	16 F	17	18	19
20	21	22	23 ●	24 F	25 F	26 D
27 D	28	29	30			

F Jour favorable	D Jour difficile
○ Pleine lune et éclipse lunaire totale	● Nouvelle lune

SANTÉ. Cette éclipse s'annonce bien moins dérangeante, c'est donc dire qu'avec un minimum d'efforts vous pourrez passer un mois nettement plus constructif. Mieux encore, les gestes que vous ferez en vue d'améliorer votre vitalité ou votre qualité de vie seront couronnés de succès. Le moral se replacera graduellement, si bien que vous serez à nouveau pimpant et joyeux à partir du 17.

SENTIMENTS. Vénus promet du bonheur à profusion entre le 16 novembre et le 11 décembre. Vous retomberez en amour avec votre partenaire, qui éprouvera exactement les mêmes sentiments à votre endroit. On prévoit également de nombreux divertissements et des rencontres stimulantes, ce qui pourrait entre autres transformer radicalement la vie des célibataires.

AFFAIRES. Ça mijote beaucoup dans votre tête. Au cours de la seconde quinzaine, c'est d'ailleurs grâce à votre vivacité d'esprit que vous pourrez venir à bout des obstacles et de ceux qui tentent de freiner vos élans. Votre sens inné de la stratégie vous permettra même de changer certaines épreuves en tremplin tandis que votre perspicacité vous aidera à saisir au vol une excellente occasion.

DÉCEMBRE

DIM	LUN	MAR	MER	JEU	VEN	SAM
				1	2	3
4	5	6	7 ○	8	9 D	10 D
11 D	12 F	13 F	14	15	16	17
18	19	20	21 F	22 F	23 ● D	24 D
25	26	27	28	29	30	31

F	Jour favorable	D	Jour difficile
○	Pleine lune	●	Nouvelle lune

SANTÉ. Vos réserves d'énergie physique semblent inépuisables. Sur le plan moral, ça risque d'être plus ardu entre le 10 et le 22. Vous aurez tendance à vous affoler pour un rien, sans compter que les mauvais souvenirs chercheront à revenir en force. Voyez du monde et changez-vous les idées, c'est le meilleur moyen d'en venir à bout. Les évasions dans la nourriture ou l'alcool ne vous aideront pas du tout, au contraire.

SENTIMENTS. La première quinzaine promet d'être exceptionnelle en amour : des surprises agréables, une déclaration ou un coup de foudre sont au programme. Les occasions de rencontrer de belles personnes sont nombreuses et vous vous en réjouissez. Par la suite, votre entourage pourrait se montrer trop accaparant et vous vous sentirez peut-être étouffé. Posez vos limites !

AFFAIRES. Jupiter s'apprête à revenir dans votre signe et avec elle la chance sur tous les plans. Les démarches, les déplacements d'affaires ou de plaisance, le commerce ainsi que les signatures de contrat vous conviendront au plus haut point à partir du 21, tandis que vous ferez des envieux dans les tirages. D'ici là, vous demeurez productif et les choses avancent.

TAUREAU

DU 21 AVRIL AU 20 MAI

Quand on parle des taureaux, on pense souvent à ceux qui, vifs et combatifs, hantent les arènes d'Espagne. Ils ont peu de choses en commun avec vous, qui êtes un être lent et tranquille. En fait de taureau, vous ressembleriez plutôt à cette bonne vache des prés qui broute paisiblement, sans se compliquer l'existence.

Amoureux de la nature, de la campagne et de la verdure, vous trouvez le moyen d'avoir une boîte à fleurs ou un jardinet même au cœur de la ville. Il vous faut absolument un espace vert pour égayer votre paysage.

Ce qui frappe au premier abord, lorsqu'on vous rencontre, c'est votre fidélité et votre stabilité. Vous n'êtes pas du genre à déménager tous les ans ni à vous faire de nouveaux amis toutes les semaines. Votre domicile, vos biens, vos amis, vous y tenez et vous les gardez précieusement. Le temps qui passe n'émousse pas vos sentiments : au contraire, il les renforce. Pour vous, vos petites habitudes, vos vieilles pantoufles, vos vieux amis et vos bons voisins sont très importants, et vous n'êtes pas prêt à tout chambarder. En amour, c'est la même chose. Vous ne recherchez pas la passion dévorante, mais plutôt un attachement, une grande amitié et une forte complicité avec l'élu de votre cœur. Vous vous montrez dévoué et sincère, mais vous avez aussi le souvenir tenace. Vous n'acceptez ni le mensonge ni la tromperie, et s'il arrivait que vous subissiez ces outrages vous vous en souviendriez longtemps. D'ailleurs, votre mémoire est remarquable.

Vous savez retrouver la moindre de vos petites choses : les papiers, les cadeaux que les enfants vous ont faits trois ans plus tôt, vous vous rappelez ce que votre patron vous a dit au téléphone le mois précédent. Peu importe ce dont il s'agit, vous en oubliez fort peu.

Les mauvaises langues se moqueront de cette faculté en disant que vous avez un esprit lent, que vous mettez du temps à comprendre les explications ou les raisonnements et que, pour cette raison, vous apprenez tout par cœur. Laissez-les parler ! Chez vous, il n'y a pas de place pour la désorganisation : tout est classé, rien ne se perd. Vous êtes méthodique, responsable et déterminé... un peu têtu par moments ! L'important, c'est d'arriver au but, pas à pas. Vous connaîtrez parfois des retards parce qu'il vous faudra surmonter des obstacles ; mais en prenant votre temps vous réussirez à éviter l'échec.

Ce dont vous avez une sainte horreur, c'est d'être poussé dans le dos. Vous ne fonctionnez bien qu'en allant à votre propre rythme. Les échéances trop rapprochées et les situations urgentes vous déplaisent ; vous connaissez vos capacités et vos limites, et vous savez que travailler dans l'urgence vous empêche d'exprimer tout votre talent.

En fait, vous détestez les changements trop radicaux. Que ce soit au boulot ou à la maison, qu'il s'agisse d'implanter un système informatique, d'être muté dans le quartier voisin, de changer de couvre-lit ou de déménager, tout cela crée un petit sentiment de panique en vous. Pourtant, une fois habitué à votre nouvelle réalité (ça prend un certain temps), vous reconnaîtrez que ce changement en valait la peine. Mais sur le coup, vous ne trouvez pas ça drôle ni attrayant.

Vous avancez lentement mais sûrement, ce qui vous permet d'atteindre votre but, même si c'est parfois long. Vous avez une patience d'ange, mais puisque vous vous montrez craintif, vos peurs peuvent vous empêcher d'agir ou miner votre moral.

Ce n'est pas parce que vous prenez tout votre temps que vous n'appréciez pas les plaisirs de la vie, au contraire. Vous avez un faible pour la bonne chère, les vins capiteux, les belles choses. Sérieux et prévoyant, vous savez exactement ce qu'il faut faire pour vous les procurer. Comme vous souffrez d'insécurité, vous savez aussi prévoir les coups durs et vous vous ménagez des portes de sortie. Vous êtes rarement pris au dépourvu et vous savez faire de petites économies pour les jours plus difficiles.

Vous êtes une personne terre à terre qui attache de l'importance à l'univers matériel. Cet aspect de la vie n'est pas sans vous causer quelques inquiétudes qui font sourire vos proches. Petit à petit, vous faites votre nid et vous parvenez sans grand sacrifice à vivre avec une certaine aisance. Et évidemment, c'est là que les cigales qui ont chanté tout l'été viennent voir le Taureau, qui a su se faire fourmi.

COMMENT SE COMPORTER AVEC UN TAUREAU ?

Le Taureau possède un esprit très cartésien. Avec lui, un plus un, ça fait toujours deux. Il refuse les généralités, les on-dit, les « je pense bien », les « peut-être que » ; quand vous discutez avec un Taureau, il vaut mieux être sûr de ce que vous dites. Oubliez aussi les théories métaphysiques vaseuses. Il comprend mieux ce qu'il voit que ce qu'il entend. Donc, si vous le pouvez, prouvez vos assertions par A + B, et autant que possible par écrit.

Ne tentez pas de l'entraîner dans des projets à peine ébauchés ou fantaisistes. De toute façon, il sera incapable de prendre une décision sur-le-champ ; il lui faudra peser le pour et le contre, et il s'assurera d'avoir tout bien compris avant de se décider. Il doit y penser et se faire une idée, ce qui, vous le constaterez, peut demander un temps fou. De bonnes occasions lui passent ainsi sous le nez, mais il ne s'en formalise pas.

Le Taureau est quelqu'un de méthodique qui ne peut pas partir sur les chapeaux de roues. Ce sera à vous de l'encourager et de l'aider à se lancer. Mais une fois qu'il est parti, vous verrez qu'il ira loin. Il appréciera votre aide, mais surtout de ne pas être poussé dans le dos. S'il se sent pressé et obligé d'agir à la hâte, il refusera tout simplement d'avancer.

Vos relations avec un Taureau seront harmonieuses si vous évitez tout conflit. N'oubliez pas qu'il possède une mémoire phénoménale et qu'il n'oublie jamais rien, que ce soit le bien ou le mal qu'on lui a fait. En respectant son besoin essentiel de calme et de sécurité, vous développerez une bonne relation avec lui.

Si vous voulez qu'il vous suive dans une activité qui vous plaît mais qui n'est pas forcément de son goût, essayez le « donnant-donnant » ; normalement, ça marche très bien avec un Taureau. Après tout, un plus un, ça fait deux.

SES GOÛTS

On l'a vu, le Taureau adore la campagne et la nature. S'il n'y habite pas, il la recréera chez lui avec des plantes, des meubles anciens ou rustiques. Être propriétaire de sa maison est une autre de ses priorités. Il aime porter des vêtements sobres et classiques. Ce n'est décidément pas quelqu'un qui suit la mode de près ; il préfère garder ses vêtements longtemps. À table, le Taureau fait honneur à la bonne chère. N'hésitez pas à lui servir des portions généreuses. Les plats en sauce, les salades et les produits laitiers lui plaisent beaucoup. Il savoure, il déguste ; cela fait plaisir à voir. Par contre, il a tendance à abuser et à manger trop.

SON POTENTIEL

Pas à pas, le Taureau va son petit bonhomme de chemin, avec détermination, sans se laisser arrêter par quoi que ce soit. Il n'est pas un être vif et il réagit mal sous la pression et les urgences. Le court terme, ce n'est pas dans ses cordes. Mais dans les projets à longue échéance, il se révèle fantastique. Il ne prend pas de risques, mais ne commet pas d'erreurs. On l'a dit, le Taureau est matérialiste. Pour cette raison, il est imbattable dans les métiers de la gestion, de l'administration, de la construction, de l'ébénisterie et de l'immobilier. Il réussira bien dans l'artisanat, l'esthétique, la coiffure, l'alimentation et la restauration. Il a beau être craintif, il ne perd pas de vue ses intérêts personnels. Avec un dollar, il est capable d'en faire dix.

SES LOISIRS

C'est un être terre à terre. Il préférera donc les loisirs paisibles et rentables : il peut s'occuper en bricolant ou en réparant un objet utile. Vous voulez lui faire plaisir ? Alors proposez-lui de réparer le robinet qui coule, de construire une terrasse ou de coudre des rideaux pour la chambre d'amis plutôt que de l'emmener danser. Imaginez les économies ainsi réalisées ; lui, il y a déjà pensé ! C'est une personne très habile de ses mains pour bâtir, pour fabriquer ; il n'est pas rapide, mais ce qu'il fait est bien fait, et c'est du solide ! Au jardin aussi, il connaît la réussite. Il aime la nature et a le pouce vert.

Les jours de pluie, le Taureau aime jouer à des jeux de société où son sens de la stratégie et son intelligence seront mis au défi. Il apprécie les cartes, le bridge et les échecs, où il se révèle un excellent stratège. De tels loisirs lui permettent de mettre sa timidité de côté pour socialiser avec des partenaires de jeu.

À la cuisine, homme ou femme, le Taureau consacrera des heures à mijoter des petits plats que vous n'oublierez pas de sitôt. Pour lui, cuisiner est un véritable plaisir, et même un art.

Le natif du Taureau a de nombreux talents dans différents domaines : artisanat, poterie, céramique. Bref, il sait créer de ses propres mains. Comme le signe du Taureau correspond à la gorge, beaucoup d'entre eux chantent et ont une très belle voix.

Paradoxe de sa nature, au cinéma ou en lecture, il préfère des œuvres d'aventures ou des comédies, malgré sa personnalité pantouflarde. Peut-être préfère-t-il vivre la grande aventure par l'entremise de personnages de fiction ?

SA DÉCORATION

Le Taureau aime être à l'aise dans son environnement. Il dispose d'un intérieur très confortable : de gros fauteuils moelleux, des meubles robustes et, bien souvent, une table de salle à manger de grandes dimensions (il aime tant manger). En bon amoureux de la campagne, le Taureau optera souvent pour un mobilier rustique. En général, il s'entoure d'objets anciens, mais sans pour cela sacrifier son confort ; une belle armoire antique lui conviendra, mais une chaise qui branle, ce n'est guère pour lui. Signe de terre, le Taureau est attaché aux possessions matérielles ; il préfère avoir sa propre maison, qu'il considère comme un bon investissement. Il la choisira solide, agréable et, si possible, entourée d'un lopin de terre verdoyant. La céramique, le bois, la brique et la pierre sont les matériaux qu'il préfère, et il les utilise, même si sa résidence se situe au centre-ville. À peine la porte de sa demeure franchie, on s'y sent comme à la campagne. Le Taureau n'est pas non plus du genre à tout chambouler. Les meubles changent rarement de place et, si son intérieur n'est pas moderne, il est très chaleureux.

SON BUDGET

Le Taureau est un être sérieux qui a le sens de l'économie et qui est habile de ses mains. Donc, sur le plan financier, il pourrait être avantagé par rapport à d'autres. Néanmoins, on l'entend souvent dire que les temps sont durs, que les taxes sont élevées, que les enfants dépensent trop. Bref, il n'a pas d'argent à jeter par les fenêtres. Il compte et recompte chaque sou. Et même s'il vient de gagner le gros lot, n'ayez crainte, ce n'est pas lui qui aura la folie des grandeurs et qui dilapidera sa fortune sans réfléchir. Toutefois, il n'est pas non plus comme un écureuil qui engrange sans dépenser. Il sait saisir au vol d'excellentes occasions, et peu de bonnes affaires lui passent sous le nez. Pour lui, l'épargne est un mode de vie. Sage au travail, sage en amour, pourquoi serait-il différent lorsqu'il pense à son porte-monnaie ? L'argent ne pousse pas dans les arbres, et il en est conscient. C'est un être prévoyant, mais qui semble souffrir un peu d'insécurité. On ne sait jamais ce qui peut arriver. Il aurait même tendance à exagérer sur ce point : la famine et la disette rôdent… Bien sûr, rien de cela n'arrive, mais il s'inquiète et ne se laissera jamais surprendre dans une mauvaise posture financière. Ses proches le taquinent même sur son côté pingre… tout en sachant bien à quelle porte frapper lorsqu'eux-mêmes sont en difficulté. Notre Taureau a probablement un petit bas de laine bien gonflé ; il ne l'avouera jamais, mais il trouvera toujours quelques dollars cachés çà et là, si le besoin s'en fait sentir.

QUEL CADEAU LUI OFFRIR ?

Puisqu'il a le sens pratique, offrez-lui quelque chose d'utile, tout simplement. Son petit côté bricoleur sera servi si vous lui donnez des outils ou du matériel pour faire travailler ses dix doigts. Jardinage, couture ou artisanat sont aussi des passe-temps qui l'occupent ; ce sont donc de bonnes pistes à explorer pour lui faire plaisir. Offrez-lui un portefeuille, un logiciel de comptabilité personnelle, une boîte ouvragée pour classer ses certificats de placement ou un petit coffrefort : il s'en servira, puisque l'argent compte beaucoup pour lui. On l'a vu, le Taureau a une bonne fourchette et il ne résistera pas à un grand vin, à du caviar, à des gâteaux raffinés ou encore à un dîner gastronomique. Un parfum bien choisi peut également le mettre en joie, car le Taureau est très sensible aux odeurs.

LES ENFANTS TAUREAU

Sages, très sages, les bébés Taureau sont dociles, souriants, faciles à vivre et beaux à croquer ! Ils le resteront même en grandissant. Il suffit de discuter avec eux, de leur expliquer les choses et de les prendre avec douceur, et tout se passera bien. S'ils sont contrariés, ils boudent et peuvent le faire longtemps, car même très jeunes ils ont déjà une bonne mémoire et n'oublient rien. Manquant parfois d'assurance et de confiance en eux, ces enfants Taureau ont besoin d'être entourés, aimés et soutenus par leurs proches. Sur le plan scolaire, quelques difficultés peuvent surgir, car ils ne sont pas très rapides et demandent beaucoup d'explications. Par contre, ce sont des élèves appliqués et motivés lorsqu'ils savent qu'on les soutient. Ils feront leur chemin dans la vie si, très jeunes, on les habitue à des changements, car ils cherchent plutôt la stabilité. On leur donnera ainsi une meilleure confiance dans leurs moyens et on les incitera à repousser leurs limites.

L'ADO TAUREAU

Tu es un être réfléchi, sérieux et prudent. Tu ne peux évoluer que dans le calme et la stabilité, et tu es très perturbé dès que l'on te bouscule ou que tu te sens menacé dans ta tranquillité.

Même si certaines personnes te disent que tu es trop lent, tu leur prouveras que tu fais rarement des erreurs, car tu réfléchis beaucoup avant d'entreprendre quoi que ce soit et, avec ton talent, tu deviens très doué pour réussir tout ce que tu fais. D'ailleurs, tu peux accomplir n'importe quoi, du moment que tu n'es pas dérangé et que tu as du temps pour analyser la situation avant de te lancer dans une entreprise quelconque.

Tes goûts musicaux et tes talents artistiques sont importants, et tu adores tout ce qui se rapporte à l'art. Tu es également un être très près de la nature, ce qui te permet de te ressourcer et de faire le point. Tu aimes te retrouver à la campagne pour préparer tes plans, mais surtout pour oublier les petits tracas quotidiens. Par contre, un imprévu, un chambardement, un changement brusque, et te voilà bien ennuyé. Tu supportes mal le stress et tu ne te sens pas bien lorsqu'il y a trop de transformations autour de toi.

Tu es têtu, et il est bien difficile de te faire changer d'idée. Mais tu es aussi quelqu'un de loyal et d'honnête, une personne sur qui l'on peut compter. Par contre, tu es sensible ; alors prends garde de ne pas te faire manipuler. Sur le plan financier, puisque tu es raisonnable, ne t'en fais pas, tu iras loin.

Tes études

Tu es très assidu et appliqué ; il n'y a pas grand-chose à ton épreuve. Tes travaux sont généralement faits longtemps d'avance, tu révises bien pour réussir tes examens et tu planifies tes études et ton avenir. Tu possèdes la détermination et la persévérance nécessaires pour mener tes projets à terme. Tu es aussi prudent, et tu sais où tu t'en vas... Ne t'inquiète pas, le temps travaille pour toi ; tu réussiras à atteindre tous les buts que tu t'es fixés et ceux que tu te fixeras dans l'avenir.

Ton orientation

Ton choix de carrière peut surprendre, mais ton bon jugement est ton meilleur atout. Il s'agit de ta vie, tu connais tes capacités et tu sais ce que tu peux faire. Puisque tu as de la suite dans les idées, les métiers liés à la planification, à la comptabilité, à l'administration, à la psychologie, au commerce et à l'immobilier te conviendront très bien. Le chant, la musique, l'art, l'agriculture, le travail manuel sont aussi des domaines qui t'attirent et dans lesquels tu réussiras. L'aspect financier de ta vie d'adulte t'inquiète, mais n'aie aucune crainte, tu te prépares un bel avenir.

Tes rapports avec les autres

Les gens que tu côtoies savent qu'ils peuvent compter sur toi, car tu es quelqu'un de sérieux. Tu as des idées bien arrêtées, et il est difficile de te les faire changer. Par contre, tu ne les imposes pas aux autres. Pour être à l'aise, il te faut un environnement stable. Tu as de bons copains avec qui tu t'entends très bien, souvent même mieux qu'avec les membres de ta famille. Tu aimes tes amis, tu les protèges, tu leur donnes beaucoup. Mais il serait bon aussi que tu saches recevoir !

LE PARENT TAUREAU

Le parent prévoyant

Vous aimez le calme et la bonne entente, vous êtes affectueux et patient avec vos petits. Mais vous êtes têtu, et vous avez souvent tendance à imposer vos points de vue, ce qui ne plaît pas toujours. Vous pensez constamment au confort des vôtres, à leur bien-être, et vous économisez afin de préparer leur avenir. Vous avez de belles valeurs, vous inculquez la discipline et le respect de soi à vos enfants, toutefois vous vous montrez parfois un peu trop possessif.

L'EMPLOYÉ TAUREAU

Il est responsable, fiable et très travaillant, voire trop. Il est honnête et fidèle, on peut toujours compter sur lui. Il avance lentement, mais il est discipliné et soigneux, et son rendement est impeccable. Il se plaît dans sa routine. En cas d'urgence, il réagit très bien mais vit les contrecoups à retardement.

LE PATRON TAUREAU

Il est stable et respecte ses engagements, mais tout doit être fait à sa manière et selon ses consignes. Il exige une loyauté totale. Il ne tolère ni la paresse ni le boulot bâclé. Il est réticent au changement et assez têtu ; il faut des arguments logiques et de la patience pour le faire changer d'idée, et encore... Cependant, il sait récompenser le bon travail.

LE TAUREAU DANS LA CUISINE

Vous êtes gourmet et gourmand, et cela se voit – et se sent – lorsque vous cuisinez. Les odeurs sont très importantes pour vous. Vous choisissez des ingrédients de qualité, les meilleurs que vous pouvez trouver.

Vous êtes très patient, vous excellez donc dans les plats mijotés et les recettes élaborées.

Vous adorez :
- les mets riches et complexes ;
- les portions généreuses, et non un petit cube de viande et deux carottes ;
- la cuisine traditionnelle, parfois un peu champêtre ou rustique ;
- les plats réconfortants ;
- les mets en sauce : vous n'aimez pas les plats secs, vous préférez les textures moelleuses ;
- une cuisine fonctionnelle et bien organisée.

✦ CE QUE LA NATUROPATHE VOUS SUGGÈRE

Réduisez légèrement vos portions ou, du moins, ne vous servez pas une seconde fois.

Vous aimez un peu trop les hydrates de carbone (pain, pâtes, pommes de terre) et en abusez souvent. Ici aussi, de la modération s'impose. Cela vous aidera à maintenir votre poids tout en augmentant votre énergie.

ILS SONT TAUREAU EUX AUSSI

Adele, Andre Agassi, Paul Arcand, Michel Barrette, Bobby Bazini, Patrice Bélanger, Cate Blanchett, Isabelle Brouillette, Cher, George Clooney, Daniel Corbin, Sylvain Cossette, Penélope Cruz, Frédérick De Grandpré, Arielle Dombasle, Claude Dubois, Mario Dumont, Kirsten Dunst, Roy Dupuis, Denise Filiatrault, Megan Fox, Pier-Luc Funk, Vincent Graton, Lulu Hughes, James Hyndman, Enrique Iglesias, Ima, Yves Jacques, Lynda Johnson, Micheline Lanctôt, Jean-Marie Lapointe, Philippe Laprise, Ariane Moffatt, Guy Mongrain, Joëlle Morin, Jack Nicholson, Al Pacino, Alex Perron, Ginette Reno, Gildor Roy, Jerry Seinfeld, Sophie Thibault, Uma Thurman, Catherine Trudeau, Annie et Suzie Villeneuve, Renée Zellweger.

◆ OUTILS POUR TRANSFORMER VOTRE DESTINÉE

Vous êtes meilleur que vous le croyez : arrêtez de vous dénigrer et laissez la timidité de côté.

Il faut accepter les changements. Vous aimez bien être en terrain connu, mais ce n'est pas toujours possible, alors soyez plus souple : cela facilitera les transitions et vous permettra de tirer le meilleur parti de ce qui se présente.

Votre valeur ne se limite pas à ce que vous possédez ; cessez de vous juger en fonction de ce que vous avez ou n'avez pas.

Pensée positive pour le Taureau

J'avance avec confiance sur le chemin de ma vie. J'accepte tous les bienfaits présents et futurs, en me donnant le droit d'en profiter.

Pensée positive spéciale pour 2022

J'ai confiance en moi et en mes décisions.
Je me débarrasse du passé et je vis à nouveau.

Le subconscient nous dirige toujours selon nos pensées. En répétant le plus souvent possible ces pensées conçues tout spécialement pour vous, vous vous attirerez plein de belles choses.

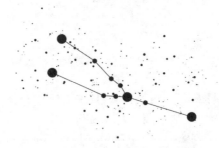

Signe : Taureau

Élément : terre

Catégorie : fixe

Symbole : ♉

Points sensibles : gorge, sinus, nuque, thyroïde, seins, système glandulaire. Bonne résistance générale.

Planète maîtresse : Vénus, planète du bonheur intime.

Pierres précieuses : émeraude, jade, corail.

Couleurs : les couleurs pastel et les tons de vert.

Fleurs : muguet, pivoine, toutes les fleurs des champs.

Chiffres chanceux : 3-9-13-18-23-36-39-45-49.

Qualités : persévérant, méthodique, pondéré, d'une patience à toute épreuve.

Défauts : anxieux, matérialiste, lent.

Ce qu'il pense en lui-même
Pourquoi vouloir changer quelque chose quand ça peut rester pareil ?

Ce que les autres disent de lui
Si on ne le pousse pas, il sera encore à la même place dans dix ans !

PRÉDICTIONS ANNUELLES

L a planète au zénith de votre thème astrologique en 2022 est Saturne, qu'on associe à la sagesse et à l'évolution, mais aussi aux remises en question et aux transformations profondes. Vous devrez faire une pause, bien évaluer où vous en êtes et vous employer à redéfinir les bases mêmes de votre existence. Le passé refait surface, ce qui vous pousse à finalement affronter de vieux problèmes que vous aviez tendance à mettre sous le tapis. Tout un programme, j'en conviens, mais croyez-moi, ça en vaut la peine ! C'est un coup à donner pour pouvoir enfin vous libérer de certains comportements et, surtout, mieux préparer votre bonheur futur.

SANTÉ. Saturne avantage les gens qui font attention à eux, qui s'occupent de leur équilibre mental et physique. Toutefois, sa présence ne laisse pas beaucoup de chance à ceux qui se négligent ou qui ont un mode de vie désorganisé. Heureusement, il n'est pas trop tard pour mettre de l'ordre dans vos habitudes, pour investir dans votre bien-être et pour régler ce qui accroche. N'attendez pas que l'épuisement ou les défaillances s'installent, contrecarrez-les dès les premiers symptômes. Mieux encore, une attitude préventive vous gardera à l'abri des imprévus et vous permettra de traverser l'année comme si de rien n'était.

SENTIMENTS. Des relations grugent votre énergie depuis trop long-temps alors que d'autres piétinent, semblent n'aller nulle part. Ce type de situations devient insupportable, car vous ouvrez enfin les yeux. Vous discernez plus clairement ce qui peut vraiment vous rendre heureux et vous n'avez plus du tout envie de faire de compromis. Des mises au point s'imposent. Dans certains cas, vous prendrez d'importantes décisions et irez même jusqu'à couper les ponts avec quelques personnes. Comme vous êtes de plus en plus indépendant, ça ne posera pas problème. Et le jour où vous voudrez vous lier à nouveau, le destin mettra des gens plus compatibles sur votre route.

AFFAIRES. Ici aussi, le moment du grand bilan est venu. Vous épanouissez-vous vraiment dans ce que vous faites ? En avez-vous assez d'être ballotté par les événements ou par l'entourage ? Autant de questions cruciales auxquelles vous n'aurez d'autre choix que de répondre. Parfois, c'est vous qui foncerez dans le tas, tandis qu'à d'autres moments c'est le destin qui vous mettra face au changement. Qu'importe, tout ce branle-bas finira par avoir des répercussions positives. En attendant, protégez ce qui est à vous et ne laissez personne s'en prendre à votre argent ou à vos biens.

JANVIER

DIM	LUN	MAR	MER	JEU	VEN	SAM
						1
2 ● F	3 F	4 D	5 D	6	7	8
9	10	11	12	13	14	15
16	17 ○	18 D	19 D	20 D	21 F	22 F
23	24	25	26	27	28	29 F
30 F	31 D					

F	Jour favorable	D	Jour difficile
○	Pleine lune	●	Nouvelle lune

SANTÉ. Vos nerfs et un trop-plein d'émotions vous jouent des tours. Ce tumulte intérieur risque de vous affaiblir et de vous rendre plus vulnérable. Changez-vous les idées avant que la déprime ne s'installe. Pourquoi ne pas expérimenter une coiffure à la mode ou redéfinir votre style ? Le mois s'y prête parfaitement et ça désengorgera votre placard rempli de trop de choses accumulées « au cas où ».

SENTIMENTS. Cessez de demander l'impossible, d'autant que vous bénéficiez actuellement de l'influence positive de Vénus. Vous pourriez renouer avec vos copains et même vous en faire de nouveaux. La vie sociale vous réserve de beaux moments si vous faites l'effort de montrer le bout de votre nez. Dans les couples, l'heure est à la réconciliation, tandis qu'une amitié amoureuse pourrait transformer l'existence des célibataires.

AFFAIRES. Même si vos entreprises ne fonctionnent pas du premier coup, je vous encourage à persister. Mettez vos peurs et le manque de confiance en vous de côté et misez plutôt sur votre ténacité proverbiale, elle portera ses fruits au cours de la dernière semaine et les choses débloqueront enfin.

FÉVRIER

DIM	LUN	MAR	MER	JEU	VEN	SAM
		1 ● D	2	3	4	5
6	7	8	9	10	11	12
13	14 D	15 D	16 ○ D	17 F	18 F	19
20	21	22	23	24	25	26 F
27 F	28 D					

F Jour favorable	D Jour difficile	
○ Pleine lune	● Nouvelle lune	

SANTÉ. Vous entrez dans une phase harmonieuse durant laquelle vous pourrez aisément vous débarrasser de ce qui vous dérangeait et repartir du bon pied. Pourquoi ne pas commencer dès aujourd'hui ? Le mois est parfait pour mettre de l'ordre dans votre vie ainsi que pour consulter un professionnel de la santé. Attention à un potentiel retour de l'anxiété au cours de la seconde quinzaine.

SENTIMENTS. Un membre de la famille risque de vous causer du souci. En revanche, Vénus, planète de l'amour et des mondanités, continue d'avantager votre signe. En plus de recevoir de nombreuses invitations, vous aurez l'occasion de régler un différend avec votre partenaire ou carrément de rencontrer quelqu'un si vous êtes seul. Chose certaine, personne ne pourra vous résister !

AFFAIRES. Les influences sont plutôt encourageantes. Des changements positifs vous permettent de repartir du bon pied. De nouvelles activités, l'obtention d'un contrat ou tout simplement une plus grande marge de manœuvre vous donneront des ailes. Bon moment pour assainir vos finances et pour vous débarrasser de certaines dettes. Une seule recommandation : essayez de ne pas trop vous éparpiller entre le 13 et le 28.

MARS

DIM	LUN	MAR	MER	JEU	VEN	SAM
		1 D	2 ●	3	4	5
6	7	8	9	10	11	12
13	14 D	15 D	16 F	17 F	18 ○	19
20	21	22	23	24	25 F	26 F
27 D	28 D	29	30	31		

F	Jour favorable		D	Jour difficile
○	Pleine lune		●	Nouvelle lune

SANTÉ. Les aspects planétaires se corsent à partir du 6, ce qui pourrait compromettre votre bien-être si vous ne prenez pas les moyens qui s'imposent. Demeurez vigilant dans vos déplacements et lorsque vous manipulez des objets ou substances avec lesquels vous pourriez vous faire mal. Renforcez également vos défenses immunitaires et n'hésitez pas à vous accorder le repos nécessaire.

SENTIMENTS. La première semaine s'annonce bien agréable, mais le reste du mois ne sera pas forcément au même diapason. Vous pourriez éprouver des inquiétudes au sujet d'un être cher. Par-dessus le marché, le manque de transparence ou le refus de dialoguer de certains proches risque de vous taper royalement sur les nerfs. Tâchez de conserver votre calme malgré tout, car une colère ne ferait qu'envenimer les choses.

AFFAIRES. La malléabilité et la résilience sont ici aussi vos meilleurs atouts. Vous pourriez le regretter si vous vous révoltez ou si vous partez en claquant porte. Il vaut donc mieux prendre votre mal en patience, du moins pour l'instant. Pensez à vous protéger contre les dégâts et les pertes de toutes sortes.

AVRIL

DIM	LUN	MAR	MER	JEU	VEN	SAM
					1 ●	2
3	4	5	6	7	8	9
10 D	11 D	12	13 F	14 F	15	16 ○
17	18	19	20	21 F	22 F	23 D
24 D	25	26	27	28	29	30 ●

F Jour favorable		D Jour difficile	
○ Pleine lune		● Nouvelle lune, celle du 30, combinée à une éclipse solaire partielle	

SANTÉ. La conjonction Mars-Saturne et l'éclipse qui se produit dans votre signe devraient vous inciter à la plus grande prudence. Un accident bête, une infection ou un malaise pourrait vous affecter si vous n'y prenez garde. Vous broyez du noir et il en faut peu pour vous déstabiliser. Tenez le coup, très bientôt, ça ira beaucoup mieux !

SENTIMENTS. Si certains membres de la famille vous causent encore du souci, Vénus vous promet de meilleurs moments sur le plan sentimental. Une belle rencontre ou un rapprochement avec l'être aimé sont au programme entre le 7 avril et le 4 mai. Il en va de même pour la vie sociale, qui redeviendra plus plaisante.

AFFAIRES. N'entretenez pas trop d'espoir à propos de la première quinzaine. On dirait que tout se ligue contre vous, sans compter que vous pourriez être forcé de débourser une somme que vous n'aviez pas prévue. Par la suite, les choses commenceront à se tasser et vous bénéficierez peut-être même d'appuis ou d'un concours de circonstances inattendus.

MAI

DIM	LUN	MAR	MER	JEU	VEN	SAM
1	2	3	4	5	6	7 D
8 D	9 D	10 F	11 F	12	13	14
15 ○	16	17	18 F	19 F	20	21 D
22 D	23	24	25	26	27	28
29	30 ●	31				

F Jour favorable	D Jour difficile
○ Pleine lune et éclipse lunaire totale	● Nouvelle lune

SANTÉ. Une autre éclipse, cette fois à l'opposé de votre signe. Cependant, elle devrait bien moins vous incommoder puisque le reste de la conjoncture est nettement plus positif. Il vous suffit de mettre le négatif de côté et de chasser les idées noires dès leur apparition. Vous pourrez ainsi utiliser vos ressources plus adéquatement pour parfaire votre forme physique.

SENTIMENTS. Vous vous interrogez sur le sens de certaines relations et allez même jusqu'à vous demander si vous en avez vraiment besoin. Vous ne savez comment agir, mais je vous promets que si vous vous faites confiance, vous prendrez la bonne décision. Vous ferez de nouvelles rencontres, ce qui contribuera aussi à vous éclairer sur la voie à suivre.

AFFAIRES. Le moment est venu d'apporter certains changements, que ce soit dans vos activités ou en ce qui concerne votre domicile. Les démarches sont plutôt laborieuses, mais ça vaut assurément le coup de poursuivre. Les requêtes que vous présenterez ne donneront peut-être pas des résultats parfaits, mais on peut malgré tout parler de progrès intéressants.

JUIN

DIM	LUN	MAR	MER	JEU	VEN	SAM
			1	2	3	4 D
5 D	6 F	7 F	8 F	9	10	11
12	13	14 ○	15 F	16 F	17 D	18 D
19	20	21	22	23	24	25
26	27	28 ●	29	30		

F Jour favorable		D Jour difficile
○ Pleine lune		● Nouvelle lune

SANTÉ. Le climat s'allège considérablement, les menaces de défaillances et d'accidents faiblissent et un minimum de vigilance vous gardera à l'abri des contretemps. Bonne période pour vous attaquer à ce qui accrochait, pour recouvrer la santé et repartir du bon pied. Sur le plan psychologique, vous vous sentirez plus détendu à partir du 15.

SENTIMENTS. Vous traverserez un cycle fort important en ce qui a trait à vos amours. Vous mettez cartes sur table : ça passe ou ça casse. Vous savez trop bien ce que vous voulez pour accepter un prix de consolation. Si vous êtes seul, un coup de foudre pourrait vous prendre par surprise. Bon mois pour voir du monde, pour renouer avec vos amis et pour vous en faire de nouveaux !

AFFAIRES. Un autre domaine où l'accalmie sera bienvenue. Peu à peu, vous aurez le dessus sur les événements. La seconde quinzaine est propice aux démarches ainsi qu'aux recherches d'emploi, de contrats ou de domicile. Mais attention, ce n'est pas parce que les choses se replacent que vous devez jeter votre argent par les fenêtres !

JUILLET

DIM	LUN	MAR	MER	JEU	VEN	SAM
					1 D	2 D
3	4 F	5 F	6	7	8	9
10	11	12 F	13 ○ F	14 D	15 D	16
17	18	19	20	21	22	23
24	25	26	27	28 ● D	29 D	30 D
31 F						

F	Jour favorable	D	Jour difficile
○	Pleine lune	●	Nouvelle lune

SANTÉ. L'arrivée de Mars dans votre signe complique la gestion de votre énergie. Tantôt vous êtes survolté, tantôt vos piles sont complètement à plat. Vous devez prendre des précautions, car votre organisme semble moins résistant, ce qui pourrait se traduire par une infection ou différents malaises. Et tant qu'à faire, redoublez de prudence pour ne pas vous blesser.

SENTIMENTS. Entre le 18 et le 31, vous serez en mesure de désamorcer les conflits avant qu'ils n'explosent. La logique de vos arguments viendra à bout des plus récalcitrants, pour peu que vous n'éleviez pas le ton. Un parent traverse des moments difficiles et vous serez obligé de lui consacrer plus de temps que prévu.

AFFAIRES. Heureusement que la patience est une de vos qualités, car vous en aurez besoin ce mois-ci. Les retards et les complications s'accumulent et vous devrez vous ajuster à une nouvelle réalité que vous n'avez pas choisie. Cependant, en acceptant les situations auxquelles vous ne pouvez rien changer, vous finirez par tirer votre épingle du jeu. Un conseil : prémunissez-vous contre les dégâts matériels, les voleurs et les escrocs.

AOÛT

DIM	LUN	MAR	MER	JEU	VEN	SAM
	1 F	2	3	4	5	6
7	8	9 F	10 F	11 ○ D	12 D	13
14	15	16	17	18	19	20
21	22	23	24 D	25 D	26 D	27 ● F
28 F	29	30	31			

F Jour favorable		D Jour difficile
○ Pleine lune		● Nouvelle lune

SANTÉ. Psychologiquement, vous regagnerez pas mal de solidité à partir du 4. Vous devrez attendre un peu plus pour que tout se replace sur le plan physique, soit jusqu'au 21, car le carré Mars-Saturne correspond à une menace accrue d'accidents, d'infections ou d'ennuis de santé. Optez pour la prévention, c'est la meilleure chose à faire durant ces trois premières semaines.

SENTIMENTS. Certains membres de votre entourage risquent encore de traverser une période difficile et vous pourriez être obligé d'intervenir. Votre partenaire aussi file un mauvais coton, pas facile de savoir ce qui le chicote. Au moins, les amis sont là. Ils se montreront d'une gentillesse exceptionnelle, prêts à vous donner un coup de main ou à vous écouter si vous avez besoin de parler.

AFFAIRES. Ce n'est pas le moment de tout balancer par-dessus bord, ni de vendre la peau de l'ours avant de l'avoir tué. Ce mois-ci, vous ne devriez miser que sur ce qui est absolument sûr. Laissez de côté les projets incertains, les promesses farfelues et les propositions trop belles pour être vraies. Méfiez-vous également des emprunteurs, des voleurs et de toute forme de sollicitation.

SEPTEMBRE

DIM	LUN	MAR	MER	JEU	VEN	SAM
				1	2	3
4	5 F	6 F	7 D	8 D	9	10 ○
11	12	13	14	15	16	17
18	19	20	21 D	22 D	23 F	24 F
25 ● F	26	27	28	29	30	

F Jour favorable		D Jour difficile	
○ Pleine lune		● Nouvelle lune	

SANTÉ. Le ciel se dégage enfin et ça va de mieux en mieux. Le moral et le physique semblent beaucoup plus résistants et vous avez désormais les atouts nécessaires pour maximiser une remise en forme. Ce mois serait excellent pour adopter une meilleure hygiène de vie, pour faire davantage d'exercice ou pour modifier votre alimentation. Le *timing* est également idéal pour peaufiner votre image.

SENTIMENTS. Vénus vous choie entre le 5 et le 29. Vos amours repartent de plus belle, une rencontre pourrait d'ailleurs ajouter du piquant dans le quotidien des célibataires. Les choses s'annoncent aussi magnifiques sur le plan social, vos amis de longue date et vos nouveaux copains vous permettront de passer du bon temps. Un souci d'ordre familial finit par se régler.

AFFAIRES. Le vent tourne, ce n'est pas trop tôt ! Vous pouvez dire adieu aux pertes, aux déceptions et aux attentes interminables. Le moment est venu d'aller de l'avant, voire de foncer. Ça tombe bien parce que vous êtes plus en forme qu'au cours des mois précédents. Redressement financier à l'horizon.

OCTOBRE

DIM	LUN	MAR	MER	JEU	VEN	SAM
						1
2 F	3 F	4 D	5 D	6	7	8
9 ○	10	11	12	13	14	15
16	17	18 D	19 D	20	21 F	22 F
23	24	25 ●	26	27	28	29 F
30 F	31 F					

F Jour favorable	D Jour difficile
○ Pleine lune	● Nouvelle lune et éclipse solaire partielle

SANTÉ. L'éclipse solaire aura lieu à l'opposé de votre signe, ce qui teinte ce mois d'une certaine précarité. Voici donc des astuces pour déjouer la conjoncture : ne jouez pas avec votre santé, prévoyez suffisamment de repos et tâchez de laisser le passé derrière vous. Vous pourrez alors évoluer sans risquer de vous retrouver sur le carreau.

SENTIMENTS. Vous avez l'impression qu'un proche manque de transparence, voire qu'il essaie de vous cacher quelque chose, mais avec votre perspicacité, vous aurez tôt fait de mettre au jour ses secrets. Vos amis demeurent présents, leurs gentillesses vous toucheront à maintes reprises. Excellent mois pour socialiser et élargir votre cercle de relations.

AFFAIRES. Même si les choses ne fonctionnent pas du premier coup, ça vaut la peine de faire une autre tentative. La ténacité vous permettra de vaincre les obstacles tandis que la patience viendra à bout des retards et des contretemps. Un petit contrat, une vente ou quelques heures supplémentaires vous aideront à boucler le budget.

NOVEMBRE

DIM	LUN	MAR	MER	JEU	VEN	SAM
		1 D	2 D	3	4	5
6	7	8 ○	9	10	11	12
13	14 D	15 D	16 D	17 F	18 F	19
20	21	22	23 ●	24	25	26 F
27 F	28 D	29 D	30			

F Jour favorable		D Jour difficile	
○ Pleine lune et éclipse lunaire totale		● Nouvelle lune	

SANTÉ. Les recommandations du mois dernier prévalent encore puisque cette éclipse se produit à l'intérieur même de votre signe. Soyez circonspect avec votre santé et pour ne pas vous blesser. Aérez-vous les idées et mettez un terme à vos obsessions. Si vous respectez ces quelques mesures, novembre se déroulera bien.

SENTIMENTS. Ce n'est pas simple de garder l'harmonie autour de vous pendant la première quinzaine, il y a toujours quelqu'un pour chercher la petite bête. Ne lui accordez pas votre attention et préférez les moments plus agréables avec vos amis. De toute façon, l'atmosphère se détendra à partir du 17.

AFFAIRES. Ici aussi la première moitié de novembre risque d'être ardue. Des imprévus pourraient vous empêcher de fonctionner à plein, en plus de vous faire perdre de précieuses heures. Ne laissez pas ces frustrations vous pousser dans les magasins, où l'impulsivité menace de vous coûter cher. La seconde quinzaine vous permettra de retrouver votre rythme de croisière.

DÉCEMBRE

DIM	LUN	MAR	MER	JEU	VEN	SAM
				1	2	3
4	5	6	7 ○	8	9	10
11	12 D	13 D	14 F	15 F	16 F	17
18	19	20	21	22	23 ● F	24 F
25 D	26 D	27	28	29	30	31

F Jour favorable	D Jour difficile
○ Pleine lune	● Nouvelle lune

SANTÉ. Fini, le temps des éclipses ! Certaines planètes recommencent même à vous avantager et vous pourriez améliorer votre état de manière considérable en faisant un peu d'efforts. Bon moment pour vous soigner, pour aller chercher de l'aide et pour adopter un style de vie plus équilibré. Comme la motivation est elle aussi de retour, vous pourrez mener à bien cette entreprise de récupération.

SENTIMENTS. Vénus est justement une de ces planètes sur le point de vous combler. Dès le 10, vous pourrez compter sur une vie sociale emballante qui vous permettra de revoir des amis proches, de fraterniser avec des gens formidables et même de trouver l'âme sœur si c'est ce que vous souhaitez. Quant à ceux qui sont déjà en couple, ils pourront resserrer les liens qui les unissent à leur partenaire.

AFFAIRES. Votre ingéniosité, votre capacité à vous exprimer de manière convaincante et votre brillante personnalité vous ouvriront des portes qui étaient restées closes jusqu'à maintenant. Cessez de tergiverser, foncez, la balle est désormais dans votre camp !

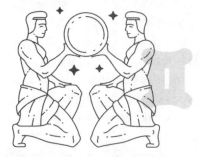

GÉMEAUX
DU 21 MAI AU 21 JUIN

Les deux personnages que votre signe représente sont significatifs de votre double personnalité. Vous pouvez rapidement passer d'un extrême à l'autre, et même faire les choses en double. Vous ne passez pas inaperçu : toujours actif, toujours à gesticuler et à discuter vivement, vous donnez parfois l'impression d'être une vraie tornade.

Vous êtes aussi un habile communicateur, qui peut donner son opinion sur une multitude de sujets, même lorsque vous en ignorez les tenants et les aboutissants. Personne ne peut vous prendre en défaut, tellement vous donnez l'impression de tout connaître.

Vous êtes un être qui a besoin de contacts humains pour s'épanouir pleinement. La solitude et l'isolement vous donnent froid dans le dos. Vous avez besoin d'exprimer votre point de vue et d'avoir un public pour l'écouter. Vous êtes quelqu'un de très populaire, de bien entouré ; vous avez besoin d'une vie sociale bien remplie.

Parfois, on vous pense frivole et léger. À première vue, vos amitiés semblent superficielles, et vous êtes un touche-à-tout qui ne peut s'arrêter pour développer un aspect particulier de ses relations ou de ses connaissances. En fait, vous fuyez simplement l'ennui. Qui pourrait vous en vouloir ?

Mais vous possédez surtout d'énormes dons pour œuvrer en communication, dans les médias, en journalisme, dans la vente ou dans l'enseignement. La nouveauté est votre moteur. Chaque jour qui passe vous permet d'apprendre et de découvrir de nouvelles facettes de la vie, d'essayer une multitude de choses, de relever de nouveaux défis. Il faut que votre vie bouge, et vous n'avez pas de temps à perdre avec des questionnements inutiles et stériles. D'ailleurs, avec un esprit aussi vif et curieux, vous vous ouvrez de larges horizons ; vos champs d'intérêt sont variés et nombreux, et vous ne pouvez vous limiter à ne faire qu'une chose à la fois.

Vous êtes capable de mener deux ou trois activités de front, à la surprise de tous. Vous pouvez téléphoner tout en écrivant un texte à votre ordinateur, vous raser en conduisant, préparer un repas en supervisant les devoirs, regarder la télévision en faisant des exercices, bref, vous êtes étourdissant ! Ce que vous accomplissez dans une journée nécessiterait plusieurs jours à n'importe qui d'autre. Ainsi, votre agenda est plus que rempli : sorties, rencontres, cours du soir, invitations de dernière minute, travail, passe-temps préférés : vous voulez tout faire, ne rien manquer de la vie. Par conséquent, vous êtes une personne un peu stressée, voire nerveuse. On le serait à moins. Vous avez une âme d'adolescent et, physiquement, vous ne faites pas votre âge. Vous représentez tant la jeunesse éternelle que vieillir vous effraie. Pourtant, vous garderez toujours votre cœur de vingt ans, même quand vous en aurez quatre-vingt-dix ; ne vous tracassez pas trop.

En amour aussi, butiner ne vous fait pas peur. On pourrait même croire à certains moments que c'est un loisir. Cependant, vous êtes attaché à votre partenaire. Mais vous pensez qu'il n'y a pas de mal à regarder ailleurs, simplement pour voir. C'est sans doute un Gémeaux qui a inventé le flirt, car vous adorez vous amuser. En véritable paon que vous êtes, vous déployez vos charmes, faites des yeux de biche et savez séduire comme personne. Mais lorsque votre proie se rend et succombe, vous filez à toute vitesse... Vous vous rappelez soudainement que vous aviez un autre rendez-vous.

Vous garder à la maison, vous empêcher de sortir et de voir des gens est impossible. Vous êtes un courant d'air et avez besoin de votre liberté.

COMMENT SE COMPORTER
AVEC UN GÉMEAUX ?

Puisque le Gémeaux est le signe de la liberté, l'imprévu sera toujours la norme. Changer d'activités, d'amis ou même d'humeur, souvent sans raison, n'est pas une exception dans son cas, mais bien la règle. Un Gémeaux peut se dire fatigué et avoir envie de passer une soirée tranquille à regarder la télévision, puis se lever brusquement pour aller faire la fête dans la boîte de nuit la plus proche de son domicile. Avec lui, une existence de tout repos n'est pas possible. L'ennui le gagne rapidement et l'horripile. Pour le rendre heureux, il faut lui concocter un programme époustouflant, avec une multitude d'activités et de gens. Le mieux est de le déstabiliser, de jouer de multiples personnages, de fuir la conformité et de le surprendre. Ce n'est qu'ainsi qu'il sera heureux et ravi.

Pour se ressourcer, il doit à tout prix se dépenser et s'étourdir avec des activités à l'extérieur, sans vous, et rencontrer des gens différents. Ouvrez-lui la porte, et il en profitera au maximum avant de vous revenir avec mille et une histoires à vous raconter. Chercher à le retenir, c'est le perdre à coup sûr.

Pour se faire apprécier d'un Gémeaux, il faut être prêt à parler, à discuter, à se livrer et surtout à le contredire parfois, car il adore argumenter et convaincre. Si vous cherchez à avoir le dernier mot, il sera ravi, car il aime les gens qui savent lui tenir tête et qui ont un esprit vif et inventif. Pour gagner son estime, montrez-lui votre indépendance, ayez vos propres occupations, rencontrez vos amis. Il ne cherche pas la docilité chez son partenaire, car pour lui elle devient vite de l'ennui, et l'ennui le fait fuir.

Alors sortez, intéressez-vous à de multiples sujets et, lorsque vous le croiserez entre la cuisine et le salon, entre deux portes, vous aurez plein de trucs surprenants à lui raconter ; vous éveillerez son intérêt, vous l'intriguerez, et il cherchera à se rapprocher de vous. Il sera là pour vous écouter d'une oreille attentive et pour discuter de tout ce que vous aurez découvert.

SES GOÛTS

Le Gémeaux s'intéresse à tout et à tous. Par contre, il ne peut fixer son attention très longtemps sur un sujet, et dès qu'il a découvert le pourquoi du comment, il passe à autre chose. Il peut se passionner pour la biologie moléculaire le lundi, l'histoire du vélo le mardi et finir la semaine en se demandant quelle est la philosophie qui sous-tend le système politique de la Corée du Nord en plein XXIᵉ siècle. Bref, le sujet l'intéresse, mais en connaître les détails, très peu pour lui. Il survole pour se faire une idée, mais va rarement au fond des choses. Sa demeure n'est pas non plus une petite maison conventionnelle de banlieue ; elle est plutôt à son image, accueillante et grouillante d'activité. Chez lui, c'est presque portes ouvertes. Sa silhouette d'adolescent est mise en valeur par ses vêtements décontractés. La cravate ou les talons aiguilles, très peu pour le Gémeaux. D'ailleurs, il se crée son propre style, qui n'est jamais le même et évolue au jour le jour, au gré de son humeur, mais surtout pas selon les circonstances. On le remarquera... N'est-ce pas ce qu'il recherche ? Comme il est toujours pressé, il est un habitué des établissements de restauration rapide. Il mange vite, sans goûter, car souvent il fait une autre activité en même temps qu'il se nourrit. Il n'a pas de temps à perdre à savourer. Mais il aime les repas à plusieurs services. D'ailleurs, il n'est pas rare de le voir picorer dans l'assiette des autres pour varier son menu ; mais si vous faites la même chose, il vous fera les gros yeux.

SON POTENTIEL

Le Gémeaux est intelligent et manie très bien les idées et les concepts ; malheureusement, parce qu'il se passionne pour trop de choses, il est superficiel et ne parvient pas à s'intéresser en profondeur à quoi que ce soit. Il est le candidat idéal pour les entreprises de communication et de relations publiques, pour les médias, le journalisme en particulier, mais aussi pour la vente, l'enseignement, l'animation et la comédie. D'ailleurs, quoi qu'il fasse, il est toujours en représentation. Il aime se montrer et s'amuser. Il est brillant et très habile de ses mains : sa dextérité est légendaire. Quelle que soit son occupation, le Gémeaux s'arrangera toujours pour organiser des activités et des sorties de toutes sortes. Il aime raconter des anecdotes, planifier des rencontres avec des compétiteurs, discuter de ce qu'il y a à faire. Faites-lui confiance pour vous divertir et vous organiser un emploi du temps des plus variés et chargés. Car s'il peut tout faire en même temps, il pense que les autres sont aussi aptes que lui à mener plusieurs activités de front.

SES LOISIRS

On l'a vu, le Gémeaux se désintéresse vite d'une activité lorsqu'il la maîtrise bien. Le changement, le renouveau et les découvertes sont nécessaires pour lui éviter l'ennui. Ses loisirs doivent être stimulants et non répétitifs, sinon il en changera.

Intelligent et curieux, le Gémeaux adore apprendre : il n'est pas rare de le voir s'inscrire à plusieurs cours en même temps, souvent bien différents les uns des autres. Qu'il s'agisse de cuisine méditerranéenne ou de mécanique automobile, tout l'intéresse... jusqu'à ce qu'il en comprenne les rudiments ; après, il voudra passer à une autre chose qui le captivera aussi. Il aime acquérir de nouvelles connaissances, et la lecture lui permet de s'instruire et de s'évader. Il est doué pour l'écriture, car il a une imagination très féconde.

Le Gémeaux aime par-dessus tout les contacts humains, il est très attiré par les activités mondaines ou sociales. On ne sera pas surpris de le voir dans un lancement de livre, à une première au théâtre, même après une épuisante journée de travail. Il déborde d'énergie lorsqu'il est question d'être en société. Il peut aller jusqu'à accepter deux ou trois invitations la même journée. Ça l'emballe de courir d'un endroit à l'autre, de communiquer, de discuter, de parler, de voir du monde, bref, de se montrer et de nouer des relations, même fugaces.

Il a un côté intellectuel très développé, mais il aime aussi beaucoup faire marcher ses dix doigts, car il se sait fort habile. Le piano, les activités manuelles et les arts sont les domaines qui lui plaisent le plus, et il peut exceller dans la danse, le massage ou la graphologie. Pas un domaine ne le rebute et tout l'intéresse vraiment, mais son envie d'apprendre s'émousse rapidement. Il cherche constamment de nouvelles sources d'intérêt, de nouvelles passions qui sauront l'emporter et le faire vibrer.

Au cinéma, il vaut mieux lui proposer une nouveauté, car il aura sans doute vu tous les films à l'affiche depuis quelques semaines. Emmenez-le assister au dernier succès dont tout le monde parle, celui qui fait scandale, ou encore à un spectacle qui l'étonnera. Par la suite, un souper au restaurant sera de mise, bien entendu pour discuter de ce qu'il vient de voir.

SA DÉCORATION

Le Gémeaux a un décor qui ressemble bien à sa personnalité, c'est-à-dire changeant. Et l'on ne parle pas juste de bouger les meubles. Non. Il n'hésitera pas à tout renouveler de fond en comble. Ainsi, il pourrait avoir un intérieur japonais avec des meubles laqués et, d'un seul coup, se retrouver avec un ameublement digne d'un film de science-fiction, avec de l'acier inoxydable et des blocs de verre dans tous les coins. En fait, à y regarder de plus près, on constatera que, quelle que soit sa décoration, il préférera un style dépouillé et plutôt moderne, mais il ne faut jurer de rien avec lui, car on ne sait jamais... Par contre, comme il s'agit d'un signe d'air, notre fameux courant d'air appréciera les fenêtres, la lumière et les pièces à aires ouvertes. Il se choisira souvent une résidence ou un appartement aux étages supérieurs, pour avoir une vue imprenable sur le monde. Il n'est pas du genre à se terrer à la campagne, car il a besoin d'une vie sociale trépidante, de recevoir et de voir beaucoup de gens. La vie citadine lui convient bien, et surtout les tours d'habitation d'où il peut contempler le monde à ses pieds. Assurément, ses goûts le portent vers le contemporain ; les nouveautés et l'exclusivité exercent un attrait puissant sur lui. Ce qui brille l'attire particulièrement, notamment les miroirs qui multiplient les espaces, les couleurs pâles, les teintes nuancées et rares, presque indéfinissables, le verre qui joue avec la lumière. Son intérieur fait jaser ceux qui le voient, et c'est justement l'effet recherché.

SON BUDGET

Sur le plan financier aussi, le Gémeaux est bien changeant : c'est tout ou rien. Il peut se faire écureuil, économiser sou par sou, planifier son budget, choisir ses placements, puis tout flamber en une soirée ou lors d'une expédition de magasinage... Et il ne partait pas pour ça ! Évidemment, ses finances subissent des fluctuations : l'argent rentre mais sort souvent aussi rapidement. Il n'hésite pas à dépenser pour acquérir un objet qui lui plaît, en se disant qu'il s'occupera des factures plus tard, en temps utile. Bien entendu, quand elles arrivent, il est parfois pris de court, mais il ne s'en fait pas pour si peu. Il jongle entre les rentrées d'argent et les sorties, les dettes et les surplus, et finit toujours par s'en sortir... jusqu'à la fois suivante.

QUEL CADEAU LUI OFFRIR ?

Le meilleur cadeau est celui qui le surprendra et qui lui laissera un souvenir dont il pourra parler longtemps. S'il s'agit d'un passionné de lecture, les récentes parutions l'intéressent toujours. Il a l'esprit ouvert, alors n'ayez pas peur de choisir un sujet qu'il ne connaît pas du tout : il adore découvrir et bientôt il vous donnera des leçons là-dessus. Les œuvres ou les magazines qui traitent de nombreux thèmes lui plaisent bien ; les revues sur la littérature ou le cinéma aussi. Du papier à lettres, des stylos (il les perd constamment !) seront les bienvenus. Puisqu'il passe des heures au bout du fil, vous pourriez lui offrir un téléphone portable, ou encore un iPad, ou un abonnement à un quotidien en ligne, pour qu'il garde contact avec tout le monde. Certains Gémeaux sont des collectionneurs. Une pièce originale ou rare pour enrichir sa collection sera appréciée. Vous pouvez aussi lui offrir un gadget inutile mais surprenant qui l'intriguera et fera jaser lorsqu'il le montrera à ses amis.

LES ENFANTS GÉMEAUX

Les petits Gémeaux sont curieux de tout. Ils posent mille et une questions. Ils sont vifs et brillants. Leur esprit est constamment en éveil. Avant même de savoir parler, ils gazouillent sans arrêt. En fait, ils en ont tellement à dire qu'ils apprennent à parler très tôt, et dès ce moment la paix et la tranquillité de la famille sont perturbées. Les questions s'enchaînent, et ils vous laissent à peine le temps de répondre que déjà de nouvelles interrogations surgissent. Très tôt, ils ont tendance à vouloir avoir le dernier mot. Ce n'est pas de tout repos, mais ils sont si adorables. Ils sont aussi bien entourés ; ils ont de nombreux amis qu'ils inviteront à dîner ou à dormir à la maison, sans vous prévenir. Rapidement, la maison se transformera en hall de gare ; ils déborderont d'activités, et c'est tout juste s'il leur restera du temps pour aller à l'école et pour dormir... Comme ils sont toujours par monts et par vaux, il vous arrivera de les chercher, car une activité n'attend pas l'autre. On les croit occupés dans leur chambre à faire leurs devoirs, on se retourne et on les voit en train de jouer sur la pelouse. Très habiles de leurs mains, les enfants Gémeaux bricolent, dessinent admirablement et sont très adroits. Avec eux, le donnant-donnant marche bien, car ils aiment négocier. S'ils nettoient leur chambre, vous devrez les conduire à leur match de soccer. Ne cédez pas rapidement à leurs demandes, parce qu'ils en profiteront pour quémander une autre faveur, et vous n'en sortirez plus. Avec eux, vous n'aurez jamais le dernier mot. Ils sont très alertes, ont un esprit brillant, même s'ils ont déjà une petite tendance à être superficiels.

Ils ne tiennent pas en place et sont vraiment très sociables. Apprenez-leur toutefois à planifier leur horaire, à déterminer leurs priorités, à concentrer leurs efforts et stimulez-les afin qu'ils aient le goût d'approfondir les choses au lieu de papillonner constamment de l'une à l'autre. S'ils aiment le sport, proposez-leur une activité qui demande une constante remise en question de leur capacité physique, la gymnastique acrobatique, par exemple.

L'ADO GÉMEAUX

En astrologie, ton signe correspond à l'adolescence. Éternellement jeune, tu conserveras toute ta vie l'idéalisme qui te caractérise maintenant. Tu es un signe d'air, ce qui te donne un intérêt pour de multiples activités. Ton entourage te reprochera peut-être de changer trop souvent d'idée, mais tu évolues rapidement et tu as besoin de relever constamment de nouveaux défis, d'apprendre de nouvelles choses, de tenter de nouvelles expériences. Tu t'intéresses à tout, et cela t'ouvre des horizons et te permet de rencontrer beaucoup de gens très différents. Tu aimes t'exprimer, communiquer, côtoyer plein de monde. Tu es bavard mais, finalement, tu parles peu de ce que tu ressens. Polyvalent et spontané, tu as une soif d'apprendre immense, et ce besoin d'en savoir plus fait de toi quelqu'un de brillant et dont on recherche la compagnie. Fais attention toutefois de ne pas trop disperser tes énergies, car la superficialité te guette. Avec toi, tout va vite. Tu mènes plusieurs projets et activités de front, et tu en as d'autres en vue. Tu es aussi un être émotif : tes opinions et tes goûts changent très rapidement, et peu de gens comprennent comment tu peux dire blanc un jour et noir le lendemain, mais, en réalité, tu es fidèle à toi-même.

Tes études

Tu t'intéresses à tellement de choses qu'il est difficile pour toi de te bâtir un programme d'études cohérent. Pense à long terme. Quels sont les domaines qui t'attirent le plus ? Concentre-toi sur ces sujets, quitte à suivre des cours complémentaires dans d'autres champs d'intérêt. Fixe-toi un objectif et essaie de ne pas le perdre de vue, même s'il y a tellement de choses passionnantes dans ce monde. Tu auras tout le temps de les découvrir plus tard. Tu as une intelligence très vive, qui te permet de te débrouiller et d'avoir des résultats plus que convenables, mais il ne faut pas te demander de te concentrer pour travailler avec assiduité et application. Tu as plutôt tendance à étudier ou à faire tes travaux à la dernière minute, à survoler la matière pour en saisir les principes plutôt qu'à bien la comprendre, ce qui peut te jouer des tours.

Ton orientation

Choisir sa voie lorsqu'on s'intéresse à tant de choses, lorsqu'on a des talents multiples peut devenir un vrai casse-tête. Tes projets d'avenir changent constamment, et tu ne parviens pas à te fixer définitivement. Le mieux pour toi est donc d'opter pour une carrière qui te permettra de déployer tes divers talents. N'oublie pas que tu peux profiter de tes loisirs pour explorer de nombreux domaines. L'écriture, le journalisme, la traduction, la vente, le commerce, le tourisme, les relations publiques, le travail de bureau et la mécanique de précision sont des milieux professionnels qui pourraient te convenir, car le travail n'y est pas routinier. De plus, très souvent, les natifs de ton signe mènent de front deux carrières totalement différentes, tout en ayant plusieurs activités en dehors ; donc, ne t'inquiète pas, tu auras l'occasion d'essayer tout ce qui te tente, sans trop te limiter.

Tes rapports avec les autres

Les autres sont extrêmement importants dans ta vie. Tu es très sociable et tu as besoin d'être entouré de nombreux amis pour échanger des idées et pour étaler tes connaissances, il faut bien l'avouer. En fait, tu réussis presque toujours à avoir le dernier mot, car tu connais une multitude de choses sur tout, ce qui te permet de donner ton opinion sur des sujets très variés. Tu te lies facilement, et ta vie sociale est trépidante. Tes amis prennent une très grande place dans ta vie ; il est donc important de bien les choisir, car ils sont susceptibles d'exercer une forte influence sur toi.

LE PARENT GÉMEAUX

Le parent complice

Vous privilégiez les contacts et les échanges, et vous vous mettez spontanément au niveau de vos enfants pour mieux les comprendre : la communication, ça vous connaît. Vous aimez jaser avec eux, les faire parler et partager leurs activités. Vous prenez plaisir à leur faire découvrir de nouvelles choses et à ouvrir leurs horizons, vous stimulez sans cesse leur intellect. Par contre, même si vous les adorez, vous avez parfois un peu de mal à leur démontrer vos sentiments.

L'EMPLOYÉ GÉMEAUX

Seul, il s'ennuie et il tourne en rond. Il aime fonctionner en équipe, voir du monde : il excelle dans les groupes de travail et auprès du public. Son intellect est vif, mais il se laisse facilement distraire et il s'absente régulièrement de son poste. La routine lui pèse, il a besoin de variété, et comme il est créatif, il arrive constamment avec de nouvelles idées.

LE PATRON GÉMEAUX

Il compte sur ses employés et il délègue aisément, un peu trop d'ailleurs ; il devrait inspecter davantage. Il mise avant tout sur la communication et la productivité, et il adore discuter. Il pose beaucoup de questions et il sait motiver les autres. Comme il change souvent d'objectifs ou d'idées, ce n'est pas toujours évident de le suivre.

LE GÉMEAUX DANS LA CUISINE

Dans ce domaine, comme partout, vous manifestez votre dualité. Lorsque vous recevez, vous préparez une foule de plats différents, mais vous voulez que tout se fasse rapidement : vous détestez vous éterniser dans la cuisine.

Au quotidien également vous préférez la rapidité et privilégiez ce que vous pouvez manger en faisant autre chose, par exemple une soupe ou un sandwich.

Vous adorez :
- le *finger food* et tout ce qui se mange avec les doigts ;
- les plats exotiques ;
- les mets aromatiques, mais qui ne sont pas trop goûteux (vous n'aimez pas beaucoup les épices ni l'ail).

✦ CE QUE LA NATUROPATHE VOUS SUGGÈRE

Efforcez-vous de manger trois repas équilibrés par jour et de cesser de grignoter : c'est votre péché mignon.

Consommez davantage d'aliments frais.

Prenez le temps de cuisiner, ne mangez pas toujours des plats préparés ou surgelés.

Parlez moins lors de vos repas.

Mangez plus lentement, et essayez de vous détendre.

ILS SONT GÉMEAUX EUX AUSSI

Stéphane Bellavance, Benoît Brière, Pierre Bruneau, Anderson Cooper, Lana Del Rey, Johnny Depp, Boom Desjardins, Alexandre Despatie, Boucar Diouf, Bernard Drainville, Macha Grenon, Marc Hervieux, Angelina Jolie, Nicole Kidman, Heidi Klum, Rita Lafontaine, Maxime Landry, Pierre Lapointe, Claude Legault, François Legault, Nathalie Mallette, Isabelle Maréchal, Paul McCartney, Josélito Michaud, Marilyn Monroe, François Morency, Julie Perreault, Valérie Plante, Jacynthe René, Isabel Richer, Pierrette Robitaille, Chloé Sainte-Marie, Blake Shelton, Donald Trump.

✦ OUTILS POUR TRANSFORMER VOTRE DESTINÉE

Recentrez-vous au lieu de vous disperser. Vous êtes polyvalent, vous vous intéressez à tout, mais vous vous éparpillez.

Misez sur votre capacité de créer des liens avec les autres ; il s'agit d'un atout que vous possédez, mais que vous n'utilisez pas assez.

Apprenez à être heureux dans l'instant présent : entre vos souvenirs et tous vos projets, vous n'habitez pas le « ici et maintenant ».

Pensée positive pour le Gémeaux

Je suis en paix avec toutes les facettes de ma personnalité ; je suis en harmonie avec moi-même et j'ouvre la porte à de multiples bénédictions.

Pensée positive spéciale pour 2022

Je prends le temps de m'arrêter pour mieux planifier, ce qui m'assure un avenir parfait.

Le subconscient nous dirige toujours selon nos pensées. En répétant le plus souvent possible ces pensées conçues tout spécialement pour vous, vous vous attirerez plein de belles choses.

Signe : Gémeaux

Élément : air

Catégorie : double

Symbole : ♊

Points sensibles : poumons, bronches, bras, épaules, mains, tension, nervosité, insomnie.

Planète maîtresse : Mercure, planète du commerce.

Pierres précieuses : topaze, cristal, aigue-marine.

Couleurs : gris, kaki, tous les bleus.

Fleurs : Marguerite, jasmin, rose jaune.

Chiffres chanceux : 3-4-16-17-23-26-34-37-43-44.

Qualités : intelligent, sociable, vif, conciliant, brillant, communicateur, expressif, habile, convaincant.

Défauts : bavard, superficiel, frivole, instable, parfois un peu profiteur.

Ce qu'il pense en lui-même
Je peux parler de n'importe quoi.

Ce que les autres disent de lui
Il parle tellement ! Réussirons-nous à placer un mot ?

PRÉDICTIONS ANNUELLES

Des influences majeures s'exercent dans votre ciel et il se peut que, jusqu'à votre prochain anniversaire, vous ayez parfois du mal à vous y retrouver puisqu'elles sont contradictoires. D'une part, un beau trigone de Saturne vous confère de la sagesse et de la maturité, favorisant ainsi les actes responsables et les entreprises à long terme. D'autre part, une dissonance de Jupiter vous pousse à agir de façon désorganisée. Vous pourriez même vous lancer la tête la première dans toutes sortes d'aventures sans en mesurer les conséquences. Prenez le temps de bien réfléchir, sans quoi vous vous en mordrez les doigts. La chance reviendra en force en juin et vous en bénéficierez pendant tout le reste de l'année.

SANTÉ. Vous n'êtes pas à l'abri de quelques rappels à l'ordre. Si vous continuez à abuser de vos forces et à courir constamment, sans vous arrêter pour vous ressourcer, vous risquez la panne, sur le plan tant physique que moral. Vous avez également tendance à mal manger en période de stress, ce qui n'arrangera rien. Alors, c'est simple, n'attendez pas. Adoptez de bonnes résolutions et un mode de vie plus sain, allégez votre horaire et tout ira à merveille. Vous serez plus raisonnable pendant la seconde moitié de 2022 : vous reprendrez les choses en main et pourrez ainsi augmenter votre bien-être.

SENTIMENTS. Votre popularité se maintient, vous êtes toujours très demandé et votre vie sociale s'annonce plus que satisfaisante. Cependant, ce tourbillon de mondanités et de belles sorties ne suffit pas à vous rendre complètement heureux. Vous voulez de la stabilité et de la profondeur, ce qui semble vous échapper quelque peu en début d'année. Ne bousculez rien, la situation se replacera dès la fin mai et vous serez comblé. De nouveaux couples se formeront, tandis que d'autres se rapprocheront de façon tangible. Vous vous sentirez prêt à vous engager, à vous impliquer à fond.

AFFAIRES. Vous devinez ce que je suis sur le point de vous dire... Il faut privilégier la sagesse jusqu'à votre fête, car en voulant aller trop vite ou en prenant des risques, vous perdrez du terrain plutôt que d'en gagner. Optez donc pour des entreprises sérieuses et des placements conservateurs. La période suivant votre prochain anniversaire sera plus spectaculaire, vous progresserez énormément, vos finances prospéreront et vous aurez même des chances au jeu. En attendant, ne défiez pas la loi et méfiez-vous de votre naïveté, qui pourrait vous faire tomber dans un piège tendu par quelqu'un de peu scrupuleux.

JANVIER

DIM	LUN	MAR	MER	JEU	VEN	SAM
						1
2 ●	3	4 F	5 F	6 D	7 D	8
9	10	11	12	13	14	15
16	17 ○	18	19	20 D	21 D	22 D
23 F	24 F	25	26	27	28	29
30	31 F					

F Jour favorable	D Jour difficile
○ Pleine lune	● Nouvelle lune

SANTÉ. L'opposition de Mars vous donne du fil à retordre jusqu'au 26. Quand ce n'est pas un risque de blessure, c'est un malaise ou une infection qui vous guette. En vous montrant vigilant, vous pourriez toutefois déjouer les effets de cette opposition. Sur le plan psychologique, vous vivez des montagnes russes, vous alternez entre grande joie et anxiété profonde. Attention aussi à la gourmandise.

SENTIMENTS. Vous trouvez que votre partenaire ne parle pas assez et que vos amis ne font pas suffisamment attention à vous. Pourtant, on n'a pas cessé de vous aimer, vos proches sont seulement occupés, en plus d'avoir leurs propres inquiétudes. Au lieu de leur faire des remontrances, ce qui n'arrangerait rien, bien au contraire, pourquoi ne pas leur offrir de l'aide ou tout simplement une oreille attentive ?

AFFAIRES. Les tuiles se suivent. Des frais imprévus, des retards exaspérants et quelques obstacles jouent avec vos nerfs même s'il n'y a pas de véritables catastrophes en vue. N'allez pas croire que dépenser follement calmera vos frustrations, vous ne feriez qu'aggraver les choses. Le climat sera plus favorable vers la fin du mois.

FÉVRIER

DIM	LUN	MAR	MER	JEU	VEN	SAM
		1 ● F	2 D	3 D	4	5
6	7	8	9	10	11	12
13	14	15	16 ○	17 D	18 D	19 F
20 F	21	22	23	24	25	26
27	28 F					

F Jour favorable	D Jour difficile
○ Pleine lune	● Nouvelle lune

SANTÉ. Bonne nouvelle, l'opposition de Mars est bel et bien terminée. Les ennuis diminuent, vous vous sentez plus robuste, tant physiquement que sur le plan moral. Excellente période pour s'attaquer à ce qui accrochait, pour vous soigner ou du moins adopter un meilleur style de vie et refaire le plein d'énergie.

SENTIMENTS. Vous n'avez plus besoin de toujours argumenter avec votre entourage ou de leur tirer les vers du nez. L'atmosphère se détend et le dialogue devient plus aisé. La situation de votre partenaire s'améliore, il est beaucoup moins stressé. Vous reprendrez le goût aux mondanités au cours de la seconde quinzaine et ça tombe bien : on vous lancera à ce moment toutes sortes de charmantes invitations.

AFFAIRES. Même chose dans ce domaine, on peut parler de progrès significatifs. Ce n'est probablement pas encore parfait, n'empêche que vous avez davantage de latitude. Vous avancez plus librement. Voilà donc de bonnes conditions pour accomplir la montagne de travail qui s'est accumulée. Démarches et déplacements favorables à partir du 15.

MARS

DIM	LUN	MAR	MER	JEU	VEN	SAM
		1 F	2 ● D	3 D	4	5
6	7	8	9	10	11	12
13	14	15	16 D	17 D	18 ○ F	19 F
20 F	21	22	23	24	25	26
27 F	28 F	29 D	30 D	31		

F Jour favorable	D Jour difficile
○ Pleine lune	● Nouvelle lune

SANTÉ. Importants déblocages planétaires à partir du 6. Mars et Vénus commenceront à faire un angle fort positif à votre signe, ce qui vous permettra de vous affranchir de plusieurs contraintes passées pour peu que vous fassiez quelques efforts. L'énergie, la vitalité et la résistance iront en augmentant. La période est idéale pour modifier votre alimentation ou pour une remise en beauté.

SENTIMENTS. Vous serez particulièrement choyé sur le plan sentimental entre le 6 mars et le 7 avril. Attendez-vous donc à des moments enchanteurs, tant au cœur de votre foyer que dans vos activités sociales. Les célibataires ne devraient refuser aucune sortie, puisque l'une d'entre elles sera peut-être l'occasion de trouver l'âme sœur.

AFFAIRES. Retour éclatant de la chance une fois la première semaine écoulée. Un heureux concours de circonstances vous permettra d'arrondir votre budget ou de donner un élan à votre carrière. Le mois est propice aux démarches, aux recherches pour un nouveau logis, aux déplacements ainsi qu'aux voyages. Une vieille affaire pourrait refaire surface. Sur le coup, vous êtes ébranlé, mais vous décidez rapidement de ne pas revenir là-dessus. Génial !

AVRIL

DIM	LUN	MAR	MER	JEU	VEN	SAM
					1 ●	2
3	4	5	6	7	8	9
10	11	12 D	13 D	14 D	15 F	16 ○ F
17	18	19	20	21	22	23
24 F	25 F	26 D	27 D	28	29	30 ●

F Jour favorable	D Jour difficile
○ Pleine lune	● Nouvelle lune ; celle du 30, combinée à une éclipse solaire partielle

SANTÉ. Votre vivacité intellectuelle en surprend plus d'un. Vous êtes brillant et votre vitesse de répartie est stupéfiante. Physiquement, tout va bien jusqu'au 15. Par la suite, vous devrez vous surveiller de plus près afin d'éviter une blessure ou certains malaises. Votre résistance risque de décroître, particulièrement si vous abusez de vos forces... ou de la bonne chère.

SENTIMENTS. Rappelons que la première semaine est fantastique à tous les points de vue. De belles rencontres, des échanges stimulants et des activités amusantes sont au menu. Le reste du mois ne présente rien de vilain, mais il pourrait être passablement monotone à moins que vous ne preniez certaines initiatives. N'attendez pas après les autres !

AFFAIRES. Ici aussi, c'est la première quinzaine qui offre les meilleures possibilités. Il vaut donc mieux agir sans tarder si vous caressez de grands projets, pour négocier ou demander une faveur. Par la suite, vous pourriez rencontrer quelques obstacles. Attention aux investissements risqués, aux dégâts, aux pertes matérielles et aux dépenses impulsives entre le 15 et le 30.

MAI

DIM	LUN	MAR	MER	JEU	VEN	SAM
1	2	3	4	5	6	7
8	9	10 D	11 D	12 F	13 F	14
15 ○	16	17	18	19	20 F	21 F
22 F	23 D	24 D	25	26	27	28
29	30 ●	31				

F Jour favorable		D Jour difficile	
○ Pleine lune et éclipse lunaire totale		● Nouvelle lune	

SANTÉ. Ce n'est pas tant l'éclipse que la quadrature de Mars qui pourrait avoir des répercussions fâcheuses. Demeurez vigilant pour éviter de vous blesser ou de tomber malade. Vous avez trop souvent les nerfs en boule et les émotions à fleur de peau, ce qui n'aide pas. Essayez donc de vous changer les idées et de vous ouvrir un peu plus.

SENTIMENTS. La situation pourrait se corser avec un proche si vous parlez trop vite ou si vous demandez l'impossible. Servez-vous plutôt de votre charme pour faire valoir vos opinions ou pour négocier, je vous assure que ça fonctionnera à merveille. Plusieurs sorties en vue et même un coup de foudre pour les célibataires.

AFFAIRES. Vous aurez l'impression de tourner en rond jusqu'au 25. Les choses traînent en longueur et, par-dessus le marché, vous n'arrivez pas à prendre de décisions. Ne bousculez rien, car tout débloquera vers la fin du mois ou en juin. Un conseil : ne cédez pas à votre humeur follement dépensière. Ça risque de vous coûter cher, d'autant que des frais imprévus pourraient vous tomber dessus.

JUIN

DIM	LUN	MAR	MER	JEU	VEN	SAM
			1	2	3	4
5	6 D	7 D	8 D	9 F	10 F	11
12	13	14 ○	15	16	17 F	18 F
19 D	20 D	21	22	23	24	25
26	27	28 ●	29	30		

F Jour favorable		D Jour difficile	
○ Pleine lune		● Nouvelle lune	

SANTÉ. Vous êtes sorti de votre période grise et ce mois vous trouve en pleine forme. Le moment est idéal pour faire provision d'énergie et pour chercher une solution à vos bobos. Vous pourriez justement en profiter pour faire davantage d'exercice ou aller prendre l'air plus souvent. Psychologiquement, tout serait parfait si vous arriviez à couper avec le passé. De toute façon, vous ne pouvez pas le changer.

SENTIMENTS. Bien que les trois premières semaines s'annoncent agréables, ce sont surtout les mises au point qui domineront à la maison. Par la suite, on peut parler de joie, de bonheur intense et d'amours qui redémarrent. En société et en amitié, c'est tout le mois qui devrait vous combler.

AFFAIRES. Vous avez le vent dans les voiles. Vous réglerez une foule de choses qui accrochaient, vous tournerez des pages et mettrez le cap vers de nouveaux horizons. Une succession d'événements heureux tant dans votre vie professionnelle que dans vos finances vous égaieront. Vous avez rongé votre frein trop longtemps, voici enfin la période d'expansion dont vous rêviez.

JUILLET

DIM	LUN	MAR	MER	JEU	VEN	SAM
					1	2
3 D	4 D	5 D	6 F	7 F	8	9
10	11	12	13 ○	14 F	15 F	16 D
17 D	18	19	20	21	22	23
24	25	26	27	28 ●	29	30
31 D						

F Jour favorable		D Jour difficile
○ Pleine lune		● Nouvelle lune

SANTÉ. L'arrivée de Mars dans votre douzième maison pourrait occasionner une phase d'incertitude entre le 6 et le 31. Vos nerfs à fleur de peau et votre hyperémotivité pourraient vous faire prendre au tragique des choses sans importance. À force de vous mettre ainsi dans tous vos états, vous allez finir par vous rendre malade. Changez-vous les idées !

SENTIMENTS. Les dix-huit premiers jours sont encore marqués par un transit fort avantageux de Vénus, ce qui vous aidera à resserrer les liens avec votre partenaire, à trouver l'amour si vous êtes seul et à jouir d'une vie sociale enlevante. Par la suite, vous devrez vous montrer plus ouvert, et surtout ne pas tenter d'imposer votre point de vue, sans quoi ce sera la chamaille.

AFFAIRES. Jupiter, planète de la bonne fortune, de l'expansion et de la réussite, est devenue une alliée de taille. Cessez de vous poser mille et une questions inutiles, ne faites pas le timoré et foncez. La conjoncture favorise les actions énergiques, les prises de position et le changement. La léthargie ou la rêverie vous empêchera de profiter de la chance qui passe.

AOÛT

DIM	LUN	MAR	MER	JEU	VEN	SAM
	1 D	2 F	3 F	4	5	6
7	8	9	10	11 ○ F	12 F	13 D
14 D	15	16	17	18	19	20
21	22	23	24	25	26	27 ● D
28 D	29 F	30 F	31 F			

F Jour favorable	D Jour difficile
○ Pleine lune	● Nouvelle lune

SANTÉ. Mars reste dans votre douzième secteur jusqu'au 20. Vous demeurez impressionnable et, avouons-le, quelque peu léthargique. Vous serez beaucoup plus dynamique par la suite tant physiquement que moralement, mais vous devrez faire davantage attention à vous afin d'éviter une chute, une coupure ou une collision.

SENTIMENTS. Vous vous dévouerez énormément pour les autres durant la première quinzaine, parfois même un peu trop. Entre le 12 août et le 6 septembre, vous vivrez des moments d'intense romantisme et, si vous étiez seul, ça pourrait changer. Il n'y a pas qu'en amour que votre étoile se mettra à briller, il en sera de même sur le plan social, où plusieurs rencontres stimulantes vous attendent.

AFFAIRES. Ça tiraille encore, mais graduellement vous vaincrez tous les obstacles, si bien que vous serez en mesure de repartir à neuf lors des dix derniers jours. Plus rien ne vous arrêtera, vous pourrez donc faire des projets pour l'immédiat, mais aussi penser à asseoir solidement votre avenir. Il y aura même quelques petites chances au jeu à l'horizon.

SEPTEMBRE

DIM	LUN	MAR	MER	JEU	VEN	SAM
				1	2	3
4	5	6	7 F	8 F	9 D	10 ○ D
11	12	13	14	15	16	17
18	19	20	21	22	23 D	24 D
25 ● D	26 F	27 F	28	29	30	

F Jour favorable		D Jour difficile
○ Pleine lune		● Nouvelle lune

SANTÉ. Votre bonne mine fera l'envie de beaucoup. C'est vrai qu'en plus d'avoir du charme vous dégagez une énergie inépuisable. Ce n'est quand même pas une raison pour tout faire à la course, ça pourrait jouer contre vous. Votre moral se porte mieux, vous faites la part des choses et votre intuition vous dépanne souvent. Moment idéal pour investir dans votre bien-être.

SENTIMENTS. Tout va bien durant la première semaine. Pesez bien les mots que vous utiliserez par la suite, car vous pourriez déplaire à votre entourage, qui semble particulièrement susceptible. Il sera plus judicieux de mettre des gants blancs que de risquer la chicane. Votre partenaire paraît soit maussade, soit déprimé entre le 8 et le 29. Ne vous acharnez pas.

AFFAIRES. Votre environnement habituel se modifie, ce qui vous pousse à redéfinir vos objectifs. N'ayez pas peur d'être plus indépendant, vous avez suffisamment de ressources et surtout de talent pour faire votre chemin. Vous n'exploitez pas assez votre créativité, le moment serait pourtant très bien choisi pour la mettre à contribution. Quelques chances dans les tirages.

OCTOBRE

DIM	LUN	MAR	MER	JEU	VEN	SAM
						1
2	3	4 F	5 F	6 D	7 D	8 D
9 ○	10	11	12	13	14	15
16	17	18	19	20	21 D	22 D
23 F	24 F	25 ●	26	27	28	29
30	31					

F Jour favorable	D Jour difficile
○ Pleine lune	● Nouvelle lune et éclipse solaire partielle

SANTÉ. L'éclipse et la présence de Mars dans votre signe appuieront vos prises de décision. Votre flair aiguisé et votre sens de l'analyse seront des atouts précieux. Sur le plan physique, cette conjoncture peut cependant provoquer des accidents bêtes, une infection ou des malaises. Il vous suffit d'agir avec circonspection pour la déjouer.

SENTIMENTS. Mois en or pour toutes les histoires de cœur. Les célibataires parviendront à combler un vide tandis que les autres redécouvriront leur partenaire. C'est le moment de vous engager, de resserrer les liens qui vous unissent à ceux que vous chérissez. S'il vous reste du temps, vous pourrez toujours accepter quelques-unes des nombreuses invitations qu'on vous lancera.

AFFAIRES. Les astres jouent pour vous dans ce domaine également. Ne perdez donc pas une seconde à rêvasser ou à vous poser des questions. Il faut agir dès maintenant, ce qui vous permettra d'obtenir des résultats concrets à court terme, mais aussi de vous assurer d'un avenir encourageant. Bonne période pour les négociations, le commerce, les transactions et les démarches.

NOVEMBRE

DIM	LUN	MAR	MER	JEU	VEN	SAM
		1 F	2 F	3 D	4 D	5
6	7	8 ○	9	10	11	12
13	14	15	16	17 D	18 D	19 F
20 F	21 F	22	23 ●	24	25	26
27	28 F	29 F	30 D			

F Jour favorable	D Jour difficile
○ Pleine lune et éclipse lunaire totale	● Nouvelle lune

SANTÉ. Cette autre éclipse met en relief le retour provisoire du carré de Jupiter à votre signe jusqu'au 21 décembre. Ce transit devrait vous inciter à faire davantage attention à vous, car si vous attendez d'être au bout du rouleau, la panne risque d'être plus sévère ou de prendre davantage de temps à se résorber. Une attitude préventive dans vos déplacements ou quand vous utilisez des objets dangereux vous évitera également une mauvaise surprise.

SENTIMENTS. L'état d'un parent pourrait se détériorer et on sollicitera votre aide. Avec l'entourage, la communication est ardue, on déforme vos paroles ou, pire, on ne daigne même pas vous écouter. J'avoue que c'est bien frustrant, mais le moment serait mal choisi pour piquer une crise. Un bon ami ne demande pas mieux que de recueillir vos confidences et de vous offrir son appui.

AFFAIRES. Ici aussi il faut vous armer de patience ! Des changements imprévus vous laissent perplexe, vous devez modifier vos plans, ce qui ne vous plaît guère. Une affaire ou un projet en suspens risque de tomber à l'eau, tandis qu'une somme que vous espériez se fait attendre. Soyez flexible, je vous assure que vous finirez par vous en sortir.

DÉCEMBRE

DIM	LUN	MAR	MER	JEU	VEN	SAM
				1 D	2	3
4	5	6	7 ○	8	9	10
11	12	13	14 D	15 D	16 D	17 F
18 F	19	20	21	22	23 ●	24
25 F	26 F	27 D	28 D	29	30	31

	F Jour favorable		D Jour difficile
	○ Pleine lune		● Nouvelle lune

SANTÉ. Le ciel se dégage et vous devriez retrouver tout votre aplomb avant le 21 si vous mettez la main à la pâte. L'adoption d'un régime de vie équilibré vous fera grand bien sur le plan tant moral que physique. Votre énergie semble illimitée : plus vous accomplissez de choses, plus vous avez envie de bouger. Attention malgré tout à ne pas vous faire mal.

SENTIMENTS. La situation d'un membre de la famille continue de vous inquiéter, mais vous n'êtes plus seul. En effet, un proche vous épaule, ce qui fait une différence appréciable. Un changement planétaire majeur le 21 vous promet un renouveau en amour et une vie sociale qui redémarre.

AFFAIRES. Jupiter redevient votre alliée le 21, pour plusieurs mois. Finis les casse-tête monétaires. Vos finances se stabiliseront et vous pourriez même accroître vos revenus. Un petit gain au jeu n'est d'ailleurs pas impossible. Vos projets prendront forme plus aisément et vous commencerez à vous approcher de vos objectifs. En attendant, continuez à privilégier la souplesse et la sagesse.

CANCER

DU 22 JUIN AU 23 JUILLET

C omme le crabe qui représente votre signe, vous êtes un être solide, doux et tendre à l'intérieur. En fait, il y en a peu comme vous dans le zodiaque. Pour cette raison, vous êtes un excellent parent, c'est dans votre nature.

La Lune exerce une véritable influence sur votre signe ; ses cycles se font sentir davantage sur vous. Toute votre vie est marquée du sceau des rayons lunaires, même votre humeur. Cela est si évident que certaines personnes vous qualifient de lunatique, car vous changez au fil de l'influence de l'astre.

Votre imagination est si fertile qu'il n'est pas rare que vous soyez dans la lune, à vous laisser porter par vos rêveries. Néanmoins, lorsqu'il est question de votre famille, de vos enfants, de votre entourage, vous êtes quelqu'un d'extrêmement terre à terre, peut-être trop parfois. Vous êtes toujours prêt à dorloter, à gâter, à aider vos proches, mais surtout vos chers petits. Avec eux, vous aurez tendance à vous montrer surprotecteur. Vous cherchez avant tout à les rendre heureux et vous vous inquiétez, bien souvent sans raison. Même lorsqu'ils seront adultes, ou vieux, vos enfants resteront vos enfants, et vous vous ferez toujours du souci pour leur bien-être, quitte parfois à les étouffer avec vos cajoleries.

Les Cancer sont les mamans poules et les papas gâteaux par excellence. S'ils n'ont pas d'enfants, ils jetteront leur dévolu sur ceux des autres, car pour eux une vie sans enfants n'est pas pensable. Les Cancer attirent les enfants, qui savent bien qu'il y a toujours une petite friandise à croquer dans leur garde-manger, un mot gentil ou un conseil désintéressé et sincère à recevoir.

Le drame du Cancer est qu'il a si peur de faire de la peine, de déplaire qu'il aura du mal à dire non, à trancher, à se décider. Cela est probablement attribuable à l'aspect féminin de ce signe, car même les hommes Cancer, persuadés de la supériorité du mâle, ont du mal à refuser quelque chose lorsqu'on sait comment les prendre.

Le Cancer a besoin de son cocon pour se sentir bien. Son logis devient un refuge, une forteresse, une carapace où il se sait en sécurité et heureux. Il n'est guère facile de le faire sortir de son antre. Le Cancer hésite, remet au lendemain, et il faut vraiment insister pour le forcer à bouger. Il trouve toujours un bon prétexte pour rester tranquillement dans son petit nid.

Par contre, si on le brusque, si on insiste, le Cancer finit par s'amuser et prendre plaisir aux activités qu'on l'a obligé à faire. Il restera toutefois réticent à mettre le nez dehors, même en sachant pertinemment ce qui l'attend et malgré le fait qu'il appréciera ce que vous lui proposerez. En revanche, si c'est son enfant qui a besoin de lui, alors le Cancer se précipitera pour lui apporter son aide ; une armée entière ne saurait l'arrêter.

La vie du Cancer est rythmée par les repas. Savoureux, invitants, les petits plats qu'il propose enchantent les palais les plus fins. Il a toujours une nouveauté à faire goûter, un délice à proposer. Être invité chez un Cancer, c'est être convié à un banquet d'odeurs, de saveurs et de mets délectables. Bien sûr, la restauration, l'hôtellerie, l'alimentation sont des domaines qui lui conviennent tout à fait. D'ailleurs, même s'il n'en fait pas son métier, il est si important dans sa vie de manger qu'il trouvera toujours le moyen de concocter un mets pour ses amis… ou pour lui-même ! Ce n'est pas un Cancer qui se laissera mourir de faim.

En plus de bien soigner son estomac, le Cancer sait également s'occuper de son esprit, et il ne manque pas d'inspiration. Le matin est la période idéale pour vous laisser aller à la rêverie. Vous n'arrivez pas à démarrer votre journée sans avoir pris le temps nécessaire pour vous réveiller. Mais une fois la journée commencée, vous débordez d'énergie. L'influence de la Lune se fait une nouvelle fois sentir, car vous êtes capable de durer et de durer encore. On se demande si vous avez besoin de dormir autant, ou si c'est pour rêver que vous paressez au lit le matin.

On l'a dit, vous n'hésitez jamais à venir à la rescousse des êtres chers. Vous avez un cœur d'or. Votre conjoint, vos enfants, vos amis l'admettent. Pourtant, on vous reproche d'en faire un peu trop parfois. Vous êtes si dévoué que les autres passent avant tout. Vous les chouchoutez jusqu'à saturation. Et vous vous rongez les sangs lorsqu'ils sont au loin : on ne sait jamais... si quelque chose leur arrivait ! L'éventail de vos soucis, quand il s'agit de votre entourage, est vraiment très large. Vous vous en faites pour une bosse au front, un retard devient un accident dans votre imagination, et mille et une inquiétudes vous accaparent soudainement l'esprit pour un oui ou pour un non. Vos proches en rient... mais quelquefois jaune, car ils vous trouvent un peu exaspérant.

Vous dorlotez ceux que vous aimez jusqu'à ce qu'ils n'en puissent plus. Vous les enfermez, les couvez, les nourrissez, les suralimentez jusqu'à épuisement. Ils se plaignent de ne pas pouvoir respirer. Pourtant, dans le fond, ils aiment bien ça, car une maman, un papa, un conjoint ou un ami Cancer, c'est la félicité. Il prend souvent les tracas quotidiens sur ses épaules et facilite la vie de tous au maximum.

COMMENT SE COMPORTER AVEC UN CANCER ?

Le mieux est de le laisser s'occuper de vous. Il veillera à ce que vous ne manquiez de rien : « As-tu faim ? T'as pas un petit creux ? » Il sera toujours disposé à vous prêter une oreille attentive, et s'il pense que vous lui cachez vos tracas, il s'imaginera le pire. Dans ces conditions, il vaut mieux vous confier pour éviter qu'il ne s'en fasse avec des riens.

La pure logique n'est guère son fort ; il préférera s'en remettre à ses émotions, même lorsqu'il discute avec vous. Intuitif, il peut rapidement déceler que quelque chose vous pose problème. Vous aurez beau tenter de lui prouver par A plus B qu'il s'en fait pour rien, il se fiera davantage à son intuition qu'à vos arguments.

Le Cancer est rongé par l'insécurité ; il a besoin d'être constamment rassuré, et il faut lui donner confiance en lui, car sur ce plan le déficit est grand. Il apprécie la moindre de vos petites attentions ; il est donc primordial qu'il se sente aimé et épaulé. Faites-lui savoir que vous l'aimez.

Si vous ne parvenez pas à le convaincre d'entreprendre telle ou telle activité, ou de vous accompagner pour telle ou telle visite, il suffit de lui dire que sa présence fera plaisir aux enfants, et vous le verrez vite enfiler sa plus belle tenue pour vous suivre sans poser plus de questions. Ça marche presque à tous les coups.

Pour éviter qu'il ne pense qu'à ses soucis, réels ou imaginaires, il faut l'inciter à sortir, à voir des gens, à pratiquer des activités à l'extérieur. Il ne le fera pas de lui-même. Insistez : il ne sait pas dire non, et vous pourrez l'emmener où vous voudrez. Par la suite, il vous remerciera.

SES GOÛTS

Chez le Cancer, les plaisirs de la table priment. C'est au milieu de son petit monde qu'il est le plus heureux. Il vous offrira un repas copieux et délicieux. Le Cancer savoure sa nourriture comme d'autres savourent la vie ; pour lui, les deux sont intimement liées. Il a le sens de l'hospitalité, et vous pouvez frapper à sa porte, de jour comme de nuit, elle est toujours ouverte pour ses amis, sa famille et surtout ses enfants. Évidemment, une bonne assiette les y attend. Son antre est un nid chaleureux, rempli d'objets aux formes invitantes et de souvenirs. On s'y sent bien et on a l'impression que les ennuis quotidiens y sont absents. Lui-même apprécie son repaire, voilà pourquoi il ne veut pas en sortir. Souvent, le Cancer est propriétaire de sa maison, car elle fait partie de sa carapace ; c'est son élément de protection, l'endroit où il aime se retrouver.

Si votre vieille voisine court derrière les petits enfants de la rue pour leur offrir les biscuits qu'elle vient de cuisiner, c'est certainement une belle grand-maman Cancer.

SON POTENTIEL

Le Cancer est d'un altruisme exacerbé. C'est dans sa nature. Il n'est donc pas rare de le voir œuvrer comme infirmier ou responsable du service à la clientèle de son entreprise.

Sa nature gourmande sera également bien servie dans l'alimenta-tion, l'épicerie, la restauration (quel cordon-bleu !) et l'hôtellerie. Il aime aussi la psychologie, les soins à autrui, l'éducation, les techniques de garde et la comptabilité.

Son côté protecteur le pousse souvent à gagner sa vie dans un domaine où il pourra laisser libre cours à son désir d'aider l'humanité tout entière. S'il a choisi un métier moins lié au service au public, il demeurera néanmoins attentif au bien-être d'un collègue, d'un confrère ou d'un employé qui a des problèmes. Il ne peut s'empêcher de s'inquiéter pour les autres.

SES LOISIRS

Le Cancer a besoin de sentir tout son petit monde autour de lui pour être vraiment bien. Il préférera donc avoir des activités familiales plutôt que de faire des sorties dans les boîtes de nuit à la mode... Si vous avez besoin de lui pour garder le petit dernier ou préparer un repas alors que vous êtes alité, appelez-le, il arrivera en moins de temps qu'il n'en faut pour le dire. D'ailleurs, notre Cancer aime bien cuisiner. Il est gourmand, d'accord, mais c'est aussi pour lui un bon moyen de réunir autour de lui tous ceux qu'il aime. Il n'hésitera pas à passer des heures dans la cuisine pour vous concocter des petits plats. Et si vous discutez de recettes avec lui, alors ce super cordon-bleu vous éblouira par ses talents et ses connaissances culinaires.

Son esprit de famille est très développé et, pour cette raison, l'his-toire et la généalogie sauront l'attirer. Très attaché aux souvenirs, aux objets anciens ou aux bricolages des enfants, il pourrait même devenir un jour collectionneur.

Si vous décidez de l'emmener au cinéma ou de lui acheter un roman, n'hésitez pas à cultiver son côté fleur bleue. Les grandes his-toires de tendresse et de romantisme sauront ravir le natif du Cancer, surtout si la fin consiste en une envolée lyrique sur fond de retrou-vailles, de mariage ou d'amour passionné.

SA DÉCORATION

On sait que le Cancer aime bien se protéger sous sa carapace et offrir un refuge aux membres de sa famille. Son intérieur sera donc confortable et chaleureux. Son petit nid lui permet de se retrancher d'un monde qui va trop vite et qui se fait trop stressant. Chez lui, vous vous sentirez en sécurité, protégé et choyé.

Sa décoration peut sembler hétéroclite, car il aime les objets et il en a accumulé au fil des ans. Il y en a partout. Cet adepte du *cocooning* s'est créé un cocon douillet où l'histoire de sa petite famille peut se lire au moyen des nombreux souvenirs qui y sont exposés : des photos, le premier soulier de l'aîné, les trophées sportifs du benjamin, un beau dessin de sa cadette, qui aura bientôt cinquante ans… mais qu'à cela ne tienne, le Cancer a tout conservé. Si un membre de sa famille cherche un document familial, il est à peu près assuré de le retrouver dans les nombreux souvenirs entreposés chez lui.

La Lune gouverne son signe. Le Cancer aura donc tendance à s'entourer de rondeur. On constate cela en examinant les meubles anciens qu'il aime : les sièges profonds, les consoles et les commodes aux formes rebondies. Chez lui, il n'y a aucune arête ; tout accentue le sentiment de douceur et de bien-être, qui frappe dès qu'on arrive chez lui. On s'y sent tellement à l'aise qu'il est souvent très difficile de s'en aller… Les enfants le savent bien.

SON BUDGET

Le Cancer est un être sage. On pourrait même le qualifier de peureux. Il ne risquera pas ses économies sur un coup de tête. Avec lui, le mot « modération » a tout son sens. Il pèse sans cesse le pour et le contre avant de délier les cordons de sa bourse. Si une dépense peut attendre, s'il n'est pas sûr, il y réfléchira à deux fois. Et s'il se sent pressé de prendre une décision, il se rebellera et rentrera bien vite sous sa carapace. Ce n'est pas un être pingre, mais il connaît bien la valeur des choses. Il mise sur la qualité plutôt que sur la quantité. Sa voiture, même chère, durera longtemps et lui assurera la sécurité qu'il recherche. Sa maison sera solide et située dans un quartier où sa valeur augmentera avec les années. Il sait investir dans des obligations ou des actions stables ; ce n'est pas lui qui courra un risque à la Bourse. Il préfère y aller d'un train pépère, mais arriver à bon port. D'ailleurs, il se décide lentement, mais ne se trompe pas. Son avenir est planifié, et sa retraite, bien préparée. Il ne mettra pas sa sécurité en péril. Pour dépanner un être cher, voilà quelqu'un sur qui l'on peut compter. Il accourra, et souvent avec les bras chargés d'une multitude de solutions... quand ce ne sera pas de présents.

QUEL CADEAU LUI OFFRIR ?

Il est relativement facile de faire plaisir à un Cancer. Puisque son intérieur a tellement d'importance à ses yeux, un petit quelque chose pour sa maison, un bibelot, un souvenir ou un objet sera grandement apprécié, surtout si cela ajoute encore un peu de rondeur à son environnement.

Puisque la cuisine est sa passion, n'hésitez pas à lui offrir des livres de recettes, des ustensiles, de la vaisselle, des accessoires pour la table ou un grand gueuleton dans un bon restaurant.

En fait, c'est plus le geste en lui-même qui comptera à ses yeux ; donc vous n'aurez pas besoin de vous ruiner pour lui faire plaisir. Par exemple, un objet fait de vos mains, ou mieux encore par un enfant, le ravira.

Un dessin, une poterie, une peinture, un coussin au crochet, un pull que vous aurez tricoté, une vieille photographie de vos ancêtres communs agrandie et encadrée, voilà ce qu'il appréciera. Et n'ayez crainte, votre cadeau occupera une place de choix parmi ses plus chers souvenirs.

LES ENFANTS CANCER

Un bébé Cancer est un bébé facile. On ne l'entend jamais, il fait ses nuits, dort beaucoup et ne pleurniche pas, à moins justement qu'on l'ait empêché de faire un gros dodo.

Ce sera aussi un petit glouton qui aimera bien le sein de sa maman, plus que le biberon d'ailleurs.

Affectueux, sensible et obéissant, ce formidable bout de chou cherchera toujours à faire plaisir. Les garçons sont attachés à leur maman et le resteront toute leur vie. Il faut leur apprendre à voler de leurs propres ailes et ne pas trop les couver, car ils risqueraient de s'accrocher à vous et de ne pas prendre leur envol.

L'enfant Cancer gardera toute sa vie un indéfectible souvenir de la maison de son enfance et de sa famille. Il faudra le pousser hors du nid lorsque le temps sera venu, sinon il pourrait bien continuer à y trouver refuge à la moindre inquiétude. En fait, il reviendra souvent vers vous pour chercher sa dose de tendresse.

L'enfant Cancer a un cœur d'or ; il serait prêt à donner tout ce qu'il possède à ses petits camarades moins bien lotis. Il devra apprendre à être plus réaliste, à ne pas trop dépendre des autres et à ne pas trop chercher à surprotéger ses frères ou ses sœurs pour s'épanouir dans la vie.

L'ADO CANCER

En tant que signe d'eau, le jeune Cancer a une sensibilité à fleur de peau. Tu ressens l'influence de ton milieu familial, et ta mère occupe une place prépondérante dans ta vie, parfois même à ton insu.

Affectueux, tranquille et plutôt réservé, tu as une imagination très féconde qui te porte à la rêverie. Le plus important pour toi est de te sentir aimé, et tu te montres prévenant et aimable avec tous ceux qui t'entourent, allant même parfois au-devant de leurs désirs, avant qu'ils les aient exprimés. Lorsque quelqu'un se montre intransigeant avec toi, ou si tu penses qu'on s'en prend à un membre de ta famille, tu deviens dur et tu ne te laisses pas faire.

Ta sensibilité te rend un peu timide ; tu ne donnes pas ta confiance facilement et, dans un nouveau groupe, tu as tendance à rester à l'écart. Pourtant, lorsque tu es entouré de ceux qui t'aiment, tu t'ouvres : tu te sens vraiment à l'aise.

À l'instar de la Lune qui gouverne ton signe, tu es quelqu'un de changeant. On te trouve parfois capricieux, voire girouette. La raison de ta versatilité est que ta vie émotive guide tes états d'âme. L'avenir t'inquiète un peu, mais tu dois apprendre à apprécier tout ce que la vie met de bon sur ton chemin, sans trop t'arrêter à ses aspects les moins jolis !

Tu es profondément humaniste et généreux et tu as un très grand cœur ainsi qu'un sens profond de la famille. La fidélité et la loyauté ne sont pas les moindres de tes qualités. Tu attends le grand amour, car tu accordes beaucoup de valeur aux sentiments. Tu rêves même d'une petite famille bien à toi, que tu pourras aimer, protéger et gâter.

Tes études

Pour que tu donnes un bon rendement, il te faut un environnement d'études chaleureux. Les polyvalentes géantes et les cégeps impersonnels t'effraient. Malgré tout, comme tu es doué et travaillant, tu réussis à te débrouiller. Décider de ton orientation est par contre un véritable casse-tête. Que choisir ? Tu as tellement d'aptitudes et de talents. Mais tu es un peu lent. Tu veux être sûr de faire le bon choix, de ne pas te lancer à l'aveuglette dans un domaine qui ne te plaira pas à 100 %. Prends ton temps, fais confiance à tes capacités et à tes qualités, et tout ira bien. Une fois que ton choix sera fait, ce sera sans aucun doute le bon.

Ton orientation

Musique, écriture et poésie, peinture, tous les arts te plaisent. Tes talents artistiques sont variés et immenses. Même si tu décides de ne pas les utiliser pour ta carrière, il te faut les développer, car ils seront une bonne base de ressourcement. Tu as une imagination fertile et, si tu sais bien t'en servir, elle te permettra de mieux canaliser ton émotivité. L'alimentation ou le travail avec les enfants sont d'autres secteurs qui pourraient te plaire. Les techniques de services de garde, l'enseignement, l'histoire, la géographie, la diététique, la restauration, l'hôtellerie, les services de traiteur, le cinéma, les soins infirmiers, la médecine, la gestion, la décoration, le jardinage, l'immobilier, la plomberie, le commerce, les antiquités sont autant de domaines qui te permettront d'exprimer tes capacités. Tu vois : tu as le choix.

Tes rapports avec les autres

Tu pressens les événements et les situations. Si un de tes proches est en difficulté, ton intuition te préviendra. Tu as du flair, mais tu ne t'y fies pas assez. Très sensible à l'opinion de tes amis, tu seras ton plus dur critique. Bien sûr, tu es le meilleur juge, mais ne te laisse pas influencer, forge-toi ta propre opinion sans te ranger à celle du voisin par commodité.

Tu es un ami formidable ; ta générosité, tes attentions et ta gentillesse font de toi une personne très recherchée. Et en plus, on te sait très fidèle en amitié comme en amour. Il est à peu près sûr que tu as gardé tes meilleurs amis depuis l'école maternelle ou primaire.

LE PARENT CANCER

Le parent gâteau

Vous êtes sensible et affectueux, et vous vous en faites souvent trop pour vos enfants. Vous désirez leur faciliter la vie et les préserver de tous les ennuis, mais vous avez tendance à les garder trop près de vous, et vous êtes même parfois un peu possessif. Attention de ne pas les surprotéger ! Vous avez l'esprit de famille, vous adorez organiser toutes sortes de fêtes et d'activités pour votre marmaille et, plus tard, pour vos ados. Ils vivent dans la ouate et s'en plaignent un peu mais, chose certaine, ils sont gâtés avec vous.

L'EMPLOYÉ CANCER

Voilà quelqu'un qui prend son boulot très au sérieux : il y met tout son cœur. La sécurité compte pour lui. Il est travaillant, structuré et fiable. Il s'intègre bien dans la hiérarchie et respecte l'autorité et les règlements. Toutefois, il se révèle un peu trop sensible à la critique. Il apprécie d'avoir des responsabilités, et comme il est prudent, il se trompe rarement.

LE PATRON CANCER

Il est traditionaliste, et un brin de décorum ne lui déplaît pas. Pour lui, le travail, c'est primordial, il n'aime ni l'incompétence ni la frivolité. Il a énormément de mémoire, il voit tout, et surtout se souvient de tout. Il est pointilleux et tient au respect des consignes. En même temps, il est protecteur et n'hésite pas à défendre ses employés.

LE CANCER DANS LA CUISINE

Votre signe gouverne la famille et les arts de la table, et on est gâté avec vous. Vous adorez cuisiner pour ceux que vous aimez. Seul, il vous arrive de sauter un repas ou de manger sur le pouce, mais lorsque vous avez des convives, vous vous surpassez.

Vous êtes très habile en cuisine, vous préparez plusieurs plats simultanément, et vous ajoutez votre touche personnelle à chaque recette.

Vous adorez :
- préparer des plats appétissants et aux saveurs équilibrées (vous détestez les mets trop relevés) ;
- les fruits de mer ;
- la cuisine traditionnelle, le *comfort food* et les recettes de maman ;
- les plats maison, que vous préférez nettement au *fast food* ;
- les soupes et les plats en casserole.

✦ CE QUE LA NATUROPATHE VOUS SUGGÈRE

Vous aimez la bonne cuisine, mais méfiez-vous de votre tendance à trop manger lorsque votre moral est à plat ou que vous vous sentez anxieux.

Consommez davantage de crudités.

ILS SONT CANCER EUX AUSSI

Jean-François Baril, Dany Bédar, Vincent Bolduc, Philippe Bond, Isabelle Boulay, Pascale Bussières, Robert Charlebois, Michel Côté, Tom Cruise, le dalaï-lama, Martin Deschamps, Mélissa Désormeaux-Poulin, Marie Soleil Dion, André Ducharme, Jean-Pierre Ferland, Garou, Bianca Gervais, Léane Labrèche-Dor, Marcel Leboeuf, Sylvie Léonard, Katherine Levac, Michel Louvain, Marie-Mai, Andréanne A. Malette, Élyse Marquis, Renée Martel, Mariana Mazza, Maripier Morin, Louis Morissette, Caroline Néron, Linda Sorgini, Sylvester Stallone, Martine St-Clair, Marie-Josée Taillefer, Charles Tisseyre, Marie-Chantal Toupin, Mara Tremblay, Michel Tremblay, Rufus Wainwright, Robin Williams.

✦ OUTILS POUR TRANSFORMER VOTRE DESTINÉE

Prenez davantage de temps pour vous, vous en avez besoin. Vous êtes trop à l'écoute des autres.

Laissez le passé de côté. Vos souvenirs vous hantent, ce qui vous rend nostalgique. Tournez la page, c'est le secret du bonheur pour vous.

Osez vous affirmer. Cela ne fait pas toujours plaisir, mais c'est le seul moyen d'avoir des relations adultes, avec vos enfants et vos parents, entre autres.

Pensée positive pour le Cancer

Je vais de l'avant en toute confiance. Je suis libéré de mon passé et je deviens réceptif à tout ce que la Vie et les autres veulent me donner de bon.

Pensée positive spéciale pour 2022

Je mérite toutes les bonnes choses qui arrivent dans ma vie. Je pense enfin à moi.

Le subconscient nous dirige toujours selon nos pensées. En répétant le plus souvent possible ces pensées conçues tout spécialement pour vous, vous vous attirerez plein de belles choses.

Signe : Cancer

Élément : eau

Catégorie : cardinal

Symbole : ♋

Points sensibles : appareil digestif, foie, estomac, rate, pancréas, seins, glandes mammaires. Dyspepsie, digestion lente, besoin de beaucoup de sommeil.

Planète maîtresse : la Lune, qui représente l'émotivité.

Pierres précieuses : perle, onyx, pierre de lune.

Couleurs : blanc, gris, argent, toutes les couleurs pastel.

Fleurs : rose blanche, lys, nénuphar.

Chiffres chanceux : 3-8-11-15-23-29-33-35-46-48.

Qualités : sensible, esprit de famille, dévoué, hospitalier, bienveillant, tenace, très maternel.

Défauts : indécis, peureux, rêveur, lent à démarrer, accroché à sa mère, dépressif, vit dans ses souvenirs et dans le passé.

Ce qu'il pense en lui-même
Comment puis-je faire plaisir aux enfants ?

Ce que les autres disent de lui
Les enfants d'abord, les autres ensuite.

PRÉDICTIONS ANNUELLES

Vous continuerez à ressentir l'appui de Jupiter, la grande béné-fique, jusqu'à votre anniversaire. Ce merveilleux transit sera à son apogée du 1er janvier au 10 mai. Il vous permettra de prendre votre vie en main et de la transformer en succès. Croyez-moi, les résultats justifient parfaitement la somme d'efforts que vous consa-crerez à l'amélioration de votre sort. Ne restez pas dans votre coin, osez et foncez ! Les mois d'été et d'automne requerront un peu plus de doigté. En effet, le climat pourrait changer après votre anniversaire si vous agissez sans réfléchir. Vous ne pourrez plus compter que sur la chance et, pour cette raison, tout dépendra de la qualité de vos inter-ventions. Faites-vous confiance, écoutez votre voix intérieure et, surtout, ne dérogez pas de vos principes.

SANTÉ. Si vous avez eu des pépins dans le passé, ne perdez pas de temps pour vous y attaquer, car vous jouissez d'une conjoncture exceptionnelle jusqu'à la mi-mai. Cette période convient parfaitement aux bonnes réso-lutions ainsi qu'à l'adoption d'une meilleure hygiène de vie. Chaque geste que vous ferez donnera des résultats positifs. Par la suite, votre volonté menace de faiblir, si bien qu'à partir de juillet votre état pourrait se dégrader à cause de cela. Ceux qui se laisseront aller ou qui ne seront pas suffisamment à l'écoute d'eux-mêmes risquent d'avoir quelques ennuis.

SENTIMENTS. Le cycle de popularité se poursuit de plus belle et vous ferez la connaissance d'une foule de nouvelles personnes. Certains individus appartenant à votre passé refont également surface, mais vous êtes devenu plus sélectif et vous n'ouvrez plus votre porte ni votre cœur au premier venu. Vous vous accordez le temps d'en savoir plus sur les gens avant de vous y attacher et c'est très bien ! Parmi toutes ces rencontres et retrouvailles, il y en a qui correspondront parfaitement à vos critères, et vous pourrez ainsi nouer de belles relations. Il va sans dire que les célibataires seront courtisés plus d'une fois et qu'ils pourront certes combler un vide.

AFFAIRES. Les six premiers mois sont marqués par un fort courant de chance, ils offrent d'intéressantes possibilités tant pour vos activités que pour vos finances. Vos initiatives en vue d'améliorer votre situation se solderont par un succès retentissant. Privilégiez donc cette période pour entreprendre des démarches ou pour consolider vos affaires. Bon moment également pour voir du pays, pour chercher une nouvelle demeure ou pour apporter des modifications à votre propriété. Ajoutons que vous pourriez même rafler quelques prix alléchants dans des tirages au sort. Par la suite, vous devrez travailler plus fort pour arriver à des résultats équivalents ou pour conserver vos acquis. Vous aurez aussi intérêt à vous méfier des erreurs de jugement que vous pourriez commettre. Autre conseil : protégez-vous contre les gens malhonnêtes.

JANVIER

DIM	LUN	MAR	MER	JEU	VEN	SAM
						1
2 ●	3	4	5	6 F	7 F	8 D
9 D	10 D	11	12	13	14	15
16	17 ○	18	19	20	21	22
23 D	24 D	25 F	26 F	27	28	29
30	31					

F	Jour favorable	D	Jour difficile
○	Pleine lune	●	Nouvelle lune

SANTÉ. Vous commencez l'année en excellente forme, tant psychologiquement que physiquement. Vous avez envie de mordre dans la vie, ça fait plaisir à voir et beaucoup vous considèrent comme une véritable source d'inspiration. Afin de conserver tous ces atouts, protégez-vous contre les accidents bêtes durant la dernière semaine, ça ne vaut vraiment pas la peine d'aller trop vite.

SENTIMENTS. Même s'il n'y a rien de tragique à l'horizon, on ne peut pas dire que tout soit rose. Vous vous inquiétez pour un membre de votre entourage tandis que vous déplorez un manque de communication avec un autre. Si vous attendez qu'on vous fasse plaisir, vous risquez d'être déçu. Profitez-en donc pour vous gâter et pour investir dans votre propre bien-être.

AFFAIRES. Ici au moins, la conjoncture est plus reluisante, il suffit que vous touchiez à quelque chose pour que ça fonctionne. Le moment est sans aucun doute venu de tourner certaines pages et de mettre à profit votre ingéniosité. Ne regardez plus en arrière et cessez de perdre votre temps dans des activités qui ne vous rendent pas pleinement heureux. Vous méritez beaucoup plus que ça ! Quelques chances au jeu.

FÉVRIER

DIM	LUN	MAR	MER	JEU	VEN	SAM
		1 ●	2 F	3 F	4 F	5 D
6 D	7	8	9	10	11	12
13	14	15	16 ○	17	18	19 D
20 D	21 F	22 F	23	24	25	26
27	28					

F Jour favorable	D Jour difficile	
○ Pleine lune	● Nouvelle lune	

SANTÉ. Les oppositions de Mars, Mercure et Vénus risquent de provoquer différents malaises ainsi que des tensions nerveuses. Prenez les devants, préparez-vous en conséquence et vous ne serez pas embêté. Vous devrez également continuer à vous prémunir contre les accidents tout le long du mois.

SENTIMENTS. Ici aussi, l'alignement planétaire pourrait se révéler décevant. Rien de trop grave, mais une foule de petits soucis et de contrariétés finissent par affecter votre humeur. Ne gardez pas tout en vous, d'autant qu'un bon ami semble disposé à vous écouter et à vous remonter le moral. Les derniers jours de février seront nettement plus positifs.

AFFAIRES. Vous allez passer au travers et en sortir gagnant, mais en attendant les retards et les frustrations s'accumulent. Inutile de piquer une crise et de tout envoyer promener, vous le regretteriez. Le ciel se dégagera vers la fin du mois et vous reprendrez le contrôle de la situation. D'ici là, méfiez-vous des coups de tête, des actes irréfléchis et des achats impulsifs.

MARS

DIM	LUN	MAR	MER	JEU	VEN	SAM
		1	2 ● F	3 F	4 D	5 D
6	7	8	9	10	11	12
13	14	15	16	17	18 ○ D	19 D
20 D	21 F	22 F	23	24	25	26
27	28	29 F	30 F	31 D		

F Jour favorable	D Jour difficile
○ Pleine lune	● Nouvelle lune

SANTÉ. Tenez le coup et continuez à faire attention à vous jusqu'au 7 pour éviter de subir les effets des oppositions planétaires. Par la suite, le ciel se dégagera rapidement et vous aurez tôt fait de retrouver votre positivisme et votre bonne forme physique. Ne commettez pas l'erreur de rester accroché au passé comme ça vous arrive trop souvent, ça freinerait votre récupération.

SENTIMENTS. Voici un domaine où vous devez justement laisser les mauvais souvenirs de côté. Vous ferez des rencontres intéressantes à partir du 10, ce qui vous permettra de créer des liens particulièrement stimulants. Une fois la première semaine écoulée, un proche parvient enfin à régler ses problèmes. Ça vous enlèvera une épine du pied !

AFFAIRES. Ici aussi, il faudra attendre jusqu'au 7 pour que les choses reviennent à la normale. Vous rattraperez rapidement le temps perdu et mettrez de l'ordre dans vos finances, sans compter que vous développerez de nouveaux intérêts. Vous aurez de la chance dans vos démarches et même au jeu entre le 10 et le 27.

AVRIL

DIM	LUN	MAR	MER	JEU	VEN	SAM
					1 ● D	2 D
3	4	5	6	7	8	9
10	11	12	13	14	15 D	16 ○ D
17 F	18 F	19	20	21	22	23
24	25 F	26 F	27 F	28 D	29 D	30 ●

F Jour favorable	D Jour difficile
○ Pleine lune	● Nouvelle lune, celle du 30, combinée à une éclipse solaire partielle

SANTÉ. Les influences planétaires ne cessent de s'améliorer et vous pourrez enfin vous débarrasser d'un trouble qui vous empêchait de fonctionner à plein depuis quelque temps. Vous afficherez un dynamisme et une vigueur enviables durant la seconde quinzaine. Sur le plan du moral, ce sera la même chose, vous vivrez une véritable libération !

SENTIMENTS. Vous jouirez d'une conjoncture exceptionnelle entre le 7 avril et le 4 mai. Vous pourrez vous mettre d'accord avec votre partenaire et régler un différend qui vous opposait à un membre de la famille. Il n'y a pas qu'au sein des couples que ce sera paradisiaque puisque les célibataires sont sur le point de faire une rencontre déterminante. Votre vie sociale est un véritable feu roulant !

AFFAIRES. La première moitié du mois est bonne et vous permet de vous affranchir de plusieurs contraintes. Ce qui arrivera par la suite est tout simplement fantastique. Vous réussirez tout ce que vous entreprendrez, vos finances feront un bond, vous recevrez des nouvelles réjouissantes et vous finirez par avoir gain de cause dans une affaire qui traînait. Même les tirages vous réservent des surprises !

MAI

DIM	LUN	MAR	MER	JEU	VEN	SAM
1	2	3	4	5	6	7
8	9	10	11	12 D	13 D	14 F
15 ○ F	16	17	18	19	20	21
22	23 F	24 F	25 D	26 D	27	28
29	30 ●	31				

F Jour favorable	D Jour difficile
○ Pleine lune et éclipse lunaire totale	● Nouvelle lune

SANTÉ. Les aspects planétaires sont si encourageants que vous ne devriez pas être trop dérangé par l'éclipse. Il n'y a que la gourmandise et le laisser-aller qui pourraient compromettre votre bien-être. Renoncez au laxisme et sortez plus souvent pour profiter du retour des beaux jours.

SENTIMENTS. Je vous rappelle que ce début de mois s'annonce enchanteur à tous points de vue. Les amis et la vie mondaine continueront à vous procurer de délicieux moments jusqu'au 25. Toutefois, les choses pourraient se corser dans l'intimité entre le 5 et le 31 si vous ne mettez pas un peu d'eau dans votre vin.

AFFAIRES. Misez sur la première quinzaine pour entreprendre vos projets ou faire vos démarches, car c'est cette période qui offre les meilleures possibilités. Ensuite, ça risque d'être plus compliqué et vous n'obtiendrez pas toujours du premier coup les résultats que vous escomptez. Occupez-vous de vos finances et de vos biens personnels afin de rester à l'abri des pertes, des bris ou des dégâts. Chances au jeu avant le 10.

JUIN

DIM	LUN	MAR	MER	JEU	VEN	SAM
			1	2	3	4
5	6	7	8 D	9 D	10 D	11 F
12 F	13	14 ○	15	16	17	18
19 F	20 F	21 D	22 D	23	24	25
26	27	28 ●	29	30		

F Jour favorable	D Jour difficile
○ Pleine lune	● Nouvelle lune

SANTÉ. Le carré de la planète Mars pourrait marquer le début d'une période de fragilité. Votre santé risque de ne pas être aussi florissante que le mois dernier si vous abusez de vos forces morales et physiques ou si vous commettez des excès. Ajoutons qu'une imprudence ou de mauvais réflexes pourraient vous valoir une blessure. Faites attention à vous !

SENTIMENTS. Vous continuez à recevoir de nombreuses invitations, et ce ne sont pas les occasions de vous divertir qui manquent. Ça tombe bien parce que, avec certains membres de la famille, l'orage gronde. Au lieu de perdre un temps précieux à argumenter, laissez-les dire, ils finiront assez rapidement par comprendre qu'ils font fausse route. Votre partenaire cherche à vous reconquérir même si c'est un peu maladroit. Rencontre possible pour les célibataires.

AFFAIRES. Mois sous le thème de la pression et du tiraillement. Inutile de vous entêter quand un projet ne fonctionne pas à votre goût, passez à autre chose, ça vous permettra de prendre du recul pour ainsi mieux aborder cette problématique par la suite. Vous devriez cesser de dilapider votre argent, une dépense imprévue arrive bientôt.

JUILLET

DIM	LUN	MAR	MER	JEU	VEN	SAM
					1	2
3	4	5	6 D	7 D	8 D	9 D
10	11	12	13 ○	14	15	16 F
17 F	18 D	19 D	20 D	21	22	23
24	25	26	27	28 ●	29	30
31						

F	Jour favorable	D	Jour difficile
○	Pleine lune	●	Nouvelle lune

SANTÉ. La première semaine est marquée par divers transits contrariants, demeurez sur le qui-vive pour ne pas vous faire mal. Votre métabolisme se dérègle facilement, il vaut donc mieux y prêter davantage attention. Les choses iront nettement plus rondement par la suite, vous serez en bien meilleure forme sur le plan tant moral que physique.

SENTIMENTS. Vénus, astre de la popularité et du romantisme, traversera votre signe du 18 juillet au 13 août, ce qui laisse entrevoir une vie sociale emballante et des amours qui repartiront de plus belle. Un proche pourrait tenter de vous tenir tête entre le 5 et le 20, mais votre charme et votre gentillesse le feront fondre.

AFFAIRES. Malgré un brouhaha parfois déconcertant, vous marquez encore des points. Vos projets redémarreront à partir du 7, sans compter que vous trouverez enfin ce que vous cherchiez depuis un certain temps. Bonne période pour les déplacements, les déménagements et les rénovations, ainsi que pour régler une foule de petites choses qui traînaient.

AOÛT

DIM	LUN	MAR	MER	JEU	VEN	SAM
	1	2 D	3 D	4 F	5 F	6 F
7	8	9	10	11 ○	12	13 F
14 F	15 D	16 D	17	18	19	20
21	22	23	24	25	26	27 ●
28	29 D	30 D	31 D			

F Jour favorable	D Jour difficile
○ Pleine lune	● Nouvelle lune

SANTÉ. Vous êtes de plus en plus en forme. Votre énergie augmente, tout comme votre résistance aux infections et aux malaises. Intellectuellement, vous serez à votre mieux entre le 4 et le 26, vous aurez l'œil vif et un sens de la répartie étonnant. Votre plus gros problème, c'est que vous ne vous aimez guère. Pourquoi ne pas en profiter pour prendre soin de vous et vous chouchouter ?

SENTIMENTS. Rappelons ce charmant passage de Vénus durant la première quinzaine, grâce auquel vous vivrez toutes sortes de belles choses en amour et en société. Il n'y a absolument rien au programme par la suite, mais le train-train quotidien ne devrait pas vous déranger, bien au contraire, il vous permettra de savourer ce que vous avez.

AFFAIRES. La cadence se maintient jusqu'au 20. C'est la meilleure période pour mettre vos projets sur pied et pour effectuer des changements. Les dix derniers jours s'annoncent plus monotones et vous devrez apprendre à vous contenter de la routine, et même d'un ralentissement de vos progrès. Ne vous en faites pas, les choses reprendront cet automne.

SEPTEMBRE

DIM	LUN	MAR	MER	JEU	VEN	SAM
				1 F	2 F	3
4	5	6	7	8	9 F	10 ○ F
11 D	12 D	13	14	15	16	17
18	19	20	21	22	23	24
25 ●	26 D	27 D	28 F	29 F	30	

F Jour favorable		D Jour difficile	
○ Pleine lune		● Nouvelle lune	

SANTÉ. Mars dans votre douzième secteur vous rend irritable, la présence des autres vous agace et vous avez tendance à fuir la réalité, voire à retomber dans vos mauvaises habitudes. Votre énergie fluctue et vous vous sentez souvent à plat. Ce sont assurément des indicateurs que le moment est venu de faire le point et de mettre un peu d'ordre dans votre vie.

SENTIMENTS. Vous vous imaginez, à tort, qu'on ne vous aime pas ou qu'on se fiche de vous. Il est vrai que certains proches sont parfois maladroits et que d'autres sont actuellement trop occupés pour vous consacrer tout le temps dont vous auriez besoin. Mais il n'y a rien de plus grave que ça et surtout pas de quoi en faire un drame. Profitez plutôt des belles invitations qu'on vous lance pour vous changer les idées.

AFFAIRES. Ce n'est peut-être pas parfait, mais on est loin de la catastrophe ! Encore une fois, c'est votre perception et votre impatience qui sont en cause. Ça ne donnera rien de vous apitoyer sur votre sort ou d'acheter compulsivement, bien au contraire !

OCTOBRE

DIM	LUN	MAR	MER	JEU	VEN	SAM
						1
2	3	4	5	6 F	7 F	8 F
9 ○ D	10 D	11	12	13	14	15
16	17	18	19	20	21	22
23 D	24 D	25 ● F	26 F	27	28	29
30	31					

F Jour favorable	D Jour difficile
○ Pleine lune	● Nouvelle lune et éclipse solaire partielle

SANTÉ. L'éclipse menace de bousiller votre équilibre physique et psychique. Prenez les devants et faites plus attention à vous, vous pourrez ainsi déjouer la conjoncture. Prenez garde de ne pas abuser de vos forces ni jouer au casse-cou. Changez-vous les idées et essayez de vous ouvrir davantage, ça fera des merveilles, je vous le promets.

SENTIMENTS. Quelques tensions semblent perturber vos relations interpersonnelles avant le 23, mais en conservant votre calme, vous pourrez éviter que la situation dégénère. Le reste du mois s'annonce infiniment plus agréable, et les beaux moments que vous vivrez vous feront oublier les désagréments antérieurs.

AFFAIRES. Vous nagez en pleine confusion et les événements ne se déroulent pas du tout comme vous l'aviez prévu. Vous vous sentez bousculé au point de vouloir tout balancer par-dessus bord. Voyons ! Ce n'est qu'un nuage, car vous entamerez un cycle particulièrement réjouissant le 27, cycle qui se poursuivra jusqu'au 21 décembre.

NOVEMBRE

DIM	LUN	MAR	MER	JEU	VEN	SAM
		1	2	3 F	4 F	5 D
6 D	7	8 ○	9	10	11	12
13	14	15	16	17	18	19 D
20 D	21 D	22 F	23 ● F	24	25	26
27	28	29	30 F			

F Jour favorable		D Jour difficile
○ Pleine lune et éclipse lunaire totale		● Nouvelle lune

SANTÉ. Rien à craindre de cette éclipse, au contraire, elle pourrait même vous permettre « d'éclipser » le mauvais pli que vous aviez pris depuis quelques semaines. Vous redevenez plus optimiste, vous décidez enfin de mieux vous occuper de vous, bref, vous vous reprenez en main et ça donne des résultats fantastiques. Vous semblez rajeunir !

SENTIMENTS. Vous bénéficierez des influences positives de Vénus et de Jupiter, ce qui vous conférera un charme fou. Personne ne saura résister aux célibataires, tandis que ceux qui sont en couple obtiendront tout ce qu'ils désirent de leur relation. Bon cycle également pour la vie sociale, qui vous réserve plusieurs surprises agréables. Les amis, récents et de longue date, se révèlent fort stimulants.

AFFAIRES. Vous êtes encore une fois gâté par Jupiter. Vos finances se rétablissent, la chance est de retour et on peut affirmer que vous êtes en position de force. Vous pourriez même rafler un beau prix dans un tirage. Excellent mois pour redresser les situations tordues et embrasser de nouveaux objectifs. Bon temps aussi pour se promener.

DÉCEMBRE

DIM	LUN	MAR	MER	JEU	VEN	SAM
				1 F	2 D	3 D
4	5	6	7 ○	8	9	10
11	12	13	14	15	16	17 D
18 D	19 F	20 F	21	22	23 ●	24
25	26	27 F	28 F	29 D	30 D	31 D

F	Jour favorable		D	Jour difficile
○	Pleine lune		●	Nouvelle lune

SANTÉ. Vous continuez à gagner du terrain, vous avez même envie d'essayer de nouvelles activités, afin de maximiser la forme. Génial ! En plus d'augmenter votre vitalité, cette manière d'envisager les choses vous confère une mine radieuse. Sur le plan psychologique, on décèle un brin d'agitation, mais absolument rien de bien vilain.

SENTIMENTS. Les trois premières semaines sont fantastiques dans toutes les sphères de votre vie sociale. On s'occupe de vous, on vous dorlote, et les invitations arrivent de tous les côtés. Sans être négatif, le reste du mois s'annonce un peu trop tranquille à votre goût et vous risquez de vous ennuyer. Au lieu de vous morfondre, contactez vos amis, organisez des réceptions, tout le monde sera content, vous le premier.

AFFAIRES. Pareil ici, vous serez comblé jusqu'au 21, y compris dans les jeux de hasard. Essayez donc d'agir avant cette date si vous souhaitez que tout aille rondement. Vous pourrez alors accomplir des merveilles. Le reste du mois n'a rien de bien catastrophique, mais comme votre coefficient de chance sera moindre, vous devrez trimer plus dur pour des résultats parfois moyens.

LION

DU 24 JUILLET AU 23 AOÛT

En bon Lion que vous êtes, vous régnez sur votre petit monde, et cela se voit. Vous êtes la vedette de votre cercle amical ou familial, et vous appréciez que les têtes se tournent sur votre passage. On vous remarque, et tout en vous contribue à cela : vos vêtements, vos attitudes, votre démarche, bref, votre allure générale est féline et ne passe pas inaperçue.

Vous voulez être à la tête de la meute, partout et dans tout. Votre intérieur doit être le mieux tenu, votre carrière doit atteindre des sommets, vous devez remporter le plus important trophée sportif, vous devez diriger une multinationale, etc. Que ce soit pour récurer les chaudrons ou pour diriger une banque, vous ne jouerez jamais les seconds rôles.

On ne peut pas dire que vous soyez mauvais perdant ; vous êtes plutôt un gagnant qui a du panache, et qui sait se montrer débonnaire et généreux avec autrui. La victoire vous va bien. Et souvent, vous la méritez. Énergique, ambitieux, ayant du cœur à l'ouvrage, vous vous donnez à 100 % ou, plutôt, à 200 %. Vous vous concentrez sur votre but, et votre ardeur est exceptionnelle. Rien ne vous semble trop difficile, quitte à redoubler d'efforts pour atteindre votre objectif. Qu'il s'agisse d'un poste de direction, de l'aménagement de votre demeure, de vos cours de piano, vous mettez tout en œuvre pour triompher. Le résultat est remarquable et remarqué, et c'est le but que vous vous étiez fixé. Vous ne supportez pas l'indifférence. Et bien sûr, quand on ne laisse pas indifférent, certaines personnes nous soutiennent et d'autres nous envient. Vous serez donc souvent l'objet de jalousie et de critiques acerbes. Vous occupez toute la scène, et quelques-uns vous reprocheront de jouer à la star ; ne vous en faites pas avec ces mesquineries, car en vérité ces gens vous admirent. Tout vous réussit, si bien qu'on croirait que vous y parvenez facilement, que tout vous tombe du ciel, et pourtant vous travaillez d'arrache-pied pour obtenir ce que vous possédez... Vous savez si bien cacher vos efforts qu'on dirait que votre succès va de soi ; vous avez tellement l'air d'être au-dessus de vos affaires.

Il en va de même sur le plan personnel. Vous dissimulez vos soucis, vos inquiétudes et votre chagrin ; vous dites que tout va bien, même lorsque vous êtes désemparé. Vous êtes tellement habile pour cacher vos tracas que vos proches n'y voient que du feu... et vous vous sentez bien seul alors. Vous régnez sur votre entourage, certes, mais vous n'êtes ni un être arrogant ni un avare. Vous êtes un roi qui veille attentivement sur ses sujets et vous savez vous montrer très généreux.

Démonstratif et ardent comme vous l'êtes, vous vivez vos amours sous le signe de la passion, et vous recherchez un partenaire qui vous fera honneur. Si cette personne se montre indifférente ou est inaccessible, le défi n'en sera que plus attirant pour le Lion, qui se lancera dans une véritable chasse.

En tant que maître du monde, vous avez un sens de la justice très développé. Vous êtes une personne entière, honnête et droite, et vous attendez la même chose de ceux qui vous entourent. Hélas ! tout le monde ne vous ressemble pas. Ainsi, si vous vous associez, l'union sera profitable... à vos partenaires : vous mettrez tout votre cœur et beaucoup de passion à votre travail, ce qui rapportera gros à ceux qui en feront moins en vous laissant agir. Vous donnez volontiers, mais vous ne pardonnez pas de sitôt la duperie et le mensonge. Dans ces cas-là, le Lion en vous se réveille et gronde.

Comme leurs homologues des savanes, les femmes Lion seront souvent reines de leur foyer et pourront mener sans problème une carrière parallèle à leur vie domestique. Elles vont « chasser » pour rapporter de la nourriture.

Votre signe est celui du commandement, de la gestion, et, même si vous commencez au bas de l'échelle, vous finirez par obtenir un poste de direction. Vous avez un goût inné pour l'autorité ; vous aimez décider de tout, choisir le film que votre conjoint regardera, organiser les activités des enfants, et vous irez jusqu'à donner votre avis sur la maison que votre sœur veut acquérir. Vous êtes là pour tout organiser, tout diriger, et il ne faut certainement pas que les autres viennent se mêler de vos affaires et vous dire quoi faire ! Votre point faible serait sûrement votre petit côté orgueilleux et vaniteux. Vous aimez la flatterie, et cela peut vous jouer de vilains tours. Tout semble facile pour vous, et l'on a souvent tendance à croire que tout vous arrive sans effort alors que vous avez certainement travaillé très dur pour en arriver là et pour surmonter de nombreux obstacles. Mais une fois que vous avez réussi, avouez quand même que vous gonflez votre crinière d'orgueil !

COMMENT SE COMPORTER AVEC UN LION ?

Le meilleur moyen de s'entendre avec un Lion est de ne pas s'opposer à lui. Il n'appréciera pas que vous le remettiez en question et pourrait en faire une affaire personnelle. Que vous vous mettiez en colère, que vous criiez, que vous tempêtiez n'y changera rien ; au contraire, il s'entêtera. Par contre, le Lion n'est pas insensible à la logique et au bon sens ; c'est donc la carte qu'il faut jouer pour le convaincre. Pour obtenir ce que vous désirez, vous pouvez aussi faire appel à ses émotions, à ses bons sentiments. C'est un être généreux qui ne vous tournera pas le dos en cas de besoin. Exposez-lui la situation et laissez-lui le plaisir de proposer son aide. Il aura l'impression que ça vient vraiment de lui et sera d'autant plus heureux de vous donner un bon coup de main. Le Lion a une haute opinion de lui-même ; il aime bien qu'on fasse attention à lui. Au restaurant, à la maison ou en société, n'hésitez pas à lui laisser prendre la première place ; il vous en sera reconnaissant... De toute façon, il la prendra, alors autant la lui laisser rapidement pour éviter les heurts. Le Lion aime s'afficher, se faire remarquer. Il aime les activités qui lui permettront de se montrer en public. Invitez-le au théâtre, à des premières représentations et à des lancements officiels. Par contre, vous devrez l'accompagner, car il a besoin de sa petite cour et déteste être seul. Si vous avez des reproches à lui faire, attendez un tête-à-tête. Ne le faites jamais, au grand jamais, devant une tierce personne ou pire – quel outrage ! – en public. Humilié, notre Lion ne vous le pardonnerait jamais. Et même s'il a tort, ne le contredisez pas devant les autres : soutenez-le, quitte à rétablir les choses en privé, lorsqu'il sera mieux disposé à vous écouter. Si vos propos sont sensés et logiques, ou s'il pense vous faire plaisir, il rentrera ses crocs et, en bon gros minet généreux, il se laissera convaincre. Le Lion soigne particulièrement son image publique ; donc, ne lui faites jamais un affront devant les autres, car son âme de fauve saura vous le faire payer cher. Si vous réussissez à lui faire croire que vos idées sont les siennes, si vous ne le prenez pas à rebrousse-poil mais jouez plutôt la carte de la douce caresse, le félin rugissant deviendra le plus gentil des chats et mangera dans votre main... Cela reste entre nous, bien entendu !

SES GOÛTS

Évidemment, le Lion a des goûts royaux. Il apprécie tout ce qui contribue à le mettre en valeur. Ses vêtements sont élégants, généralement griffés, un peu voyants mais classiques, souvent de teintes claires, beiges ou dorées. Il affiche des bijoux de prix, des pierres véritables, des fourrures bien choisies. Sa maison se remplit de beaux objets, généralement précieux, de dorures et surtout de miroirs qui reflètent ses atours. Il aimera un décor lumineux et luxueux. À table, la mise en scène l'attire : l'argenterie, un chandelier, une table bien dressée. Dans la nature, le lion est un carnassier. Notre Lion aime aussi les viandes et les sauces raffinées. Il déguste avec élégance, se soucie du décorum et a de belles manières. Ce n'est pas lui qui vous fera honte à table ; au contraire, sa présence rehaussera vos repas.

SON POTENTIEL

Ce personnage royal ne se contentera sûrement pas d'un poste de subalterne. Le Lion veut toujours faire mieux que les autres ; il consacre donc beaucoup de temps et d'énergie à sa carrière. L'avancement et les promotions, voilà ce qu'il recherche. Par contre, il n'hésitera jamais à commencer en bas de l'échelle, car il sait que son ardeur, ses talents et ses efforts le mèneront rapidement vers les plus hauts sommets de son entreprise. Le balayeur deviendra président de la compagnie. Le Lion excelle dans les postes de commandement, dans l'administration, la gestion, la politique, le gouvernement, la finance, les affaires, la haute fonction publique, les postes de responsabilité, les grades les plus élevés de l'armée. Quoi qu'il fasse, il obtiendra un poste clé en peu de temps. D'ailleurs, les Lion sont d'excellents entrepreneurs et lancent souvent leur propre entreprise ou travaillent à leur compte. Ils aiment dominer mais surtout ne pas se faire dominer. Comme ils aiment se mettre en avant pour étaler leur allure féline, leur petit côté théâtral sera bien servi s'ils décident de monter sur les planches ; bon nombre d'artistes, notamment des acteurs, sont du signe du Lion. Ce sont des stars dans l'âme.

SES LOISIRS

Même si c'est parfois à son insu, le Lion choisit des activités où il peut briller. Ce n'est pas lui qui passera son temps le nez dans un moteur automobile ; il risquerait de s'y salir. Par contre, demandez-lui de conduire une voiture de course et il sera heureux d'afficher ses qualités. Le Lion aime les sports nobles – le golf, l'équitation, le tennis, le polo – ou ceux qui donnent du prestige, comme la Formule 1. La victoire lui va très bien. Alors si en plus il réussit à devancer ses adversaires, il sera le plus heureux du monde. Le Lion aime déployer ses talents, surtout devant un public. Le théâtre, qu'il a dans le sang, et le chant lui conviennent tout à fait. Sous les feux de la rampe, il s'illumine ; c'est une vraie vedette. Il aime aussi assister et se montrer à des spectacles haut de gamme. Il a une vie mondaine brillante et n'hésite jamais à se faire remarquer. Si un photographe de presse est dans le coin, le Lion s'arrangera pour figurer en bonne place sur les clichés. Et si, par hasard, il se retrouve à la une des journaux, il ne se tiendra plus de joie. En fait, le Lion évolue comme si les caméras de télévision étaient braquées sur lui en permanence. Quoi qu'il fasse, cuisiner, planter un clou ou passer l'aspirateur dans le salon, il le fera avec le sourire aux lèvres. Même ses vêtements de travail seront impeccables. Tout lui réussit, et le voir évoluer avec autant de brio fait les délices de ses admirateurs.

SA DÉCORATION

Le Lion, en bon roi, n'habite pas une maison comme vous et moi, mais plutôt un palais. Il a des goûts grandioses ; ce qu'il y a de mieux et de plus luxueux trouve toujours place dans son intérieur, et la dépense ne lui fait pas peur. Des tapis épais et moelleux, probablement très pâles, blancs ou ivoire, vous accueillent à l'entrée de son antre. Ce qui frappe au premier coup d'œil, ce sont les miroirs : magnifiques et disposés de manière à refléter les bibelots précieux, les dorures, les objets de cristal. Des meubles chers et des tentures imposantes viennent compléter une décoration somptueuse. Le Lion possède un goût inné pour le beau. Il sait choisir les plus belles matières, le meilleur bois, les tissus les plus soyeux ; il aime l'opulence, et ça se voit. C'est d'ailleurs l'effet recherché. Il se passionne pour les œuvres d'art, les meubles de style, les objets de luxe et n'hésite pas à s'en procurer, même à prix faramineux. Heureusement, malgré un décor chargé, il choisit des couleurs claires : crème, blanc ivoire, jaune doré, or brillant, ce qui crée un ensemble lumineux et impressionnant sans être oppressant. Le Lion adore aussi les mises en scène ; s'il vous invite pour un petit goûter à l'improviste, les porcelaines, les dentelles délicates, les vases de cristal seront tout naturellement de la partie. Ce n'est pas la demeure de n'importe qui, et ça se voit.

SON BUDGET

Avec un tel goût pour le luxe, on pourrait croire que le Lion se moque de son budget et peut allégrement se ruiner pour un bel objet. Bien qu'il ne regarde pas à la dépense et aime les belles choses, c'est aussi un excellent administrateur qui sait planifier ses achats. Il sait comment se procurer ce dont il a envie, sans mettre en péril ses finances. Tout un art ! Ses revenus sont aussi bien gérés que son intérieur. Ses placements sont judicieux ; s'il vous donne des conseils financiers, soyez assuré qu'il sait de quoi il parle. Il n'est pas du genre à mettre tous ses œufs dans le même panier et diversifie bien ses investissements : les valeurs mobilières et immobilières, la Bourse n'ont guère de secrets pour lui. Même avec un budget minuscule, il fera des merveilles et réussira à économiser tout en s'offrant de petits luxes, un véritable tour de force qui en impressionnera plus d'un. Les Lion ont un sens aiguisé de la gestion et ils aiment être leur propre maître. Donc, plutôt que de travailler pour autrui, la plupart décideront de se lancer en affaires, ce qui leur permettra d'exploiter plusieurs talents, sans avoir de comptes à rendre. Ils travaillent très fort pour parvenir au succès. Pourtant, tout semble si facile pour eux que plusieurs les envient.

QUEL CADEAU LUI OFFRIR?

Le Lion est un amateur de beaux objets. Tout le monde n'a pas les moyens de lui offrir un voyage autour du monde en paquebot de luxe ou une Ferrari, mais en respectant une petite règle toute simple, on peut lui faire un plaisir incommensurable, même si l'on ne lui offre qu'un t-shirt ou un bibelot : n'achetez que des articles de première qualité. Choisissez ce qu'il y a de mieux : une veste griffée, un vase de cristal, des fleurs exotiques. Il appréciera davantage cela qu'une multitude de cadeaux sans valeur. Le Lion aime qu'on fasse attention à lui ; donc, votre présent sera considéré comme un hommage que vous lui rendez. Ne lui offrez pas d'argent ; il en serait offensé. Notre Lion n'est pas à vendre ! Il aura l'impression qu'il n'a pas d'importance à vos yeux ; il appréciera plus un cadeau choisi avec amour qu'un chèque lui permettant d'acheter lui-même ce qui lui plaît. Le cadeau idéal est un bijou : les diamants sont toujours appréciés. Mais si votre budget ne vous le permet pas, des parfums importés, des objets de luxe ou rares, des vêtements élégants (et préférablement griffés) ou des billets pour un spectacle couru sauront lui plaire. Quoi que vous décidiez de lui offrir, soignez particulièrement la présentation de votre cadeau (du papier de soie, un emballage élégant, un ruban doré), car son plaisir en sera décuplé.

LES ENFANTS LION

Dans un groupe d'enfants, le plus photogénique sera un petit Lion. Même s'il ne sait pas encore dire deux mots, dès que vous sortez un appareil photo, il affiche son plus beau sourire, prêt à vous charmer. Même lorsqu'il est un bout de chou, le petit Lion fait des mimiques, prend des poses, sourit aux anges. Il a déjà du magnétisme et sait comment être le centre d'intérêt de son entourage. Ce n'est pas un enfant qui s'amuse seul dans son coin ; il a besoin d'un public. À la garderie, à l'école, dans la ruelle avec ses copains, il continuera de voler la vedette. Il a besoin de briller et demande beaucoup d'attention. C'est un chef de groupe qui sait se faire respecter. Avec un enfant Lion, il faut être présent. Vous devez lui manifester de l'affection, même quand il se trompe ou qu'il perd. Vous devez alors lui expliquer que d'autres aussi peuvent gagner et qu'un échec ne signifie nullement qu'il n'est bon à rien. Il doit comprendre qu'il ne peut pas être le premier partout, qu'il n'est pas nécessaire d'être toujours parfait en toute chose. Dites-lui que, malgré ses échecs occasionnels, vous l'aimez tout autant. Les enfants Lion sont brillants, intelligents, travailleurs ; vous serez très fier d'eux.

L'ADO LION

Ton signe fait honneur au roi des animaux. Comme lui, tu te fais remarquer, et cela te plaît énormément. Tu as tendance à gonfler ta crinière, à te pavaner un peu, sans méchanceté. Tu ne supportes pas d'être le deuxième ; tu dois absolument être le premier en tout. Tu as une nature noble et généreuse, et tu es né pour diriger. Dans ton cercle d'amis, c'est probablement toi qui mènes, et lorsque ce n'est pas le cas, tu peux sortir tes griffes de fauve. Tu t'exprimes facilement, tu donnes ton point de vue, et ce, même lorsqu'on ne t'a pas demandé ton avis. En fait, tu as une assez haute estime de toi. Quand tu ne te sens pas en forme, tu t'isoles dans ton coin jusqu'à ce que ça aille mieux ; tu penses sûrement que c'est préférable pour ton image. Tu n'es pas du genre à raconter tes problèmes. Tu n'aimes pas te faire consoler ; tu es bien trop indépendant pour cela. Tu cherches à préserver cette force de caractère que tu affiches en tout temps. Par contre, lorsque ça va bien, tu n'hésites pas à te montrer et à briller de mille feux. Tu es intelligent, tu as bon cœur et tu es conscient de toutes tes capacités. Tu es fier aussi ; si l'on te critique en public, si l'on te dénigre, cela te blesse profondément. L'opinion des autres compte beaucoup pour toi ; tu cherches toujours à te mettre en valeur et à être au mieux de ta forme. Tu aimes les honneurs, mais reste sur tes gardes : ce monde est rempli de flatteurs qui pourraient te manipuler facilement. Les beaux vêtements et le luxe sont ce que tu préfères, et tu réussis à te les offrir. Tu as des projets ambitieux et toute la volonté qu'il faut pour les réaliser. On dirait que tout vient aisément à toi, que tu n'as qu'à te pencher un peu pour récolter. Pourtant, on oublie tous les efforts que tu as faits pour parvenir à ton but. Tu mérites amplement ton succès, car tu travailles dur pour l'obtenir.

Tes études

Ton signe est fixe ; lorsque ton choix est fait, la réussite te sourit. Le travail ne te fait pas peur, et tu es prêt à mettre toute l'énergie nécessaire pour atteindre tes objectifs qui, il faut bien le dire, sont assez grands. Tu aimes être le premier, et la compétition te stimule. Les concours, les examens ne te troublent pas outre mesure ; tu les prends comme de nouveaux défis. En équipe, tu dois apprendre à laisser un peu de place aux autres et à leur accorder le mérite de leurs bonnes idées. Cette façon de faire te permettra de diriger le groupe tout en sachant motiver tes troupes pour atteindre le succès.

Ton orientation

L'ambition est probablement ce qui te caractérise le plus. Tu as mille et un projets. Ils sont parfois bien farfelus aux yeux des autres, mais laisse-les sourire et poursuis ta route sans te retourner. Tu connais tes capacités, tu peux juger de tes limites et tu es déterminé. Donc, rien ne peut te résister lorsque tu te mets en tête d'atteindre tes objectifs. Tu es un chef-né, un leader. Choisis une sphère d'activité où tu pourras t'épanouir. L'administration, la gestion, la finance, la politique, le génie, les relations publiques, les arts, le cinéma, le droit et la fonction publique sont des domaines où tu pourrais exprimer toutes tes qualités. Tu peux réussir dans n'importe quoi si tu sens que tu peux montrer qui est le meilleur, c'est-à-dire toi. Un Lion ne peut se contenter d'un emploi subalterne, et il est rare qu'il demeure un employé toute sa vie. Il commence parfois au bas de l'échelle, mais à force de travail il finira par être au sommet de la hiérarchie. Les Lion pensent souvent à créer leur entreprise, peut-être est-ce déjà dans tes plans d'avenir ?

Tes rapports avec les autres

Tu agis souvent comme le « chef de la bande », et tes amis occupent une place prépondérante dans ta vie sociale. Tu aimes rencontrer de nouveaux visages, surtout quand ils te permettent de te faire valoir. Par contre, tu es très attaché à tes amis ; tu les aides, tu les défends, et si tu sais t'imposer, tu sais aussi les protéger. Tu as une sainte horreur du mensonge, et lorsque tu retires ta confiance à quelqu'un, il devra travailler fort pour la regagner. L'élément le plus faible chez toi, c'est que tu n'oses pas demander. Quémander n'est pas dans ta nature. Si ça ne va pas dans ta vie, tu préfères t'isoler et faire croire que tout va bien plutôt que de demander de l'aide. Tu es foncièrement honnête et tu t'attends à ce que tout le monde qui t'entoure le soit aussi.

LE PARENT LION

Le parent de star

Vous ne faites rien à moitié et prenez votre rôle de parent très à cœur. Vous voulez donner à vos enfants des atouts pour réussir ; vous les stimulez et les encouragez, si bien que cela cause parfois des conflits avec l'autre parent au sujet de la discipline et de l'éducation. Vous êtes fier de vos enfants, vous les idéalisez, et parfois vous leur mettez la barre haute, ce qui engendre chez eux une peur de déplaire… Alors que justement vous désirez leur inculquer assurance et confiance.

L'EMPLOYÉ LION

Il excelle dans ce qu'il fait et il y met beaucoup d'énergie. Il travaille d'arrache-pied et a besoin de sentir qu'on l'estime et qu'on remarque ses efforts. Hyperperformant, il cherche constamment à se détacher du peloton. Il a de l'initiative, mais il supporte mal les reproches et n'apprécie guère de recevoir des ordres.

LE PATRON LION

C'est un monarque : il impose le respect et ne supporte pas qu'on défie son autorité ni qu'on le remette en question. Perfectionniste, il veut que tout soit impeccable, aussi a-t-il bien du mal à déléguer. Il est très exigeant, toutefois il ne demande rien qu'il ne pourrait faire lui-même, et il sait se montrer reconnaissant et très généreux.

LE LION DANS LA CUISINE

Vous avez du panache et vous cuisinez avec élégance et fierté : cela tient presque du spectacle. Vous vous lavez les mains sans arrêt, car vous détestez qu'elles soient sales.

Vous ne lésinez ni sur la qualité, ni sur la mise en scène. Vos repas sont un plaisir pour les yeux, et vos tables, impressionnantes. Vous aimez bien surprendre vos convives.

Vous adorez :
- les aliments raffinés et de luxe, tels que filet mignon, foie gras, caviar ;
- les ingrédients de haute qualité, quel qu'en soit le prix ;
- les mets exotiques ;
- les bons vins et les plats qui en contiennent ;
- la crème : vous en mettez partout.

✦ CE QUE LA NATUROPATHE VOUS SUGGÈRE

Diminuez les quantités de sel et de gras : à long terme, ils risquent de malmener vos artères.

Assurez-vous d'avoir votre portion de protéines à chaque repas.

ILS SONT LION EUX AUSSI

Ben Affleck, Antonio Banderas, Halle Berry, Vincent Bilodeau, Valérie Blais, Jean-François Breau, Geneviève Brouillette, Sandra Bullock, Gino Chouinard, Nathalie Coupal, Alain Crête, Yvon Deschamps, Josée Deschênes, Martin Drainville, Luce Dufault, Marc Dupré, Simon Olivier Fecteau, Roger Federer, Ron Fournier, André Gagnon, Rémi Girard, Kylie Jenner, Jonas, Sarah-Jeanne Labrosse, Laurence Jalbert, Patrick Labbé, Charles Lafortune, Carole Laure, JiCi Lauzon, Félix Leclerc, Lynda Lemay, Magalie Lépine-Blondeau, Jennifer Lopez, Madonna, Marjo, Marc Messier, Meghan Markle, Helen Mirren, Audrey de Montigny, Pascale Montpetit, Geneviève Néron, Barack Obama, Bruno Pelletier, Maurice Richard, Judi Richards, Julie Snyder, Hilary Swank, Audrey Tautou, Charlize Theron, Vincent Vallières.

✦ OUTILS POUR TRANSFORMER VOTRE DESTINÉE

Apprenez à déléguer, que ce soit chez vous ou dans le cadre de votre emploi. Même si les autres sont moins performants que vous, ils peuvent faire un travail convenable. Vous ne pouvez être partout à la fois.

Pardonnez-vous vos erreurs. Vous voulez toujours être parfait, mais ce n'est pas possible ; laissez-vous une marge de manœuvre.

Découvrez la souplesse et l'adaptabilité. Quelquefois, s'entêter ne fait qu'aggraver les ennuis ; si on s'ajuste, tout devient plus facile.

Pensée positive pour le Lion

Je rayonne sur les autres, et les nombreux bienfaits que je leur offre me sont rendus au centuple. Je suis un soleil bienfaisant.

Pensée positive spéciale pour 2022

Je lâche prise, car je sais que c'est pour mon plus grand bien.
Je laisse la Vie m'offrir le meilleur.

Le subconscient nous dirige toujours selon nos pensées. En répétant le plus souvent possible ces pensées conçues tout spécialement pour vous, vous vous attirerez plein de belles choses.

Signe : Lion

Élément : feu

Catégorie : Fixe

Symbole : ♌

Points sensibles : cœur, système cardiovasculaire, taux de cholestérol, tension artérielle, infarctus, colonne vertébrale, maux de dos.

Planète maîtresse : le Soleil, source de la vie.

Pierres précieuses : diamant, brillant, rubis.

Couleurs : les nuances du soleil et de l'or, jaune, beige.

Fleurs : rose rouge, pensée, coquelicot.

Chiffres chanceux : 5-9-10-14-25-26-30-35-41-46.

Qualités : noble, fier, généreux, énergique, doué de magnétisme, vedette, juste.

Défauts : orgueilleux, autoritaire, goût exagéré du luxe, vaniteux, en impose aux autres.

Ce qu'il pense en lui-même
Il faut absolument que je fasse mieux que les autres.

Ce que les autres disent de lui
Voilà notre vedette qui arrive !

PRÉDICTIONS ANNUELLES

L'année 2021 a eu quelque chose de profondément déstabilisant. Certains événements ou des soucis personnels vous ont ébranlé, voilà pourquoi on vous trouve en pleine remise en question. Vous vous cherchez, vous vous interrogez encore sur le sens de votre vie et sur la direction à emprunter. Vous sentez qu'une étape se termine et que vous êtes sur le point d'en entamer une autre. Les fins de cycle ont quelque chose d'inquiétant, mais cela engendre également chez vous une forte stimulation. L'inconnu vous attire et, de toute façon, vous êtes prêt à vous engager dans de nouvelles voies. Jupiter vous aidera dès le 10 mai et vous devriez alors commencer à voir la lumière au bout du tunnel. D'heureux concours de circonstances vous permettront même de vous sortir d'une impasse et de repartir du bon pied.

SANTÉ. Avec cette opposition de Saturne qui perdure, il vaut mieux miser sur un mode de vie plus sain. En agissant de la sorte, vous éviterez plusieurs ennuis en plus de trouver des solutions à certains problèmes qui vous affectaient depuis un bon moment. Incidemment, ceux qui feront des gestes concrets en vue d'améliorer leur état constateront des résultats évidents dès le retour des beaux jours. Si l'année commence par un certain vague à l'âme, voire avec de la tristesse accumulée, sachez que, dans ce domaine également, vous entamerez une période plus lumineuse à partir de l'été. Graduellement, le ciel se dégagera.

SENTIMENTS. Voici justement un secteur où vous vous interrogez sérieusement. Vous en avez assez de vous sentir étouffé, vous avez besoin d'air. Plus question de faire des compromis quant à votre autonomie. Vous désirez décider par vous-même et pour vous-même. Ceux qui ne l'accepteront pas risquent de ne plus faire partie de votre vie. Une recommandation : continuez à veiller sur la santé de vos proches. On peut affirmer que, jusqu'au printemps, vous penserez bien plus à vous qu'aux autres et c'est parfait ! Par la suite, vous vous ouvrirez davantage. Le *timing* sera excellent puisque vous rencontrerez plusieurs personnes formidables avec qui vous aurez beaucoup en commun. Pleins feux sur ces nouvelles relations qui vous permettront de vous épanouir !

AFFAIRES. L'année se divise en trois phases. Vous aurez par moments du mal à vous ajuster aux nombreux changements qui se produiront entre le 1er janvier et le 10 mai. Gardez-vous un coussin au cas où, et continuez à protéger vos avoirs. Vous aurez davantage de latitude entre le 10 mai et votre anniversaire. Vous marquerez des points et pourrez enfin trouver une solution à vos difficultés, même si, parfois, c'est in extremis. Un léger courant de chance vous réjouira, et vous pourriez notamment décrocher un petit prix dans un tirage. Vous retrouverez votre âme de conquérant à partir de votre anniversaire, et les défis de toutes sortes cesseront de vous intimider. Vous mettrez un terme à certaines activités devenues stériles pour vous engager sur une voie complètement différente. Vous avez la main heureuse au jeu, mais vous devrez continuer à vous prémunir contre les pertes, les dégâts et les escrocs de tous genres.

JANVIER

DIM	LUN	MAR	MER	JEU	VEN	SAM
						1 F
2 ●	3	4	5	6	7	8
9 F	10 F	11 D	12 D	13	14	15
16	17 ○	18	19	20	21	22
23	24	25 D	26 D	27 F	28 F	29
30	31					

F Jour favorable	D Jour difficile
○ Pleine lune	● Nouvelle lune

SANTÉ. C'est un début d'année plutôt constructif sur le plan physique. Même si la motivation vous fait défaut, je vous encourage à investir dans votre bien-être. En faisant quelques efforts, vous pourriez améliorer votre état, voire vous débarrasser d'un ennui de santé. Vous avez le vague à l'âme, essayez de parler davantage ou, au moins, de vous changer les idées.

SENTIMENTS. Heureusement, vous pouvez justement compter sur de charmantes invitations et des activités amusantes pour vous détendre un peu. Acceptez sans hésiter, d'autant que vous vous morfondez à la maison. Un membre de votre entourage immédiat vous préoccupe avec ses propres problèmes ou son refus de dialoguer.

AFFAIRES. La meilleure période pour présenter une requête ou mettre un projet en branle se situe indéniablement avant le 25. Quelques retards sont possibles, mais vous finirez par réussir. Le moment est idéal aussi pour revendiquer vos droits et pour effectuer un déplacement.

FÉVRIER

DIM	LUN	MAR	MER	JEU	VEN	SAM
		1 ●	2	3	4 F	5 F
6 F	7 D	8 D	9 D	10	11	12
13	14	15	16 ○	17	18	19
20	21 D	22 D	23 F	24 F	25 F	26
27	28					

F Jour favorable	D Jour difficile
○ Pleine lune	● Nouvelle lune

SANTÉ. Vous broyez encore du noir et, en plus, vous faites des drames pour des bagatelles. Vos frustrations vous poussent à commettre des excès, ce qui n'arrange absolument rien puisque vous vous sentez coupable par la suite. Bref, vous devez prendre votre vie en main et mettre un terme à ce cercle vicieux. Au lieu de vous replier sur vous-même, allez plutôt vers les autres, ça ne vous apportera que du bon.

SENTIMENTS. Il y a effectivement plein de gens qui ne demandent pas mieux que de vous ouvrir les bras. À vrai dire, il n'y a qu'avec la famille et la marmaille que vous connaissez des difficultés, puisque vos copains sont d'une gentillesse exemplaire. Par surcroît, vous pourriez rencontrer de nouvelles personnes susceptibles de devenir des amis sérieux.

AFFAIRES. Tout ne va pas comme sur des roulettes, j'en conviens, mais si vous vous découragez au premier obstacle, vous n'aboutirez pas à grand-chose. Privilégiez plutôt la persévérance. Ne jouez pas trop à l'indépendant lorsqu'on cherchera à vous aider ou à vous donner un conseil avisé. Une dépense non planifiée risque de vous tomber dessus.

MARS

DIM	LUN	MAR	MER	JEU	VEN	SAM
		1	2 ●	3	4 F	5 F
6	7 D	8 D	9	10	11	12
13	14	15	16	17	18 ○	19
20	21 D	22 D	23 F	24 F	25	26
27	28	29	30	31		

F Jour favorable		D Jour difficile	
○ Pleine lune		● Nouvelle lune	

SANTÉ. La planète Mars vient rejoindre Saturne à l'opposition de votre signe et vous n'avez guère d'autre choix que de bien vous occuper de vous. Une attitude préventive et une saine hygiène de vie vous permettront de traverser cette période de vulnérabilité sans vous faire mal ni subir de défaillance.

SENTIMENTS. Vénus se met elle aussi de la partie, ce qui laisse entrevoir un cycle plus délicat sur le plan relationnel. Quand ce n'est pas le dialogue qui est décevant, c'est le comportement de vos proches qui vous irrite ou qui vous inquiète. Pensez donc un peu plus à vous et faites-vous une carapace. Une personne âgée éprouve actuellement quelques ennuis de santé.

AFFAIRES. Le mois prochain, les choses iront mieux. En attendant, toutefois, l'instabilité, les retards et les frustrations que vous vivez ont de quoi vous mettre les nerfs en boule. Vous hésitez entre différentes options, mais vous n'arrivez pas à vous décider, probablement parce que le moment n'est pas encore venu de vous brancher. Protégez vos biens et votre argent contre les gens malintentionnés.

AVRIL

DIM	LUN	MAR	MER	JEU	VEN	SAM
					1 ● F	2 F
3 D	4 D	5	6	7	8	9
10	11	12	13	14	15	16 ○
17 D	18 D	19 F	20 F	21 F	22	23
24	25	26	27	28 F	29 F	30 ● D

F Jour favorable	D Jour difficile	
○ Pleine lune	● Nouvelle lune ; celle du 30, combinée à une éclipse solaire partielle	

SANTÉ. L'éclipse du 30 n'a rien de menaçant, elle annonce même une période meilleure pour les prochains mois. Toutefois, avant le 16, vous devez continuer à vous prémunir contre les accidents et les ennuis de santé. L'accalmie que vous vivrez pendant la seconde quinzaine vous aidera à retrouver le sourire.

SENTIMENTS. Avril commence tout de travers et vous devrez bien peser vos mots entre le 1er et le 15 si vous désirez éviter les confrontations, voire une dispute qui mettrait du temps à se résorber. Le climat s'allégera considérablement par la suite. Les inquiétudes et le sentiment d'isolement se dissiperont peu à peu.

AFFAIRES. Même scénario dans ce domaine. Il n'y a pas grand-chose à espérer de la première quinzaine si ce n'est des lenteurs, des contrariétés ou des prises de bec. Les semaines suivantes s'annoncent plus encourageantes et devraient vous permettre de vous sortir d'une impasse. Le moment sera venu de clore un chapitre et de mettre votre énergie ailleurs.

MAI

DIM	LUN	MAR	MER	JEU	VEN	SAM
1 D	2 D	3	4	5	6	7
8	9	10	11	12	13	14
15 ○ D	16 D	17 F	18 F	19	20	21
22	23	24	25 F	26 F	27 F	28 D
29 D	30 ●	31				

F Jour favorable		D Jour difficile	
○ Pleine lune et éclipse lunaire totale		● Nouvelle lune	

SANTÉ. Une autre éclipse qui ne devrait pas non plus avoir d'impact majeur sur vous, hormis une nervosité accrue. Quelques moments de relaxation ou le simple fait de mettre le nez dehors en viendront à bout aisément. Excellent mois pour soigner vos bobos, pour consulter au besoin, de même que pour adopter de bonnes résolutions. C'est la période idéale pour une transformation beauté.

SENTIMENTS. Vénus devient enfin votre alliée. Vous pourrez non seulement régler une foule de problèmes, mais aussi ajouter du piquant dans votre intimité. Des réconciliations, un formidable coup de foudre et une vie sociale trépidante sont au programme. En plus, les marques d'attention se multiplieront. Bref, vous serez comblé !

AFFAIRES. Vous commencez à voir la lumière au bout du tunnel, même si le budget fait encore des siennes. Certains déblocages qui surviendront vous encourageront beaucoup. Vous serez très occupé et toute cette effervescence vous stimulera au plus haut point. Quelques chances dans les tirages du 10 au 28.

JUIN

DIM	LUN	MAR	MER	JEU	VEN	SAM
			1	2	3	4
5	6	7	8	9	10	11 D
12 D	13 F	14 ○ F	15	16	17	18
19	20	21	22 F	23 F	24 D	25 D
26	27	28 ●	29	30		

F Jour favorable		D Jour difficile	
○ Pleine lune		● Nouvelle lune	

SANTÉ. Vous progressez encore beaucoup. Votre énergie croissante et votre meilleure résistance vous permettent de profiter à plein de la vie. Sur le plan psychologique aussi vous vous portez beaucoup mieux. Voilà donc un mois en or pour vous remettre en forme, pour modifier votre alimentation et pour organiser vos pensées.

SENTIMENTS. On a beau vous dire et vous redire qu'on vous aime, vous voulez plus que des mots. Vous exigez des preuves de votre entourage, mais, entre nous, vous y allez parfois un peu fort. Au lieu de compliquer les choses inutilement, acceptez les invitations qu'on vous lance à répétition. Ça vous divertira et vous permettra d'apprécier votre retour à la maison à sa juste valeur.

AFFAIRES. Vous profitez actuellement de l'appui de Jupiter et de Mars. Le vent tourne ! Ceux qui cherchent du travail seront exaucés, tout comme ceux qui attendent le règlement d'un litige. Pour tous, les finances se mettront à remonter et, souvent, vous bénéficierez d'agréables coups de chance, y compris dans les jeux de hasard.

JUILLET

DIM	LUN	MAR	MER	JEU	VEN	SAM
					1	2
3	4	5	6	7	8	9 D
10 D	11 F	12 F	13 ○	14	15	16
17	18	19 F	20 F	21 D	22 D	23
24	25	26	27	28 ●	29	30
31						

F Jour favorable		D Jour difficile	
○ Pleine lune		● Nouvelle lune	

SANTÉ. La première semaine est de tout repos, vous fonctionnez bien et vous êtes à l'abri des problèmes. Hélas ! le reste du mois s'annonce plus délicat, vous devrez donc prendre des précautions pour ne pas être malade et pour éviter de vous blesser. À la même époque, l'angoisse et l'anxiété vous guettent et ce serait une bonne idée de trouver une échappatoire.

SENTIMENTS. Vénus devrait vous procurer beaucoup de succès sur le plan social. Toutes sortes d'occasions de vous amuser se présenteront à vous. Une belle amitié amoureuse pourrait illuminer l'existence des célibataires, tandis que la complicité augmentera dans les couples. Si seulement ça pouvait être aussi le cas avec la famille !

AFFAIRES. Vous serez soumis à nouveau à l'influence restrictive de Saturne et de Mars entre le 5 et le 31, ce qui pourrait se traduire par une série de retards et d'obstacles à surmonter. Il vaut mieux éviter les folies avec le budget et proscrire les gestes irréfléchis, d'autant qu'une tuile peut occasionner une dépense inattendue.

AOÛT

DIM	LUN	MAR	MER	JEU	VEN	SAM
	1	2	3	4	5 D	6 D
7 F	8 F	9	10	11 ○	12	13
14	15 F	16 F	17 D	18 D	19 D	20
21	22	23	24	25	26	27 ●
28	29	30	31			

F Jour favorable			D Jour difficile		
○ Pleine lune			● Nouvelle lune		

SANTÉ. Bien que Jupiter vous protège, Mars et Saturne risquent encore de vous jouer des tours avant le 21. Prenez donc quelques précautions afin d'éviter un accident ou des ennuis de santé. Votre moral se porte mieux que le mois dernier et peu à peu vous apprenez à gérer le stress efficacement.

SENTIMENTS. L'arrivée de Vénus dans votre signe le 12 mettra l'accent sur vos relations avec les autres. En utilisant les bons mots et un ton sympathique, vous serez en mesure de régler certains malentendus passés et de mettre cartes sur table avec vos proches. Vous pourriez cependant flanquer à la porte ceux qui ne voudront pas respecter vos demandes. Votre vie sociale est encore un feu roulant. Un de perdu, dix de retrouvés !

AFFAIRES. Ici aussi la conjoncture vous donne du fil à retordre jusqu'au 21. Les pépins s'accumulent, vous ne savez plus trop où vous en êtes. Les dix derniers jours seront beaucoup plus favorables, vous pourrez alors régler ce qui accroche, négocier et espérer une réponse positive à vos requêtes. Retour également de la chance dans les tirages.

SEPTEMBRE

DIM	LUN	MAR	MER	JEU	VEN	SAM
				1 D	2 D	3 F
4 F	5 F	6	7	8	9	10 ○
11	12 F	13 F	14 D	15 D	16	17
18	19	20	21	22	23	24
25 ●	26	27	28 D	29 D	30 D	

F Jour favorable		D Jour difficile	
○ Pleine lune		● Nouvelle lune	

SANTÉ. Mars a cessé de vous embêter. Les menaces de blessures ainsi que les défaillances de toutes sortes diminuent considérablement et pourraient même être esquivées complètement avec un minimum d'efforts. Magnifique mois pour faire du sport ou pour vous inscrire à une activité de remise en forme. Sinon, la danse ou la marche vous conviendraient parfaitement.

SENTIMENTS. Vous traversez une période stimulante. Vous impressionnez les nouvelles connaissances, tout comme les anciens camarades avec qui vous renouez. En amour, tout septembre est favorable, mais la première semaine a quelque chose de magique, profitez-en donc pour discuter avec votre partenaire. Quant aux célibataires, une rencontre intéressante pourrait les surprendre.

AFFAIRES. C'est enfin le moment de foncer et de mettre vos projets sur pied. Les démarches en vue d'améliorer votre carrière ou vos finances donneront des résultats très encourageants. Une vieille affaire qui traînait depuis si longtemps que vous l'aviez presque oubliée pourrait finalement se régler. Belles chances au jeu.

OCTOBRE

DIM	LUN	MAR	MER	JEU	VEN	SAM
						1 F
2 F	3	4	5	6	7	8
9 ○ F	10 F	11 D	12 D	13 D	14	15
16	17	18	19	20	21	22
23	24	25 ●	26 D	27 D	28 F	29 F
30	31					

F Jour favorable	D Jour difficile
○ Pleine lune	● Nouvelle lune et éclipse solaire partielle

SANTÉ. L'éclipse vous rend plus vulnérable et une infection ou un malaise risque de vous forcer à ralentir la cadence. Ce serait dommage, car vous commencez octobre en trombe sur le plan tant physique que psychologique. Il vaut mieux y remédier sans tarder plutôt que d'attendre, comme vous avez trop souvent tendance à le faire.

SENTIMENTS. Vénus, planète de la félicité, occupe un secteur privilégié de votre thème astrologique jusqu'au 23, ce qui pourrait entre autres donner un nouvel élan à vos amours. Votre vie sociale aussi promet d'être excitante, les sorties, les invitations et les compliments se multiplieront. Seule ombre au tableau : une relation tendue avec un enfant ou un parent.

AFFAIRES. Drôle de mois en perspective, c'est tout ou rien ! Des coups de chance, des revers, des gains et des pertes, bref, il y a de tout. En prenant les précautions nécessaires, vous éviterez les pièges et pourrez ainsi jouir des occasions qui se présenteront. Bonne période pour les déplacements et pour vous essayer aux jeux de hasard, mais gare aux voleurs et aux escrocs.

NOVEMBRE

DIM	LUN	MAR	MER	JEU	VEN	SAM
		1	2	3	4	5 F
6 F	7 F	8 ○ D	9 D	10	11	12
13	14	15	16	17	18	19
20	21	22 D	23 ● D	24 F	25 F	26
27	28	29	30			

F Jour favorable		D Jour difficile	
○ Pleine lune et éclipse lunaire totale		● Nouvelle lune	

SANTÉ. La première moitié de novembre est marquée par une autre éclipse dans un secteur plus délicat de votre thème astrologique. Attention, donc, aux refroidissements, aux courbatures et aux troubles digestifs. Vous avez les nerfs en boule et ne dormez pas bien, sans compter qu'une distraction pourrait aussi vous attirer une coupure ou une brûlure. Par la suite, le ciel se dégagera rapidement.

SENTIMENTS. Le mois débute sous le signe des préoccupations. La communication ne passe pas toujours et vous vous inquiétez pour un proche qui traverse une période creuse. Le climat changera complètement à partir du 16. Une rencontre ou un rapprochement vous vaudra de grandes joies en amour, tandis que la vie sociale reprendra de plus belle.

AFFAIRES. Même scénario dans ce secteur. La première quinzaine est décevante, rien ne semble fonctionner à votre goût. Inutile de vous entêter, ce serait vain et ça risque de vous déprimer. Tout rentrera dans l'ordre par la suite, vous retrouverez votre vitesse de croisière et rattraperez le temps perdu. Attention malgré tout de ne pas jeter l'argent par les fenêtres.

DÉCEMBRE

DIM	LUN	MAR	MER	JEU	VEN	SAM
				1	2	3 F
4 F	5 D	6 D	7 ○	8	9	10
11	12	13	14	15	16	17
18	19 D	20 D	21 D	22 F	23 ● F	24
25	26	27	28	29	30 F	31 F

F Jour favorable		D Jour difficile	
○ Pleine lune		● Nouvelle lune	

SANTÉ. Les influences planétaires deviennent nettement plus bienveillantes, vous fonctionnez avec davantage d'aisance. Bon mois, donc, pour reprendre votre vie en main, pour vous débarrasser de vos bobos et pour repartir du bon pied. Les régimes et les transformations beauté tomberaient justement à point. Sur le plan psychologique, méfiez-vous de votre hypersensibilité et de votre propension à la susceptibilité.

SENTIMENTS. Vous avez tout ce qu'il faut pour donner une charmante tournure à vos amours. Les célibataires, quant à eux, pourraient trouver l'âme sœur. En règle générale, vos rapports interpersonnels semblent privilégiés, le dialogue est facile et profitable. Votre vie sociale est divine, vous reprenez contact avec vos copains et vous nouez de nouvelles amitiés. Les soucis avec la famille s'estompent graduellement.

AFFAIRES. Le mois s'annonce particulièrement constructif. Vos idées avant-gardistes déconcertent parfois votre entourage, n'empêche que c'est vous qui détenez la clef du succès et on finira bien par s'en rendre compte. Excellente période pour décrocher un emploi, pour négocier un contrat, pour faire un placement ou une transaction. Un retour de la chance au jeu est à prévoir le 21.

VIERGE

DU 24 AOÛT AU 23 SEPTEMBRE

Si vous recherchez la perfection jusque dans les plus petits détails, alors confiez votre travail à un natif de la Vierge. Vous ne serez pas déçu.

La Vierge a un grand sens pratique. C'est un être travailleur, attentif, minutieux, parfois un peu lent à cause de sa grande conscience professionnelle qui l'incite à fignoler le moindre ouvrage. La Vierge ne peut se dépêcher. Elle est méticuleuse et a en horreur le mot « brouillon ». Quand une Vierge se met à la tâche, soyez assuré qu'elle s'appliquera, ce qui, bien sûr, demande du temps. N'ayez crainte, le résultat sera parfait. Ce n'est pas du travail, c'est une œuvre d'art. Il est certain que si elle met des heures à nettoyer sa poignée de porte avant de sortir, elle n'aura plus le temps d'aller bien loin. Mais sa poignée sera la plus brillante en ville !

La Vierge manque parfois de confiance, et, le plus surprenant, de confiance en la vie ; elle est de tempérament craintif. Elle redoute par-dessus tout la maladie, la contamination, les guerres, la pollution et même le manque de travail, d'argent... Bref, tout est source de craintes pour elle.

Sur le plan financier, la Vierge est sage et économe. Les coups de tête dans les magasins, très peu pour elle. Elle préfère faire des placements sûrs, contribuer chaque année à son REER, et les dépenses non planifiées ne sont décidément pas à son programme. Pour caricaturer sa prévoyance : une Vierge ira jusqu'à comptabiliser le prix d'un litre de lait dans un petit calepin pour être sûre de se conformer à son budget. Ses amis et même sa famille la traitent de Séraphin. Pourtant, ils sont les premiers à faire la queue devant sa porte pour lui emprunter quelques dollars lorsque leur compte en banque frise l'apoplexie.

En toute chose, la Vierge essaie d'atteindre la perfection ; les détails sont fignolés, rien n'est laissé au hasard. Une secrétaire Vierge pourra passer des heures à trouver le bon endroit pour placer une virgule dans un texte. Un comptable Vierge ne réussira pas à dormir s'il s'est glissé une erreur de 2 cents dans les comptes de la société qui l'emploie ; il voudra trouver à tout prix l'origine de cette perte de capitaux. Une maman Vierge fera des kilomètres pour retrouver un ruban tombé des cheveux de sa petite, deux jours plus tôt au parc... Bref, une Vierge aurait tout intérêt à se faire payer à l'heure et pas au contrat ou à la pièce : c'est à son avantage !

L'esprit de la Vierge est à son image, d'une logique purement cartésienne. Les concepts abstraits ne lui font pas peur, et on la voit évoluer à l'aise dans les sciences pures, les mathématiques. Malheureusement, sa timidité l'empêche souvent de tirer le meilleur parti de ses coups d'éclat. Quelqu'un d'autre profitera de ses efforts, parce qu'elle hésite à se mettre au premier plan pour revendiquer ses réussites.

La Vierge accorde une importance parfois exagérée au moindre problème de santé. Elle y pense énormément et fait des montagnes de tout petits riens ; pourtant, elle n'a pas de quoi s'en faire. Elle se nourrit bien, mène une vie calme et rangée, prend soin de son hygiène et de sa santé, mais malgré tout un petit malaise l'inquiète. Avec elle, un rhume devient une pleurésie avec complications, et un comédon, le symptôme d'un cancer de la peau. Le pharmacien du coin la connaît bien.

La Vierge peut sembler froide, austère. En fait, elle extériorise peu ses sentiments. Mais c'est quelqu'un sur qui l'on peut compter, car elle est dévouée et ressent le besoin d'aider son prochain. Il n'est pas rare de rencontrer une Vierge dans les organismes humanitaires. Tout ce qui demande un dévouement sans limites est fait pour elle, du moment qu'il s'agit d'une bonne cause. Si elle en fait plus que ce qu'on lui demande, elle reste par contre dans l'ombre, car elle n'aime pas se retrouver sous les feux de la rampe. Elle a un caractère timide, mais contribue beaucoup au bien-être d'autrui, satisfaisant son âme de missionnaire. La Vierge agit pour les autres, non pas pour la gloire qu'elle pourrait en tirer. D'ailleurs, elle vit beaucoup en fonction d'eux. Elle est toujours prête à sauver le monde, un frère dans le besoin, une sœur malheureuse, un parent débordé. Mais peu à peu, elle se rend compte que la majorité des gens qu'elle aide sont plutôt égoïstes, et cela la force à penser un peu plus à elle-même.

La Vierge changera surtout dans la seconde partie de sa vie, et ceux qui lui conseillent de faire plus attention à elle viendront se plaindre qu'elle fait moins attention à eux... Ils ne réussissent plus à la manipuler, et cela les irrite. Tant pis pour eux. Elle a dépassé le stade de la culpabilité, tant mieux pour elle !

COMMENT SE COMPORTER AVEC UNE VIERGE ?

La Vierge est une personne facile d'accès et accommodante. Toutefois, elle a généralement la tête dure et défend ses idées point par point. Pour réussir à la convaincre, vous devrez développer une argumentation logique, avec des textes, des photos, des vidéos, des citations ou une source de référence solide pour appuyer vos propos. Armez-vous de patience, car même en lui faisant la preuve par neuf que vous avez raison, elle mettra du temps à l'admettre... mais l'admettra-t-elle vraiment ? En fait, il ne faudra pas vous surprendre si quelques semaines plus tard vous l'entendez affirmer le contraire de ce que vous aviez eu tant de mal à lui faire comprendre plus tôt. Et si vous le lui faites remarquer, elle vous soumettra d'autres références qui appuient ses arguments. Bref, elle aura toujours le dernier mot.

Si vous tenez à ce qu'un natif de la Vierge fasse quelque chose pour vous, le mieux est de le prendre par les sentiments. Son sens du devoir et la crainte de décevoir sont ses points faibles. En tenant compte de cela, vous réussirez à lui faire faire n'importe quoi de raisonnable. Si vous voulez l'entraîner dans des activités loufoques, oubliez ça tout de suite ; peu importent vos arguments, vous n'arriverez à rien avec elle. La Vierge est d'un caractère un peu taciturne, renfermé, et il faut aller au-devant d'elle pour réussir à établir un contact. Elle ne communique pas facilement et peut même sembler froide, mais surtout dure et intransigeante avec elle-même. Elle ne se permet aucune erreur, ne s'en pardonne aucune non plus, et l'idée que les autres se font d'elle est très importante à ses yeux... Son incroyable crainte de déplaire à autrui refait toujours surface.

La Vierge est minutieuse et prend tout son temps. Il faut donc lui mettre des balises, des délais à respecter, sinon rien n'avance. Quand elle fait le ménage, elle déniche la moindre poussière dans le plus petit interstice ; alors ce n'est pas étonnant si cela lui prend la journée... Et tant qu'à faire, elle se mettra à laver les rayonnages du vaisselier et à replacer les petits plats dans les grands, les couteaux et les fourchettes en ordre de grandeur... La Vierge ne supporte pas tellement la pression, mais un échéancier lui permettra de mieux gérer son travail ; celui-ci sera remis à temps et souvent mieux fait que celui des autres.

Les natifs de ce signe ont un besoin constant d'être sécurisés. Il faut leur dire que vous appréciez leur travail ; cela leur donnera confiance, et ils en seront tout heureux. Une Vierge demande beaucoup de réconfort et de soutien. Si vous lui en témoignez, vous gagnez sa confiance et sa reconnaissance éternelles.

SES GOÛTS

Les goûts de la Vierge sont à son image : raisonnables. Les teintes sobres, neutres, les couleurs de terre notamment, ont sa préférence. Ses tenues sont plutôt classiques (les mauvaises langues disent démodées) et faites de fibres naturelles. Si vous visitez sa penderie, vous y trouverez des vêtements qui datent de plusieurs années ; elle les garde très longtemps et dans un très bon état. La Vierge n'accueille pas facilement les visiteurs. Si elle vous reçoit, soyez conscient que c'est un privilège. Son décor est dépouillé, et l'esthétique n'est pas dans ses priorités. Elle se concentre surtout sur le côté pratique des objets et des meubles... même l'éclairage est strictement fonctionnel. Ce qui frappe surtout, c'est la propreté : pas un grain de poussière à l'horizon ! Si vous voulez lui faire plaisir, optez plutôt pour des objets pratiques dont elle a besoin, car la frivolité n'est pas dans ses goûts. Recevoir une cafetière, un couvre-couette ou un bon et solide poêlon antiadhésif fera son bonheur. Le natif de la Vierge fait attention à tout, même au nombre de calories contenues dans le plus succulent des mets. En fait, avant de s'exclamer sur la beauté du plat, sur les saveurs et les couleurs, elle analysera le contenu pour en déterminer le taux de gras ou de sucre avant de l'avaler. La Vierge se classe première au palmarès des adeptes de régimes amaigrissants. Avant de l'inviter à passer à votre table, essayez de savoir si elle n'est pas dans une de ses périodes de restriction.

SON POTENTIEL

La Vierge se trouve souvent sous les ordres de patrons qui recherchent un employé modèle... qui acceptera un salaire de crève-la-faim et fera en plus le travail de plusieurs personnes. Minutieux, méthodique et silencieux, le natif de la Vierge excelle dans le classement, la paperasse, les chiffres, les mathématiques, la recherche en laboratoire ou les travaux en solitaire. Dans le service au public, c'est la perle rare ! En fait, elle doit absolument mettre son sens de la minutie en action pour s'épanouir. Logique et consciencieuse, la Vierge peut abattre une montagne de travail sans jamais se plaindre ou laisser échapper un mot de découragement. Après trente ans, par contre, elle commence à se rendre compte que certains abusent d'elle et elle tente de mieux définir sa place dans la société, sans toutefois que son zèle, son efficacité et son perfectionnisme en souffrent.

SES LOISIRS

La Vierge ne s'amuse pas sans but. Il lui faut des loisirs qui rapportent, que ce soit de l'argent ou des connaissances. Les activités ont toujours un but précis, car la Vierge n'aime pas gaspiller son temps. Parmi ses passe-temps de prédilection, il y a évidemment la lecture, notamment d'ouvrages techniques, qui l'aideront dans son travail, lui permettront de prendre de l'avance dans ses études ou de poursuivre son cheminement personnel. Les biographies, les livres de référence sont souvent ses livres de chevet. À la télévision, elle regardera des documentaires ou des émissions éducatives. La Vierge n'est pas une grande joueuse. Mais si son esprit, ses connaissances ou son intelligence sont mis à contribution, elle appréciera énormément les jeux de société, par exemple Quelques arpents de piège, le Scrabble, Docte Rat. Du côté stratégie, elle choisira Risk ou les échecs. Si vous envisagez une sortie avec une Vierge, il n'est pas nécessaire de vous précipiter sur le plus récent film, car il ne l'intéressera peut-être pas. Une conférence ou les documentaires des *Grands Explorateurs* ont plus de chance d'attirer son attention et de la captiver. Les natifs de la Vierge sont placés sous le signe du bénévolat. Beaucoup d'entre eux consacrent quelques heures chaque semaine à une œuvre qui leur tient à cœur. Ils s'occupent de personnes âgées ou d'enfants en difficulté, par exemple.

SA DÉCORATION

Notre Vierge a des goûts simples où le pratico-pratique est en vedette. Pour elle, le superflu est vraiment superflu. Avec de telles dispositions d'esprit, elle choisira un mobilier adapté à ses besoins. Les effets esthétiques, très peu pour elle. Les teintes de son intérieur sont plutôt sages et neutres. Le gris, le grège, le beige et le blanc lui plaisent, la couleur du bois naturel l'attire. Ses meubles sont fonctionnels avant tout. Sans hésiter, elle optera pour ceux qui sont le plus susceptibles de se conformer à ses besoins au détriment de ceux qui sont plus beaux et à la mode. La Vierge aime le dépouillement. Si elle vit seule, il y a de fortes chances de ne trouver qu'une seule chaise dans la cuisine, qu'un seul fauteuil dans le salon. Après tout, on ne peut pas s'asseoir sur deux chaises à la fois ! L'esthétique de la décoration n'est pas sa priorité. Un mur vide demeurera dénudé. Tableaux, laminages, encadrements ne sont pas utiles, donc elle peut s'en passer. Son intérieur étant d'une propreté impeccable, on pourrait manger sur le plancher.

SON BUDGET

Le mot préféré de notre sage Vierge est « prévoyance ». Courir des risques avec son argent, jamais, au grand jamais ! Les spéculations et les placements hasardeux, la Bourse, ce n'est pas sa tasse de thé. Les investissements sûrs, qui rapporteront peut-être moins mais qui n'engloutiront pas ses économies, voilà de quoi conforter notre Vierge dans ses décisions et la rassurer. La Vierge n'achète jamais sur un coup de tête ; elle ne succombe pas aux coups de foudre. Lorsqu'elle délie les cordons de sa bourse, c'est parce qu'elle sait ce qu'elle veut et la valeur de ce qu'elle achète. Peu importent ses revenus, même modestes, un natif de la Vierge réussit toujours à mettre de côté une partie de son argent, en cas de besoin. Anxieux de nature, il veille à tout prévoir : une maladie, une dépense soudaine, sa retraite. Ses raisons d'économiser sont nombreuses et toujours justifiées. Toute sa vie, il aura peur de manquer d'argent, ce qui ne se produira sans doute jamais, car il est si sérieux, si sage, si prévoyant... mais inquiet ; c'est dans sa nature.

QUEL CADEAU LUI OFFRIR ?

Notre Vierge est résolument attirée par le côté pratique des objets ; il est donc vain de vouloir l'éblouir avec des babioles sans utilité ou des articles de luxe. Le mieux est de vous renseigner sur les outils qui lui manquent encore, par exemple dans la cuisine ou pour son travail. Ce n'est pas la peine de lui offrir une assiette de collection en porcelaine si son aspirateur est en panne. Non seulement la superficialité de votre cadeau lui sautera aux yeux, mais en plus elle sera rongée de culpabilité en songeant à l'argent que vous avez dépensé pour un machin dont elle ne saura que faire. Si vous envisagez de lui offrir un livre, vous rejoignez ses goûts, mais assurez-vous de lui donner une biographie, un recueil de trucs santé, un guide pratique, un livre de référence utile pour la maison ou le travail. Ne tombez pas dans la frivolité.

Un petit appareil ménager, par exemple un presse-agrumes, une centrifugeuse, un mélangeur, un ouvre-boîte électrique, un appareil pour sceller les sachets comblera une Vierge, alors qu'un collier de perles a toutes les chances de finir oublié dans le fond d'un tiroir. Du côté des vêtements, évitez les extravagances de la mode. Choisissez plutôt une veste en fibres naturelles : lin, coton ou laine. Ses goûts sont classiques, sobres même. Le beige, le café au lait, le gris et le noir lui plaisent beaucoup, et vous serez assuré que votre veste sera portée, soigneusement entretenue, et que la Vierge la gardera longtemps.

LES ENFANTS VIERGE

Souvent chétifs à la naissance, les bébés Vierge demandent des soins constants de leurs parents durant leurs premières années. Tout ce qui passe, ils l'attrapent. Il faudra donc veiller à les protéger des maladies. Par ailleurs, ce sont des enfants obéissants, dociles, sages ; ils ne sont pas bruyants, ne font pas de mauvais coups et peuvent s'amuser tout seuls dans un coin. En fait, ils ont les défauts de leurs qualités : ce sont des timides. Les parents devront veiller à leur faire rencontrer d'autres enfants, à les emmener souvent dans des endroits qui ne leur sont pas familiers. Les enfants Vierge développent des petites phobies ; il faut donc savoir les apprivoiser et les rassurer. Pour eux, prendre l'ascenseur, dormir dans le noir, s'approcher d'une chenille ou rencontrer les nouveaux petits voisins de l'autre côté de la rue peut se révéler une montagne à gravir. Vous devrez renforcer leur confiance en eux. Une autre de leurs qualités, qui peut rapidement devenir un défaut, est leur grand perfectionnisme, qui a tendance à les ralentir. Entraînez-les à fonctionner plus rapidement ou fixez-leur des délais ; vous verrez qu'ils les respecteront sans problèmes. Les enfants Vierge ont d'énormes qualités et un fabuleux potentiel, qu'ils ignorent bien souvent. C'est à leur entourage de leur ouvrir les yeux et de les guider.

L'ADO VIERGE

Tu es timide et réservé. Te faire remarquer sans raison n'est vraiment pas dans ta personnalité. Cela te met très mal à l'aise, surtout lorsque tu dois rencontrer des gens que tu ne connais pas. Tu préfères rester à l'écart. C'est dommage, car les autres ne voient pas toujours ton potentiel et tes qualités. Toi, tu te contentes d'observer le monde de loin, tu as un sens critique très développé, et lorsque tu ouvres la bouche, ce n'est certes pas pour dire n'importe quoi. Tu sais de quoi tu parles et tu peux discourir longuement sur les sujets qui t'intéressent.

Tu as plusieurs qualités que certains voient comme des défauts. En fait, tu accordes une grande importance à l'ordre et à la propreté, ce qui pourrait devenir une véritable obsession si tu n'y prends pas garde. Tu es perfectionniste, et ton esprit d'analyse est très développé. Tu te fais ta propre idée sur beaucoup de sujets. Ton opinion est toujours bien fondée ; tu as tous les arguments en main pour prouver que tu as raison. Malheureusement, tu as aussi tendance à voir les « bibites » des autres et à négliger leurs qualités.

Tu agis presque toujours par logique, ce qui peut te faire paraître froid à première vue. Tu réfléchis énormément et tu ne laisses guère de place à l'impulsivité, aux coups de tête... Cette façon de faire t'évite bien des ennuis : tu sais où tu t'en vas. Malgré les retards ou les embûches, tu t'arranges toujours pour parvenir à bon port. Tu es travailleur et tu as développé une méthode et une façon de fonctionner qui t'assurent de toujours réussir ce que tu entreprends.

Ton point faible, sur lequel tu dois travailler, c'est ta crainte de tous et de tout. Tu as tendance à te ronger les sangs pour un oui ou pour un non, même quand tu n'es pas directement impliqué. Ainsi, si tu te tracasses pour ton avenir et ta santé, tu penses aussi à la planète, à l'environnement qui se détériore sans cesse, tu t'inquiètes même de l'opinion que les autres ont de toi... bref, un rien te fait craindre le pire. Mais finalement, ton défaut principal est celui de ne pas reconnaître ton potentiel. Tu sous-estimes tes capacités. Tu es souvent encore plus intransigeant et sévère avec toi que tu ne l'es avec les autres, ce qui te porte à toujours voir le côté sombre des choses et des situations. N'oublie jamais que rien n'est tout noir ou tout blanc. Ouvre tes yeux, fais-toi confiance, et tu verras que ta vie s'améliorera grandement.

Tes études

Puisque tu brilles d'intelligence, ton esprit intellectuel sera souvent mis à contribution. Tu te montres appliqué, studieux, voire zélé dans tes études. Tu as aussi un solide sens critique qui te permet de bien analyser les événements et les situations, mais ton immense talent ne compense pas tes hésitations. Tu t'attardes tellement aux moindres détails que tes coéquipiers, lorsque tu travailles en groupe, ne peuvent s'empêcher de te taquiner à ce propos. Par contre, tu leur permets d'obtenir de très bons résultats ; alors on recherche ta compagnie et ta collaboration. D'ailleurs, tu as souvent l'impression qu'on te laisse faire les travaux tout seul, ce qui ne te déplaît pas. Par contre, lorsqu'on annonce les résultats, tout le groupe est présent. N'oublie pas de prendre le mérite qui te revient, car les autres pourraient s'attribuer tout ton travail sans t'en accorder le bénéfice.

Ton orientation

Tu penses souvent à ton avenir... avec inquiétude. Tu connais tes points forts et tu n'hésites pas à effectuer des stages ou à entreprendre de longues années d'études pour réussir à atteindre tes objectifs. Tu n'as pas peur de travailler seul ou de fournir beaucoup d'efforts, car tu es très appliqué et minutieux. Les domaines de la recherche scientifique, la médecine, les sciences de la santé, la diététique, les médecines douces, les services sociaux, l'alimentation, la pharmacie, la chimie, la fonction publique, le secrétariat, l'édition, l'éducation et la comptabilité te conviennent parfaitement. Il ne te reste qu'à faire un choix.

Tes rapports avec les autres

Tu es une personne généreuse, toujours prête à aider les autres, à dépanner ceux qui sont moins bien lotis que toi. Par contre, lorsque c'est à ton tour d'avoir besoin d'un petit coup de main, tu te rends compte que tu es bien seul. Souvent, les gens te tiennent pour acquis et t'apprécient parce que tu fais beaucoup de choses pour eux ; il faudra que tu apprennes à renverser cette tendance et que tu t'entoures de gens qui t'aiment, toi, et non ce que tu peux faire pour eux. En fait, les personnes à problèmes se tourneront facilement vers toi, car tu es sensible et tu as peur de blesser les autres en leur disant non. Le sentiment d'insécurité qui t'habite en est la cause : tu ne veux pas décevoir. Avec tes amis, c'est la même chose, tu leur laisses occuper toute l'avant-scène pendant que toi, tu travailles dur. Parfois, ce sont eux qui récoltent les lauriers de la gloire à ta place. Tu ne dis pas toujours ce que tu penses ; c'est dommage, car tu gagnerais à t'entourer de gens qui te stimulent et t'aiment vraiment.

LE PARENT VIERGE

Le parent sage

Perfectionniste, vous voulez ce qu'il y a de mieux pour vos enfants, et vous ne ménagez pas vos efforts. Vous êtes soucieux de leur santé, vous veillez sur leurs études. Articulé et logique, vous ne craignez pas les questions et vous leur expliquez tout en détail : vous justifiez vos actions, vos décisions, votre discipline. Vous avez un peu de mal avec le désordre et le bruit. Vous traitez vos enfants en petits adultes, ce qui est positif, mais vous vivez une relation parfois trop fusionnelle avec eux.

L'EMPLOYÉ VIERGE

Il s'implique à fond dans ses projets, mais il veut des directives claires et précises. Il est parfait comme assistant ou pour seconder, et il se révèle toujours à la hauteur. Même s'il excelle dans ce qu'il fait, il a souvent besoin d'être encouragé et rassuré. Responsable, tenace et appliqué, il est d'un perfectionnisme inouï, qui frôle parfois l'excès.

LE PATRON VIERGE

Il vaut mieux être compétent, car il est très soucieux des détails. Il cherche la perfection, parfois au point d'en être agaçant. Il apprécie l'organisation et le savoir-faire, il ne supporte pas qu'on soit négligent ou qu'on bâcle ses tâches. Il sait écouter, il est ouvert aux demandes et aux suggestions, et il peut se montrer très humain.

LA VIERGE DANS LA CUISINE

Vous êtes perfectionniste, mais vous manquez un peu d'audace et de confiance : votre insécurité vous pousse à suivre les recettes à la lettre. Vous mesurez tout deux fois plutôt qu'une, et vous vous surveillez sans arrêt.

Au quotidien, vous aimez la cuisine simple, de base, et vous ne faites pas trop d'excès : après tout, votre signe gouverne la diététique.

Vous adorez :
- les saveurs franches et les aliments frais le plus près possible de la nature (vous vous méfiez des transformations trop nombreuses) ;
- cuisiner santé ;
- les recettes bien dosées, équilibrées, mais pas trop épicées ;
- les aromates et les herbes fraîches ;
- utiliser les recettes que vous connaissez, l'expérimentation et l'inconnu vous inquiètent toujours un peu.

✦ CE QUE LA NATUROPATHE VOUS SUGGÈRE

Laissez vos soucis de côté lorsque vous vous mettez à table, et évitez les conversations lourdes ainsi que les affrontements : cela perturbe votre digestion.

Mangez des fibres en quantité suffisante, car vos intestins ont tendance à être paresseux.

ILS SONT VIERGE EUX AUSSI

France Beaudoin, Mélissa Bédard, Julie Bélanger, Isabelle Blais, Andrea Bocelli, Brigitte Boisjoli, Sophie Cadieux, France Castel, Natalie Choquette, Agatha Christie, Sophie Clément, Cameron Diaz, Lise Dion, Jay Du Temple, Sébastien Dubé, Salma Hayek, Paul Houde, Beyoncé Knowles, Chantal Lacroix, Guy Laliberté, Julie Le Breton, Marc Legault, Joël Legendre, Guy A. Lepage, Fanny Mallette, Pierre-Yves McSween, Claude Meunier, Mitsou, Guy Nadon, Guy Nantel, Patrick Norman, Dominic Paquet, Laurent Paquin, Pink, Zachary Richard, Stéphane Rousseau, Jasmin Roy, Shania Twain.

◆ OUTILS POUR TRANSFORMER VOTRE DESTINÉE

Essayez de mieux choisir vos buts, cela vous évitera de perdre du temps avec des projets qui n'en valent pas la peine.

Cessez de vouloir tout contrôler, de toute façon ce n'est pas possible. De plus, cela finit par vous compliquer la vie et vous faire paniquer.

Acceptez les valeurs des autres. Votre logique n'est pas forcément universelle ; chacun a droit à ses idées et à sa façon de voir les choses.

Pensée positive pour la Vierge

J'ai confiance en mes merveilleuses possibilités. Je suis sur la Terre pour apprendre la joie et la cultiver. Enfin, je suis récompensé.

Pensée positive spéciale pour 2022

Je m'accorde tout le temps nécessaire pour agir.
J'obtiens de merveilleux résultats en allant à mon rythme.

Le subconscient nous dirige toujours selon nos pensées. En répétant le plus souvent possible ces pensées conçues tout spécialement pour vous, vous vous attirerez plein de belles choses.

Signe: Vierge

Élément: terre

Catégorie: mutable

Symbole: ♍

Points sensibles: intestins, phobies, appendicite, dépression, constipation, maladies psychosomatiques, angoisses.

Planète maîtresse: mercure, planète de l'intelligence.

Pierres précieuses: agate, marcassite, aigue-marine.

Couleurs: beige, brun, marine, les teintes de terre.

Fleurs: pétunia, lavande, belle-de-jour.

Chiffres chanceux: 4-8-11-17-23-28-30-35-40-44.

Qualités: sage, sérieux, prudent, minutieux, ordonné, propre, discret, économe, travailleur.

Défauts: peureux, manque de sécurité, timide, refoulé, angoissé, nerveux, manque de confiance.

Ce qu'il pense en lui-même
Qu'est-ce que les autres penseront de moi?

Ce que les autres disent de lui
Pour une mission impossible, c'est à lui qu'il faut demander: il fait des miracles!

PRÉDICTIONS ANNUELLES

Cette année, Saturne occupe une position plutôt neutre dans votre thème astral, vous n'avez donc pas à en craindre les vicissitudes. Son action pourrait toutefois vous pousser à davantage d'introspection et même déclencher chez vous une période de remise en question. Au moins, vous ne vous mettrez pas martel en tête et disposerez de suffisamment de lucidité pour faire la part des choses. À vrai dire, c'est Jupiter qui risque de vous jouer des tours avant la mi-mai et vers la fin de l'année. Attention, donc, aux actes irréfléchis et aux accès de témérité si vous voulez profiter à plein de la vie. Au fond, c'est simple, optez pour la sagesse, pesez bien le pour et le contre de vos gestes, et de cette façon, vous vivrez une année enrichissante.

SANTÉ. Voici justement un domaine où l'opposition de Jupiter peut avoir des répercussions désagréables. Quelques pépins vous guettent si vous vous croyez tout permis, si vous abusez de vos forces ou si vous faites fi des règles du gros bon sens. La gourmandise, entre autres, serait à proscrire, car elle menacerait tant votre silhouette que votre bonne forme. Vous vous contrôlerez plus aisément à partir du printemps et pourrez corriger les manquements passés si vous vous en donnez la peine. Au plan moral, l'année devrait se dérouler sur le thème de la gaieté.

SENTIMENTS. Vous avez encore beaucoup d'occasions de rencontres, il sera donc facile de vous divertir. Vous aimez vous amuser et vous n'avez rien contre les conversations légères, mais s'il n'y avait que ça, vous ressentiriez un grand vide. Ce qui compte pour vous, ce sont des relations empreintes de profondeur et capables de durer. L'année 2022 apportera aux célibataires la possibilité de refaire leur vie. Les couples, quant à eux, pourront aplanir leurs difficultés et repartir main dans la main. Vous n'acceptez plus que la famille vous manipule et, par moments, vous aurez envie de vous en éloigner.

AFFAIRES. D'ici le 10 mai, les événements ne se produiront pas nécessairement selon vos attentes, et il se peut fort bien que vous ayez à réviser vos positions, voire à changer de cap. Malgré un certain brouhaha, vous arriverez à tirer votre épingle du jeu et, comme toujours, vous finirez par vous adapter aux nouvelles situations. Vos finances connaîtront des hauts et des bas, mais rien de considérable, à moins que vous n'envenimiez les choses par des investissements risqués, des prêts ou des dépenses insensées. Ne vendez pas la peau de l'ours avant de l'avoir tué et restez loin des conflits avec l'autorité ou les représentants de l'ordre. Accalmie importante par la suite et votre situation deviendra nettement plus facile.

JANVIER

DIM	LUN	MAR	MER	JEU	VEN	SAM
						1 D
2 ● F	3 F	4	5	6	7	8
9	10	11 F	12 F	13 F	14 D	15 D
16	17 ○	18	19	20	21	22
23	24	25	26	27	28 D	29 D
30 F	31 F					

F Jour favorable	D Jour difficile	
○ Pleine lune	● Nouvelle lune	

SANTÉ. La quadrature de Mars vous rend plus vulnérable jusqu'au 25. À vous de prendre les précautions qui s'imposent pour ne pas vous retrouver à plat ou vous faire mal. Sur le plan psychologique, ce mois comporte des épisodes d'anxiété et de fatigue. Ça ne sert à rien de trop vous pousser dans le dos, vous pourriez alors craquer. Faites attention à vous, allez-y mollo ! Vous vous porterez à merveille pendant les derniers jours de janvier.

SENTIMENTS. Vous connaîtrez plusieurs satisfactions en amour et dans votre vie sociale. Une sortie pourrait même changer la destinée des célibataires. Il n'y a qu'avec la famille ou la marmaille que ça ne tourne pas rond. N'hésitez pas à en parler à un ami qui vous aidera à faire la part des choses.

AFFAIRES. Le mauvais aspect de Mars vous complique la tâche et vos affaires sont loin d'aller comme sur des roulettes. Le contrôle des événements vous échappe et les frustrations s'accumulent. Ce n'est cependant pas en ruant dans les brancards que vous arrangerez quoi que ce soit, au contraire ! Attention aux contraventions, aux amendes… et aux séances effrénées de magasinage.

FÉVRIER

DIM	LUN	MAR	MER	JEU	VEN	SAM
		1 ●	2	3	4	5
6	7 F	8 F	9 F	10 D	11 D	12
13	14	15	16 ○	17	18	19
20	21	22	23	24 D	25 D	26 F
27 F	28					

F Jour favorable		D Jour difficile	
○ Pleine lune		● Nouvelle lune	

SANTÉ. Physiquement, vous vous portez beaucoup mieux, on peut même dire que vous remontez la pente à vive allure. Excellent mois pour vous remettre en forme et améliorer votre hygiène de vie. Vous pourriez en profiter pour vous refaire une beauté ou adopter une nouvelle alimentation. La tension nerveuse s'atténue, vous vous sentez bien dans votre peau, vous reprenez confiance en vos moyens et en l'avenir. Bravo !

SENTIMENTS. La présence de Vénus dans votre cinquième secteur vous confère un charme fou, vous volez la vedette partout où vous apparaissez. Pas étonnant que les célibataires soient encore aussi populaires, ils pourraient même avoir l'embarras du choix. Quant aux autres, ils redécouvriront leur partenaire et célèbreront la Saint-Valentin de manière bien romantique.

AFFAIRES. Ne perdez pas une minute et passez à l'attaque. Le moment est venu de mettre vos projets en chantier, de vous faire valoir et d'aller chercher ce qui vous tente depuis un certain temps. Les démarches, les études, les négociations et les changements sont particulièrement favorisés. Bon mois aussi pour voir du pays. Un vieux problème pourrait finalement se régler.

MARS

DIM	LUN	MAR	MER	JEU	VEN	SAM
		1	2 ●	3	4	5
6	7 F	8 F	9 D	10 D	11 D	12
13	14	15	16	17	18 ○	19
20	21	22	23 D	24 D	25 F	26 F
27	28	29	30	31		

F Jour favorable	D Jour difficile
○ Pleine lune	● Nouvelle lune

SANTÉ. La présence de Mars dans votre cinquième secteur continue de décupler votre énergie et votre enthousiasme au cours de la première semaine. Vous êtes au sommet de votre forme et vous ressentez le besoin de bouger davantage, de faire un peu plus d'activité physique, ce qui vous convient à merveille. Gare au rhume par la suite. Occupez-vous de votre dos et gardez-vous du temps pour vous aérer les idées.

SENTIMENTS. Ici aussi, le début du mois s'annonce splendide. L'ambiance est à la fête, vous êtes constamment de sortie et vous voyez du bien beau monde. Les célibataires pourraient d'ailleurs trouver quelqu'un à leur goût si ce n'est déjà fait. À la maison, votre partenaire déploie d'énormes efforts pour vous satisfaire. Le reste de mars requiert plus de souplesse, vous devrez mettre un peu d'eau dans votre vin.

AFFAIRES. La conjoncture a les mêmes effets dans ce domaine, voilà pourquoi vous devriez agir sans attendre si vous souhaitez profiter de la chance qui passe. Il vous sera plus difficile d'arriver à vos fins après. Des lenteurs, voire des retards importants risquent de vous faire sortir de vos gonds. Attention également aux erreurs de jugement et aux décisions précipitées.

AVRIL

DIM	LUN	MAR	MER	JEU	VEN	SAM
					1 ●	2
3 F	4 F	5	6 D	7 D	8	9
10	11	12	13	14	15	16 ○
17	18	19 D	20 D	21	22 F	23 F
24	25	26	27	28	29	30 ● F

F Jour favorable	D Jour difficile
○ Pleine lune	● Nouvelle lune, celle du 30, combinée à une éclipse solaire partielle

SANTÉ. La première moitié du mois semble bien correcte, vous arrivez même à vous débarrasser des épisodes d'anxiété qui vous empêchaient de fonctionner pleinement. Vous risquez cependant de ressentir les effets déplaisants de l'opposition de Mars et de l'éclipse. Protégez-vous contre les accidents, les infections et les défaillances.

SENTIMENTS. C'est tout ou rien. Tantôt on vous traite aux petits oignons, tantôt on vous enquiquine pour des broutilles. Votre partenaire est lui aussi bien changeant, parfois adorable, parfois désagréable, sans doute parce qu'il vit des choses difficiles. Au moins, tout se passe bien avec les copains, vous pourriez même être touché par la sympathie d'un ami ou par la gentillesse de ses actions.

AFFAIRES. Armez-vous de patience, car il est probable que les retards se multiplient. Vous qui aimez que ça roule, vous serez obligé de vous adapter à un tempo moins stimulant. Certains imprévus vous laissent pantois, inutile de réagir violemment, ça n'arrangerait rien. N'allez pas croire que le magasinage vous défoulerait, surtout avec cette menace de dépense inattendue ou de contravention qui pointe à l'horizon.

MAI

DIM	LUN	MAR	MER	JEU	VEN	SAM
1 F	2 F	3 D	4 D	5	6	7
8	9	10	11	12	13	14
15 ○	16	17 D	18 D	19 F	20 F	21
22	23	24	25	26	27	28 F
29 D	30 ● D	31 D				

F Jour favorable	D Jour difficile
○ Pleine lune et éclipse lunaire totale	● Nouvelle lune

SANTÉ. Ce n'est pas tant l'éclipse que l'opposition de la planète Mars qui vous guette jusqu'au 25. Celle-ci coïncide fréquemment avec un danger de blessure, de chute et de moins bonne résistance. Et pour mal faire, vous avez tendance à vous négliger à cause du stress. Attention, si vous ne vous ressaisissez pas, vous courez au-devant des problèmes !

SENTIMENTS. Vous déplorez un manque de communication avec vos proches, même votre partenaire boude dans son coin ! Un parent pourrait aussi vous causer quelques inquiétudes. Les derniers jours s'annoncent beaucoup mieux. Vos amours redémarreront, vous réglerez tous vos différends et vous bénéficierez d'une vie sociale bien plus animée.

AFFAIRES. Les effets de l'éclipse et de Mars se font sentir dans ce secteur également. C'est en jouant la carte de la souplesse tout en restant déterminé que vous pourrez progresser. En forçant la note, vous risquez de compromettre vos chances. Les lenteurs continuent de vous empoisonner l'existence, mais il faut demeurer patient. Attention aux coups de tête ! Vers la fin du mois, un nouveau départ s'amorce et vous oublierez vos frustrations.

JUIN

DIM	LUN	MAR	MER	JEU	VEN	SAM
			1 D	2	3	4
5	6	7	8	9	10	11
12	13 D	14 ○ D	15 F	16 F	17	18
19	20	21	22	23	24 F	25 F
26 D	27 D	28 ● D	29	30		

F	Jour favorable		D	Jour difficile
○	Pleine lune		●	Nouvelle lune

SANTÉ. Pas d'éclipse ni de transits dissonants, ça fait du bien ! On note une véritable amélioration de votre état. D'ailleurs, beaucoup remarquent à quel point vous avez l'air en forme et reposé. Vous avez un petit je-ne-sais-quoi de rajeuni. Il va sans dire que le moral est à l'avenant et qu'on ne se gêne pas pour venir puiser chez vous une bonne dose d'entrain. Vous rayonnez sur votre entourage.

SENTIMENTS. Justement, avec le charisme et la jovialité qui vous animent, vous faites des ravages. Personne ne peut demeurer insensible à votre brillante personnalité. C'est le moment idéal pour partir à la recherche de l'âme sœur si vous êtes seul. Les couples, quant à eux, se rapprochent. Vous avez le tour de teinter votre quotidien d'humour et de gaieté. On vous adore !

AFFAIRES. Votre charme opère ici aussi, il vous ouvre toutes les portes. Ceux qui doivent passer une entrevue ou présenter une requête le feront avec tant d'assurance qu'ils obtiendront ce qu'ils désirent. Même chose si vous devez négocier. N'hésitez pas à mettre un terme aux activités qui vous pèsent, de meilleures occasions s'en viennent.

JUILLET

DIM	LUN	MAR	MER	JEU	VEN	SAM
					1	2
3	4	5	6	7	8	9
10	11 D	12 D	13 ○ F	14 F	15	16
17	18	19	20	21	22 F	23 F
24 F	25 D	26	27	28 ●	29	30
31						

F Jour favorable		D Jour difficile
○ Pleine lune		● Nouvelle lune

SANTÉ. Vous traversez actuellement un cycle particulièrement favorable. Le moral continue de se fortifier et vous ressentez par surcroît une nette remontée de votre énergie et de votre robustesse. Vous ne pourriez choisir meilleur mois pour régler ce qui accrochait et retrouver votre aplomb. Bon temps aussi pour bouger, pour faire de la danse ou du sport.

SENTIMENTS. Les invitations arrivent de tous les côtés. Des activités amusantes, des rencontres stimulantes et le retour d'un ami vous font vivre des moments incomparables. Dans l'intimité, ça achoppe un peu avant le 18, mais un brin d'humour ou de tendresse vous permettra de désamorcer la situation. Le reste du mois s'annonce tout simplement enchanteur.

AFFAIRES. Il est temps de passer à autre chose et d'élargir vos horizons. Vous pourriez d'ailleurs recevoir une proposition bien intéressante. On peut dire que la chance est de retour, un petit prix au jeu en témoignera. Ajoutons que vous retrouvez une plus grande liberté d'action et que vos buts commencent à devenir accessibles. Tout ce qui touche la maison vous avantage également.

AOÛT

DIM	LUN	MAR	MER	JEU	VEN	SAM
	1	2	3	4	5	6
7 D	8 D	9 F	10 F	11 ○	12	13
14	15	16	17 F	18 F	19 F	20 D
21 D	22	23	24	25	26	27 ●
28	29	30	31			

F Jour favorable	D Jour difficile
○ Pleine lune	● Nouvelle lune

SANTÉ. Vous aurez encore le vent dans les voiles jusqu'au 20. La récupération se poursuit de plus belle et rien n'arrive à perturber votre moral. Tous vos sacrifices seront largement récompensés, n'attendez pas, mettez-vous-y dès maintenant. Vous devrez cependant faire davantage attention à vous, sinon vous pourriez avoir un accident ou quelques problèmes de santé.

SENTIMENTS. Vous continuez à susciter énormément d'intérêt tant sur le plan social que dans l'intimité pendant les trois premières semaines. Votre agenda se remplit à la vitesse de l'éclair et vous n'aurez certainement pas le temps de vous ennuyer. Un conflit menace d'éclater vers la fin du mois, soyez donc circonspect avec vos paroles et vos gestes !

AFFAIRES. Vous êtes soumis au même contexte planétaire dans ce domaine, voilà pourquoi il faut agir avant le 21. Vos efforts auront de grosses retombées, tandis que vos demandes recevront toute l'attention qu'elles méritent. Ça risque d'être décevant si vous attendez. Gardez-vous des sous pour une dépense imprévue.

SEPTEMBRE

DIM	LUN	MAR	MER	JEU	VEN	SAM
				1	2	3 D
4 D	5	6 F	7 F	8	9	10 ○
11	12	13	14 F	15 F	16 D	17 D
18 D	19	20	21	22	23	24
25 ●	26	27	28	29	30	

F	Jour favorable	D	Jour difficile
○	Pleine lune	●	Nouvelle lune

SANTÉ. La présence de Mars dans votre dixième maison vous confère beaucoup d'énergie, mais celle-ci n'est pas facile à canaliser. Vous êtes parfois survolté, ce qui pourrait provoquer de l'insomnie ou engendrer des points dans le dos ou des malaises digestifs. Attention également de ne pas aller trop vite, vous risqueriez alors de vous faire mal.

SENTIMENTS. Vous bénéficierez de l'appui de Vénus pour donner un élan de fraîcheur à votre destinée amoureuse entre le 5 et le 29. Un doux rapprochement avec l'être cher ne devrait pas tarder, tandis que les célibataires auront un coup de cœur pour une personne hautement compatible. Ce n'est pas tout : votre vie sociale sera elle aussi en pleine expansion, vous reverrez vos copains et vous pourrez vous faire de nouveaux amis. Seule la famille pose quelques problèmes.

AFFAIRES. Vous devriez vous méfier des actes et des achats impulsifs, de même que des transactions irréfléchies. Passez outre les beaux parleurs ainsi que les éternels emprunteurs. Vos activités vous causent parfois des maux de tête et vous n'avez d'autre option que de composer avec une série d'imprévus.

OCTOBRE

DIM	LUN	MAR	MER	JEU	VEN	SAM
						1 D
2 D	3 F	4 F	5	6	7	8
9 ○	10	11 F	12 F	13 F	14 D	15 D
16	17	18	19	20	21	22
23	24	25 ●	26	27	28 D	29 D
30 F	31 F					

F Jour favorable	D Jour difficile
○ Pleine lune	● Nouvelle lune et éclipse solaire partielle

SANTÉ. Rien à craindre de l'éclipse, mais on ne peut pas en dire autant de Mars, qui continue à évoluer dans votre dixième secteur. Vous devriez donc appliquer les mêmes mesures que le mois dernier si vous souhaitez éviter une blessure ou des ennuis d'origine nerveuse. Essayez de ne pas tout prendre autant à cœur !

SENTIMENTS. Les trois premières semaines exigent davantage de doigté. Vos rapports avec les autres pourraient se révéler décevants ou stressants. Vous avez l'impression que tout le monde réclame votre aide en même temps et que vos proches ont oublié que vous avez des besoins tout comme eux. Les beaux moments que vous vivrez ensuite vous redonneront le sourire.

AFFAIRES. Ici aussi, les trois premières semaines s'annoncent ardues et vous redouterez parfois de ne jamais voir le bout du tunnel. Pourtant, vers la fin du mois, une lueur d'espoir commencera à poindre et vous retrouvez alors votre motivation. En attendant, ne prêtez pas un sou, tenez-vous loin des magasins et n'apposez pas votre griffe sans avoir exigé des garanties sérieuses au préalable.

NOVEMBRE

DIM	LUN	MAR	MER	JEU	VEN	SAM
		1	2	3	4	5
6	7	8 ○ F	9 F	10 D	11 D	12
13	14	15	16	17	18	19
20	21	22	23 ●	24 D	25 D	26 F
27 F	28	29	30			

F Jour favorable	D Jour difficile	
○ Pleine lune et éclipse lunaire totale	● Nouvelle lune	

SANTÉ. Autre mois qui exige quelques précautions, d'autant que Jupiter se met momentanément de la partie. Ces aspects planétaires pourraient vous valoir un accident ou une défaillance. Attention, vous recommencez à vous négliger. Je sais que votre emploi du temps est chargé et que vous vivez pas mal de stress, mais ce n'est pas une excuse pour faire fi des règles du gros bon sens.

SENTIMENTS. Plusieurs satisfactions vous attendent dans l'intimité et en société avant le 16, on décèle même de belles possibilités pour les célibataires. Vous aurez des échanges constructifs avec vos amis, et leur appui vous touchera. Ils risquent cependant d'être moins disponibles par la suite. Certains membres de la famille commencent réellement à exploiter votre grand cœur.

AFFAIRES. C'est vrai que vous êtes très occupé, mais avouez que vous en prenez beaucoup trop sur vos épaules. Le contrôle de la situation vous échappe parfois et vous devez encore faire preuve de souplesse. Ce ne sera pas toujours ainsi, mais en attendant, il vaut mieux cultiver l'adaptabilité. N'allez pas trop vite en affaires, évitez les signatures précipitées et les achats impulsifs.

DÉCEMBRE

DIM	LUN	MAR	MER	JEU	VEN	SAM
				1	2	3
4	5 F	6 F	7 ○ D	8 D	9 D	10
11	12	13	14	15	16	17
18	19	20	21	22 D	23 ● D	24 F
25 F	26	27	28	29	30	31

F Jour favorable		D Jour difficile
○ Pleine lune		● Nouvelle lune

SANTÉ. La situation reviendra peu à peu à la normale une fois la première semaine écoulée. Vous serez moins impressionnable et vous apprendrez à mieux gérer votre hypersensibilité. Sur le plan physique, par contre, vous devrez continuer à faire attention à vous. Cessez d'abuser de vos forces et méfiez-vous d'une distraction ou de votre témérité, qui pourraient provoquer un accident bête.

SENTIMENTS. Vous bénéficierez d'un aspect positif de Vénus à partir du 10. Votre vie sociale deviendra époustouflante, sans compter que vos amours devraient vous transporter au septième ciel. Votre partenaire et vos amis chercheront à vous gâter et trouveront les bons mots pour vous exprimer leur attachement. Misez donc là-dessus au lieu d'écouter les éternelles jérémiades de la famille.

AFFAIRES. Jupiter cessera de compliquer votre existence pour de bon à partir du 21. Vous retrouverez une plus grande marge de manœuvre et commencerez à régler vos problèmes un à un. Il se peut que vous ayez à prendre des mesures plutôt drastiques, ce qui risque de vous terroriser sur le coup. Mais vous vous en féliciterez rapidement.

BALANCE
DU 24 SEPTEMBRE AU 23 OCTOBRE

l n'y a pas de doute, lorsqu'on vous voit tergiverser avant de prendre une décision, on sait à qui l'on a affaire : une vraie Balance. Votre recherche de l'harmonie, de la beauté, de la justice est telle qu'il vous est souvent difficile de trancher. Prendre une heure pour choisir entre deux types de pain à la boulangerie, c'est vraiment vous ! Et ça, c'est quand vous ne changez pas d'idée juste avant de passer à la caisse.

Vous recherchez le parfait équilibre entre toutes les choses. Vivre dans une ambiance harmonieuse où la bonne entente et la cordialité règnent, voilà ce qui vous motive. On remarque votre courtoisie avec tous, que vous vous adressiez à un président de compagnie, à la vieille dame d'en face, au clochard qui hante votre quartier ou au serveur de votre restaurant favori. Un mot gentil ou une attention délicate vient souvent ponctuer vos relations avec les autres. Votre politesse est exquise, ce qui est fort rare et apprécié.

Vous êtes un être sociable qui reçoit toujours des invitations pour un dîner, une sortie, une première, un lancement, un cocktail, ou même pour une balade entre amis. Avouez que vous adorez être l'objet de tant d'attentions. Votre bonne humeur, votre amabilité et votre optimisme sont contagieux, c'est la raison pour laquelle vous êtes si populaire auprès des gens. Quant à votre charme légendaire, il en fait craquer plus d'un.

Le point central de votre vie est l'amour ; toute votre existence gravite autour de cet élément. Encore une fois, puisque vous recherchez ce qu'il y a de mieux, le grand amour, le partenaire parfait, ce n'est pas toujours facile. Alors vous prenez votre temps, convaincu que la félicité vient à point à qui sait attendre.

Vous appréciez également ce qui est beau ; vous êtes un hédoniste et vous le revendiquez. Votre plaisir et votre satisfaction vous sont apportés par la beauté : un parterre de fleurs, le dessin du petit dernier. Votre automobile, votre intérieur, tout reflète votre surprenante recherche de l'esthétique. Vous êtes toujours tiré à quatre épingles, vous voulez être à la mode, très chic. On ne peut rien vous reprocher sur votre tenue vestimentaire. Vous y mettez beaucoup d'efforts et, bien entendu, les compliments pleuvent, ce qui ne manque pas de vous plaire, avouez-le !

Votre sens de la justice et de l'équité est une autre de vos principales caractéristiques : ne représente-t-on pas la Justice par une femme aux yeux bandés portant un glaive et une balance ? Qu'il s'agisse des affaires de l'État ou d'une querelle entre les enfants, d'une mésentente au bureau ou des conflits au Moyen-Orient, vous voudriez que la justice règne partout. Vous vous révoltez en pensant que les droits les plus élémentaires des individus sont bafoués partout dans le monde.

En toute circonstance, vous cherchez la paix et l'harmonie. La violence et l'agressivité vous répugnent. Lorsqu'un climat orageux tend à s'installer à l'endroit où vous êtes, vous préférez souvent partir plutôt que d'assister à des prises de bec. Pourtant, la solitude vous pèse, et vous ne restez jamais éloigné des autres trop longtemps. Mais vous savez choisir votre entourage, car la vulgarité vous blesse.

Votre humeur est remarquable, vous débordez d'optimisme et trouvez toujours le côté positif d'un événement ou d'une situation. Votre frère a perdu son emploi ? Tant mieux, c'est l'élément déclencheur qu'il lui fallait pour réorienter sa carrière. Votre meilleure amie est malade ? Eh bien, elle pourra ainsi se reposer, elle qui n'avait jamais le temps de souffler. Vous avez toujours le bon mot, mais surtout l'attitude appropriée, pour aider vos proches à surmonter leurs difficultés. Cette façon d'agir vous vaudra de nombreux compliments et plusieurs amitiés.

Ce que l'on remarque au premier regard, c'est votre douceur et l'harmonie de votre silhouette. Vos gestes sont élégants, votre démarche, sensuelle, et vous avez de petits tics tout à fait charmants, comme pencher la tête lorsque vous réfléchissez ou balancer la jambe quand vous êtes assis... Évidemment, une telle recherche de la perfection et de la beauté en toute chose ne vous permet pas de vous décider au quart de tour, et c'est là que le bât blesse parfois ; vos compagnes de magasinage trépignent d'impatience, vos collègues ragent... mais ça prendra le temps qu'il faudra, vous voulez être sûr de faire le meilleur choix possible.

COMMENT SE COMPORTER AVEC UNE BALANCE ?

La Balance est un être tout à fait charmant et d'un abord agréable. Discuter avec un natif de ce signe est un pur ravissement, du moment qu'il a tous les éléments en main : le pour, le contre, les circonstances. Avant de rendre un verdict, il a souvent besoin de connaître le « qui-du-pourquoi-du-comment ». Son processus pourra vous sembler bien long, car il se rappelle qu'il n'a pas pris tel élément en considération et que tel autre mériterait aussi qu'on s'y attarde. Bref, tous les aspects d'un problème sont mis dans la balance.

Qu'il siège à l'ONU ou qu'il compare les ingrédients de deux sauces tomate, c'est long ! Son interlocuteur doit bien souvent s'armer de patience.

Dans un dilemme opposant deux solutions distinctes, il suggérera des compromis pour accommoder toutes les parties. La Balance ne se fâche que très rarement ; en fait, elle se sert plutôt de la douceur pour convaincre et tempérer ses contradicteurs. Si vous voulez faire sortir une Balance de ses gonds, il faudra vraiment que vous y mettiez le paquet, et encore, c'est peut-être vous qui tempêterez avant elle. Lorsqu'on discute avec un natif de ce signe, la courtoisie et le sang-froid sont de mise. Exposez calmement vos doléances ou votre point de vue, et n'ayez crainte : une de ses légendaires idées ingénieuses l'aidera à dénicher une solution équitable pour tous.

Pour cohabiter harmonieusement avec une Balance, il faut lui créer un environnement calme et paisible. Les chicanes continuelles et les discussions orageuses pour un rien ne contribuent certes pas à une ambiance qu'elle appréciera. De toute façon, vous n'arriverez à rien avec un natif de la Balance en utilisant l'agressivité, les cris et les larmes ; la douceur, le charme et la gentillesse vous permettront de tout obtenir sans difficulté.

La Balance est un tantinet lente, donc si vous ne voulez absolument pas qu'elle manque votre rendez-vous, fixez le moment de la rencontre une heure plus tôt que prévu, ainsi vous serez assuré qu'elle sera là à temps. Une Balance est systématiquement en retard, car elle met trop de temps à se décider : des chaussures bleues ou noires, une robe moulante ou un pantalon ample, une cravate ou un polo à col ouvert ? Bref, elle tergiverse des heures devant la porte de la garde-robe. Et, bien entendu, lorsqu'elle se montre enfin le nez, vous pouvez être sûr que ses raisons seront bonnes, et ses excuses, adorables. Une Balance à l'heure, c'est vraiment un hasard !

SES GOÛTS

Pour la Balance, ce qui compte, c'est le beau. Un natif de ce signe est très sensible à la beauté, à l'harmonie. Ses vêtements sont choisis avec beaucoup de goût, de raffinement. Il est d'une élégance peu commune : généralement, couleurs, textures, accessoires sont assortis, des sous-vêtements au parapluie, rien n'est laissé au hasard et la recherche est parfaite. Il ne faut donc pas s'étonner de voir une Balance fouiller dans tous les recoins d'un magasin pour dénicher le portefeuille, la ceinture, les boucles d'oreilles qui s'agencent parfaitement à ses tenues.

Pour les couleurs, une Balance s'en tient surtout aux teintes douces et tendres qui reflètent bien sa personnalité. Les textures, pour leur part, sont souvent soyeuses, fluides, confortables.

Si la Balance s'habille avec un profond souci du détail, que dire de sa demeure ! Dans son petit nid, tout est recherché et étudié. Plantes, papier peint, peintures, bibelots, éclairages, tentures, rien ne détonne... On se demande comment elle fait, tellement tout est à sa place. Lorsqu'une Balance vous convie à sa table, vous pouvez être assuré que les yeux tout autant que la bouche seront comblés : chandelles, belles assiettes, nappe et serviettes de table faites à la main, ustensiles ciselés, sa présentation est étudiée et raffinée. Les mets, pour leur part, seront à son image : recherchés. Elle est un fin gourmet. Elle ne résiste pas devant un dessert bien présenté. Mais ne vous en faites pas : si vous invitez un natif de ce signe, il se montrera toujours charmant, élégant et reconnaissant, même si vous l'accueillez à la bonne franquette.

SON POTENTIEL

Le natif de la Balance n'est pas un être impulsif, il préfère soupeser, étudier, analyser le pour et le contre ; il ne faut donc pas lui confier un poste où les décisions se prennent rapidement. Par contre, si vous cherchez quelqu'un qui saura disséquer le moindre aspect d'une tâche ou d'une décision avant de rendre son verdict, c'est le candidat qu'il vous faut.

Ses préférences le poussent à opter pour des activités dans le domaine des arts. C'est un artiste remarquable, un fin artisan : la beauté n'a plus aucun secret pour lui, et il atteindra des sommets inégalés si on lui confie des contrats où l'harmonie est le trait essentiel de sa production. Par exemple, il sera un architecte talentueux, mais excellera également en horticulture, en esthétique, en décoration, en étalagisme, en mode, en coiffure et en orfèvrerie. Si par hasard ses pas le conduisent dans une autre voie, il œuvrera par exemple en tant qu'avocat, juge, procureur, coroner ou notaire ; des tâches qui demandent un solide esprit d'analyse, mais qui viendront également combler son esprit de justice. Il pourrait aussi se distinguer en relations publiques ou dans la diplomatie.

SES LOISIRS

Si notre Balance n'a pas choisi un métier du domaine artistique, elle lui consacrera sans aucun doute ses loisirs et elle aura l'embarras du choix, car c'est un être doué d'un talent remarquable : peinture, aquarelle, céramique, poterie, couture, broderie, tricot, création de sites web, design d'intérieur, aménagement paysager, toutes les portes lui sont ouvertes. En fait, tout ce que touche une Balance devient une œuvre d'art : qu'il s'agisse de se maquiller ou d'assortir les couleurs des coussins du salon, elle le fait avec goût et élégance. La Balance aime également la nature, et surtout les fleurs et les plantes. Son intérieur en est probablement rempli. Donnez-lui un lopin de terre, vous verrez ce qu'elle en fera. Pour un natif de ce signe, avoir le pouce vert n'est pas une expression dénuée de sens. S'il habite en ville, son balcon sera fleuri, et il s'occupera même des carrés d'arbres de sa rue.

La Balance est également très sociable. La solitude lui pèse vite, et rester seule trop longtemps la conduira tout droit à l'ennui. Des sorties, des réunions entre amis, des dîners au restaurant, des spectacles sont des éléments essentiels à son équilibre mental. La Balance est une personne agréable qui sait séduire et enjôler ; elle ne reste donc jamais seule très longtemps.

SA DÉCORATION

Son cocon est si douillet et si harmonieux qu'on pourrait avoir l'impression d'entrer dans un monde de rêve lorsqu'on y pénètre. Le temps et l'énergie que notre Balance a consacrés à son intérieur sont incalculables. Chez elle, rien ne dépasse : le tapis et les tentures se marient harmonieusement avec les meubles, et le moindre bibelot occupe la place qui lui convient exactement. C'est une symphonie de couleurs subtiles et de formes délicates où tout est parfait, en équilibre. Il faut dire que le moindre élément a été sélectionné avec soin ; on se croirait dans les pages d'un magazine de décoration. En fait, la Balance a un don inné pour la décoration, un goût sûr qui fait de son intérieur un écrin d'élégance et de beauté. Si vous avez des conseils de décoration à demander à quelqu'un, tournez-vous vers une Balance ; vous ne serez jamais déçu.

SON BUDGET

Évidemment, cette splendeur a un prix, et notre Balance doit avoir un porte-monnaie bien rempli pour se permettre toutes ces dépenses. Eh bien, même si un natif de ce signe ne roule pas sur l'or, sachez que c'est un excellent comptable... et un très bon consommateur qui sait magasiner, même s'il se laisse tenter facilement et dépense généreusement. En fait, une Balance qui a un budget restreint connaîtra les bons endroits où se faire plaisir à peu de frais, tout en satisfaisant ses goûts pour la beauté et l'esthétique.

Par contre, si le natif de ce signe est plus à l'aise financièrement, il voudra mettre un peu d'argent de côté. Mais si la tentation est assez grande, il succombera et remettra l'épargne à plus tard. Il est rare qu'une Balance songe à investir dans un REER alors que sa garde-robe du printemps doit être renouvelée... ou le mobilier du salon changé pour qu'il s'harmonise aux nouveaux tapis et aux nouvelles peintures qu'elle vient d'appliquer sur les murs. Bref, pour une Balance, l'argent est un moyen d'acquérir de belles choses ; ce n'est pas fait pour dormir dans un coffre-fort, et encore moins pour être investi dans des portefeuilles boursiers qui sont à ses yeux des comptes tout à fait virtuels. La Balance possède une nature résolument optimiste et ne s'inquiète pas outre mesure quand les factures arrivent... En toutes circonstances, elle garde son sourire charmeur et règle les problèmes lorsqu'ils se présentent, sans anticiper.

QUEL CADEAU LUI OFFRIR ?

Faire plaisir à un natif de ce signe est probablement la chose la plus aisée qui soit : il est toujours content. Puisque notre Balance aime les beaux objets, les vêtements à la mode, les bijoux précieux, les œuvres d'art, les créations haute couture ou d'artisans, vous aurez l'embarras du choix. Du matériel d'artiste, peinture, pastel, fusain, verrerie et étain pour vitraux, ou encore de la tapisserie aux petits points lui permettront de mettre en valeur son immense talent. En tant que mélomane avertie, elle appréciera le plus récent disque de son artiste favori. Vous pouvez également arriver chez elle avec des plantes plein les bras, des fleurs ou des parfums qui embaument ; vous ne vous tromperez pas. D'ailleurs, quel que soit le cadeau que vous lui offrirez, il sera sans doute apprécié, car notre Balance adore recevoir. Un bel emballage, un joli ruban et une carte de vos bons vœux la rendront folle de joie.

LES ENFANTS BALANCE

Quels adorables chérubins ! Ils sont mignons, souriants, enjoués et de bonne humeur. Par contre, il faut leur trouver des compagnons de jeu, car ils détestent rester seuls. S'ils sont enfants uniques, ils seront toujours dans les jambes de leurs parents. Ce sont aussi des enfants charmeurs qui savent séduire avant même d'avoir prononcé leurs premiers mots. Leur sourire est enjôleur, et personne ne peut y résister. Ainsi, ils obtiennent souvent tout ce qu'ils veulent par un simple gazouillis... Ils choisiront la méthode douce pour vous amadouer ; avec eux, pas de pleurs ni de cris.

Aimable, gentil, disposé à faire plaisir, l'enfant Balance est un compagnon de jeu agréable, et ses petits amis ne se trompent pas, c'est un bambin populaire auprès des autres. À l'école, il sera le boute-en-train de la classe, car il adore jouer ; par contre, pour les études, il aura besoin d'être sans cesse motivé, car il y a tellement de choses à explorer dans ce vaste monde que son esprit vagabondera souvent bien loin de ses devoirs et de ses leçons. Ses parents devront lui apprendre à étudier, à se concentrer sur une tâche et à se décider. Il aura tendance à changer d'avis rapidement. Une autre de ses petites faiblesses est son manque de ponctualité. Évidemment, comme il n'arrive pas à se décider, il perd du temps ; il faudra donc lui apprendre à mieux gérer celui-ci.

L'ADO BALANCE

Tu as une belle personnalité que beaucoup de tes camarades t'envient : tu es sociable, tu t'intéresses aux autres et tu aimes faire plaisir. Tu es très charmeur, et peu de gens peuvent te résister. Tu sais d'ailleurs utiliser ce pouvoir pour parvenir à tes fins. Tu aimes sortir, voir du monde, échanger, rencontrer de nouvelles personnes. La solitude, ce n'est décidément pas pour toi, car tu t'ennuies rapidement.

Les arts, la musique te font vibrer, et tu es très sensible à la beauté sous toutes ses formes. L'amour te donne des ailes et occupe une place très importante dans ta vie. Tout autour de toi et en toute chose, tu recherches l'harmonie. Aussi bien dans ta famille que dans ton cercle d'amis, tu détestes les disputes ; c'est souvent toi qui règles les petits différends entre ceux que tu côtoies.

Tu as un sens très aigu de la justice, tu ne supportes pas que quelqu'un soit maltraité devant toi. Par contre, avant de te lancer dans une entreprise, quelle qu'elle soit, tu pèses longuement le pour et le contre, et il t'est parfois difficile de te décider : tu hésites, tu balances, tu ne sais pas... Tes amis trouvent que tu « ne te branches pas ».

Les deux petits défauts qu'on pourrait éventuellement te reprocher sont liés à l'une de tes grandes qualités : tu cherches constamment à faire plaisir et à te faire aimer. Mais voilà, cela peut te rendre superficiel aux yeux des autres. Tu dois aussi corriger ton manque de ponctualité ; tu as tellement de mal à te décider que tu arrives en retard partout. Ce qui te distingue des autres cependant, c'est ton éternel optimisme ; rien ne te démonte, tu es toujours capable de déceler le bon côté des choses, même dans les pires situations.

Tes études

Tu es brillant, tu as un bon jugement, tu es même capable d'assimiler deux formations très différentes à la fois. Le grand problème, c'est de savoir à laquelle accorder le plus d'importance; tu n'arrives pas à prendre une décision finale. Comme tu apprécies la beauté et l'harmonie, tu excelles dans tes cours d'arts plastiques ou de musique. Le hic, c'est que tu t'intéresses plus à la vie sociale de l'école, aux sorties de groupe et aux réunions qu'à tes études. Avoue-le, tu es un peu paresseux de nature, et ces multiples occupations parascolaires sont pour toi de bonnes excuses pour ne pas trop travailler en classe. Pourtant, tu es doué, et la réussite t'attend si tu parviens à mettre un peu de discipline dans ta vie... et si tu n'arrives pas en retard à tes cours.

Ton orientation

Ce n'est pas facile pour toi de choisir un métier, car il y a tellement de domaines qui t'intéressent! En fait, le problème est que tu peux revenir sur ta décision, même lorsque tu jures que, cette fois, tu ne changeras plus d'idée. Tes buts changent constamment; il est difficile de faire quelque chose de ta vie dans de telles conditions. Par contre, si tu te diriges vers des métiers artistiques (les arts, la décoration, l'esthétique, la coiffure, la mode, la joaillerie, la musique, la comédie, l'horticulture, l'architecture, la littérature, l'ébénisterie, la danse), tu parviendras sûrement à te tailler une place de choix. Les communications, la diplomatie, la justice, le droit, le commerce, l'éducation ou les relations publiques sont aussi des domaines où tu pourras briller.

Tes rapports avec les autres

Tes amis, ta famille occupent une place prépondérante dans ta vie, car tu ne supportes pas d'être seul. Même pour étudier, tu as besoin de monde autour de toi. Donc, tu seras meilleur dans les travaux scolaires en équipe. Tu as également besoin d'un environnement calme où règne la bonne entente; les cris et les disputes te perturbent énormément. Tu penses beaucoup aux autres, tu essaies de faire plaisir et tu as besoin de te sentir aimé pour bien fonctionner dans un groupe.

Tu es quelqu'un de très généreux, mais tu n'as pas besoin de dépenser de l'argent pour conquérir les autres; ton sourire te permet de te faire facilement des amis. Le plus important pour toi est cependant de bien les choisir.

LE PARENT BALANCE
Le parent facile

Vous avez soif d'harmonie, vous la recherchez en tout. La justice compte à vos yeux, et vous traitez chacun de vos enfants de manière égale. Débonnaire, vous êtes un peu trop permissif et vous avez tendance à les gâter. Vous avez du mal à résister aux crises et aux affrontements. Par ailleurs, vous êtes affectueux, aimant et attentif : vous veillez à ce que vos enfants aient la meilleure éducation et la meilleure qualité de vie possible, et vous les habillez comme de petites gravures de mode.

L'EMPLOYÉ BALANCE

Il est très sociable, il adore le public et le contact avec les gens, et il excelle dans les travaux d'équipe. Il aime plaire, il a du tact, il s'implique dans les réunions et motive les autres. Toutefois, il travaille un peu lentement et a besoin de pauses régulières pour conserver son élan. Quelque peu hésitant, il a parfois tendance à cumuler du retard.

LE PATRON BALANCE

C'est quelqu'un de très humain, qui prend en considération l'opinion des autres, de ses employés. Diplomate, il sait atténuer les tensions et motiver ses troupes. Cependant, il ne tolère pas les injustices et le commérage. Il change parfois d'objectifs ou de façon de faire du tout au tout, ce qui peut être déstabilisant pour son équipe.

LA BALANCE DANS LA CUISINE

Vous incarnez le raffinement : vous recherchez l'harmonie en tout et vous adorez les réunions sociales. D'ailleurs, vous aimez bien cuisiner entouré de vos invités. Vous privilégiez une cuisine subtile et élégante.

Vos tables sont belles : vos présentations sont soignées, et vos mets, délicats. Vous aimez les saveurs équilibrées et douces, et vous avez un faible pour les desserts.

Vous adorez :
- la cuisine de style fusion ;
- les aliments moelleux, contrairement aux plats secs ;
- élaborer des mets délicats et raffinés ;
- ajouter une touche de sucre, de miel ou de sirop d'érable à vos plats.

✦ CE QUE LA NATUROPATHE VOUS SUGGÈRE

Diminuez votre consommation de sucre, c'est votre péché mignon.

Méfiez-vous des desserts, des collations sucrées, des chocolats et des bonbons : ceux-ci volent parfois la place à des aliments ayant une meilleure valeur alimentaire.

ILS SONT BALANCE EUX AUSSI

Rachid Badouri, Brigitte Bardot, Alexandre Barrette, Sonia Benezra, Geneviève Borne, Denis Bouchard, Daniel Boucher, Simon Cowell, René Richard Cyr, Matt Damon, Patrice Dubois, Hilary Duff, Jean-René Dufort, Diane Dufresne, Zac Efron, Eminem, Chantal Fontaine, Louis-José Houde, Kim Kardashian, Anthony Kavanagh, Avril Lavigne, Daniel Lemire, John Lennon, Claude Léveillée, Bruno Mars, Mélanie Maynard, Julie McClemens, Dominique Michel, Gwyneth Paltrow, François Pérusse, Martin Petit, Richard Petit, Luc Picard, Danielle Proulx, Gilles Renaud, André Robitaille, Geneviève Schmidt, Will Smith, Gwen Stefani, Guylaine Tanguay, Marie-Hélène Thibault, Marie Tifo, Guylaine Tremblay, Gilles Vigneault, Serena Williams, Kate Winslet.

✦ OUTILS POUR TRANSFORMER VOTRE DESTINÉE

Cessez de procrastiner. Vous avez de bonnes idées, mais vous remettez constamment vos projets et, au bout du compte, rien ne se fait.

Faites confiance à votre voix intérieure. Vous hésitez trop lorsque vous devez prendre des décisions, alors que souvent vous connaissez déjà la réponse.

Soyez moins idéaliste, faites des compromis. Rechercher la perfection vous empêche d'agir en vous paralysant.

Pensée positive pour la Balance

Je capte toute l'harmonie de l'univers et la canalise dans ma vie.
Je fais le bon choix en toute situation et j'avance vers l'amour.

Pensée positive spéciale pour 2022

Je sais parfaitement ce qui est bon pour moi et je prends les moyens et le temps nécessaires pour l'obtenir. La réussite m'appartient.

Le subconscient nous dirige toujours selon nos pensées. En répétant le plus souvent possible ces pensées conçues tout spécialement pour vous, vous vous attirerez plein de belles choses.

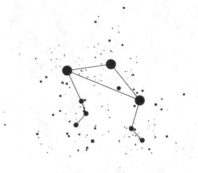

Signe : Balance

Élément : air

Catégorie : cardinal

Symbole : ♎

Points sensibles : reins, vessie, appareil urinaire, bas du dos, obésité, diabète, hypoglycémie. Attention au sucre !

Planète maîtresse : Vénus, planète de l'amour.

Pierres précieuses : opale, jade, corail.

Couleurs : les tons pastel et les couleurs tendres, rose, turquoise.

Fleurs : violette, jonquille, rose thé… et toutes les autres.

Chiffres chanceux : 6-9-15-18-23-26-36-39-41-45.

Qualités : doux, tendre, affectueux, amoureux de l'amour, juste, diplomate, charmeur.

Défauts : indécis, instable, dépensier, retardataire, effrayé par la solitude.

Ce qu'il pense en lui-même
Je voudrais que tout soit beau autour de moi.

Ce que les autres disent de lui
Il ne se branche pas… Mais on lui pardonne ; il est si adorable !

PRÉDICTIONS ANNUELLES

Vous bénéficierez encore de l'appui de Saturne pendant toute l'année. Ce transit exceptionnel permet d'atteindre la stabilité et la durabilité, il favorise en effet les entreprises sérieuses ou à long terme. Comme on l'associe davantage au travail récompensé qu'aux coups d'éclat, vous devrez mettre la main à la pâte pour obtenir ce que vous désirez. Mais en privilégiant les actes sages et raisonnables de même que les efforts soutenus, vous vivrez une année 2022 hors pair, dont vous vous souviendrez. Attention cependant à l'opposition de Jupiter, qui s'exercera à partir du 10 mai et qui pourrait vous faire oublier ces quelques consignes, ce qui serait bien dommage.

SANTÉ. Le cycle de récupération et de découverte de vous-même se poursuit, quelle belle évolution ! Si vous avez besoin d'accompagnement professionnel pour retrouver votre équilibre physique ou émotionnel, sachez que vous pourriez enfin trouver la personne susceptible de vous aider. Pendant les six derniers mois, vous serez un peu plus enclin au laisser-aller et à la gourmandise. Votre faiblesse pour les sucreries et les féculents risque de vous faire prendre du poids, mais aussi de malmener votre résistance. C'est bien de s'offrir une gâterie ou de se payer des petits plaisirs, mais tout de même, ne vous négligez pas trop.

SENTIMENTS. Vous qui êtes habituellement ami avec tout le monde devenez beaucoup plus sélectif. Ce que vous recherchez en 2022, ce sont des relations sérieuses et profondes. Vous avez moins besoin de vous étourdir et d'être constamment entouré d'une foule de gens. Vous réalisez que c'est vous la personne la plus importante et vous décidez de vous consacrer davantage de temps. Ça ne signifie quand même pas que vous allez vous transformer en ermite ! Disons simplement que votre priorité désormais est de vous bâtir une vie amoureuse stable et de nouer des amitiés basées sur le respect et le partage. La conjoncture vous permettra justement de concrétiser vos objectifs.

AFFAIRES. Après quelques années d'incertitude et même, parfois, de turbulences, vous trouvez enfin votre voie. Vous penchez de plus en plus vers quelque chose de solide, voire de durable. D'ailleurs, les démarches et les gestes que vous ferez en ce sens donneront d'excellents résultats. Votre situation connaîtra un bel essor et vos finances devraient s'équilibrer. Quand Jupiter commencera son opposition en mai, vous devrez prendre certaines précautions afin de ne pas mettre vos acquis en péril. Proscrivez les prêts, les investissements risqués ainsi que les entreprises irréfléchies. N'essayez pas d'aller trop vite en affaires et n'accordez surtout pas votre confiance au premier venu. Il vaudra mieux respecter la loi, car une contravention ou une amende pourrait se révéler coûteuse.

JANVIER

DIM	LUN	MAR	MER	JEU	VEN	SAM
						1
2 ● D	3 D	4 F	5 F	6	7	8
9	10	11	12	13 F	14 F	15 F
16 D	17 ○ D	18 D	19	20	21	22
23	24	25	26	27	28	29
30 D	31 D					

F Jour favorable		D Jour difficile	
○ Pleine lune		● Nouvelle lune	

SANTÉ. Un début d'année plutôt encourageant. Votre forme physique est stable et elle pourrait même s'améliorer si vous bougiez davantage. En effet, la sédentarité finirait par vous engourdir et vous déprimer. Mettez le nez dehors, ne serait-ce que pour marcher, je vous garantis que ça vous fera le plus grand bien.

SENTIMENTS. Vous n'êtes pas d'accord avec votre douce moitié au sujet des finances. Ne tentez pas de lui imposer vos idées, la conversation tournerait au vinaigre. Essayez l'humour et la patience, ce sont vos deux meilleurs atouts. Sur le plan social, c'est fantastique, vous voyez plein de beau monde et vous faites la connaissance de gens fort sympathiques.

AFFAIRES. C'est grâce à votre ingéniosité et à votre richesse d'argumentation que vous progresserez. Ces mêmes dispositions pourraient aussi vous permettre de vous sortir d'une impasse. Excellent mois pour faire des recherches, présenter une demande, négocier et, s'il vous reste du temps, pour vous déplacer.

FÉVRIER

DIM	LUN	MAR	MER	JEU	VEN	SAM
		1 ● F	2 F	3	4	5
6	7	8	9	10 F	11 F	12 D
13 D	14 D	15	16 ○	17	18	19
20	21	22	23	24	25	26 D
27 D	28 F					

F Jour favorable		D Jour difficile
○ Pleine lune		● Nouvelle lune

SANTÉ. Tout serait parfait si votre tendance à l'impatience et à l'impulsivité ne cherchait pas à prendre le dessus. En effet, vous risquez de vous faire mal en voulant aller trop vite ou en agissant précipitamment. Ajoutons que vous vous fâchez pour un rien. C'est simple, respirez à fond, modérez la cadence et cessez de vous mettre à l'envers pour des peccadilles.

SENTIMENTS. Vos relations interpersonnelles sont anxiogènes. Un membre de la famille vous inquiète ou vous contrarie tandis que votre partenaire est à prendre avec des pincettes. Par moments, vous ne savez plus où vous réfugier. Heureusement, il y a les amis pour vous changer les idées ! Allez donc vers les autres et profitez des invitations qu'on vous lance.

AFFAIRES. Ici aussi, les tensions sont nombreuses. Mais vous n'arrangerez rien en vous obstinant et en butant sur les détails. Essayez plutôt de vous aérer l'esprit et passez à autre chose lorsqu'une activité ne se déroule pas comme vous le souhaitez. Vous aurez l'occasion d'y revenir plus tard et, à ce moment-là, tout ira mieux. Bon mois pour mettre des sous de côté ou consolider vos finances.

MARS

DIM	LUN	MAR	MER	JEU	VEN	SAM
		1 F	2 ●	3	4	5
6	7	8	9 F	10 F	11 F	12 D
13 D	14	15	16	17	18 ○	19
20	21	22	23	24	25 D	26 D
27 F	28 F	29 F	30	31		

F Jour favorable	D Jour difficile
○ Pleine lune	● Nouvelle lune

SANTÉ. La quadrature de Mars perdure jusqu'au 7, vous devez donc absolument rester sur le qui-vive. En agissant de la sorte, vous demeurerez à l'abri des blessures et des malaises. Sur le plan psychologique, vous traînez un peu de la patte. Toutefois, en coupant avec le passé et en cessant de vous inquiéter pour tout le monde, vous vous en sortirez haut la main.

SENTIMENTS. Tout accroche durant la première semaine, mais ne désespérez pas, les choses s'arrangeront rapidement. En effet, vous bénéficierez de plusieurs transits fantastiques entre le 6 mars et le 7 avril. Voilà plus qu'il n'en faut pour faire redémarrer vos amours : une belle rencontre pour les célibataires et un magnifique rapprochement pour les autres. En plus de ce bonheur intime, vous recevez une foule d'invitations et plein de petites gâteries.

AFFAIRES. Même scénario dans ce secteur. Rien ne marche à votre goût durant la première semaine et vous accumulez les frustrations. Qu'à cela ne tienne, la conjoncture changera complètement par la suite. Ça débloquera, vous progresserez considérablement et arrêterez de tirer le diable par la queue.

AVRIL

DIM	LUN	MAR	MER	JEU	VEN	SAM
					1 ●	2
3	4	5 F	6 F	7 F	8 D	9 D
10	11	12	13	14	15	16 ○
17	18	19	20	21	22 D	23 D
24 F	25 F	26	27	28	29	30 ●

F Jour favorable	D Jour difficile
○ Pleine lune	● Nouvelle lune, celle du 30, combinée à une éclipse solaire partielle

SANTÉ. Par moments, le moral fait encore des siennes, mais jamais comme au cours des dernières semaines. La présence de Mars dans votre cinquième secteur vous donne envie de bouger, de sortir et même de faire de l'exercice. Excellente idée, cela augmentera certainement votre vitalité. Bon mois, donc, pour tonifier votre santé ou pour une mise en beauté. L'éclipse du 30 ? Ni vue ni connue.

SENTIMENTS. Je vous rappelle que plusieurs planètes président à vos amours jusqu'au 7 et que, par conséquent, le bonheur est à votre portée, il ne vous reste qu'à le saisir. Les autres semaines ne vous réservent rien de vilain, elles pourraient seulement être plus routinières. Sur le plan social, le mois en entier demeure enlevant, vous n'aurez absolument pas le temps de vous ennuyer. Une bonne nouvelle provenant d'un parent vous remplit de joie.

AFFAIRES. Votre dynamisme vous ouvre toutes les portes. Vous traversez une période propice aux démarches, aux recherches, aux déplacements et aux négociations. N'hésitez pas à vous mettre en vedette et à prendre le crédit de ce que vous faites. Il ne sert à rien d'être trop humble. Vos finances commencent à se stabiliser.

MAI

DIM	LUN	MAR	MER	JEU	VEN	SAM
1	2	3 F	4 F	5 D	6 D	7
8	9	10	11	12	13	14
15 ○	16	17	18 D	19 D	20 F	21 F
22 F	23	24	25	26	27	28
29	30 ● F	31 F				

F Jour favorable	D Jour difficile	
○ Pleine lune et éclipse lunaire totale	● Nouvelle lune	

SANTÉ. Encore une éclipse qui n'aura guère d'incidence sur vous. Alors que beaucoup s'en trouvent incommodés, vous, curieusement, vous allez de mieux en mieux. Sur le plan psychologique aussi vous progressez énormément. Vous êtes mieux centré et, par conséquent, vous vous sentez beaucoup moins ballotté par les événements et l'entourage.

SENTIMENTS. Vous arrivez à créer un bel équilibre entre vos besoins et ceux des autres. Vos marques de tendresse sont accueillies avec joie et on s'empresse de vous retourner la pareille. Votre popularité ne faiblit pas, bien au contraire, on ne se lasse pas de voir le bout de votre nez. N'empêche que vous trouvez que certains sont un peu trop collants.

AFFAIRES. Vous ne vous sentez pas toujours très vaillant. En vérité, vous avez davantage envie de prendre ça doucement, voire de paresser. Pourtant, il y a tant à accomplir ! Déterminez quelles sont les choses qui pressent vraiment, sans quoi vous risquez de paniquer devant la montagne de besogne qui pourrait s'accumuler.

JUIN

DIM	LUN	MAR	MER	JEU	VEN	SAM
			1	2 D	3 D	4
5	6	7	8	9	10	11
12	13	14 ○	15 D	16 D	17 F	18 F
19	20	21	22	23	24	25
26 D	27 D	28 ● F	29 D	30 D		

F	Jour favorable		D	Jour difficile
○	Pleine lune		●	Nouvelle lune

SANTÉ. L'arrivée de la planète Mars à l'opposé de votre signe vous rend plus vulnérable. Prenez davantage de précautions dans vos déplacements et lorsque vous manipulez des objets avec lesquels vous pourriez vous faire mal. En renforçant votre système immunitaire et en vous accordant le temps de vous relaxer, vous pourrez éviter les défaillances et les malaises de toutes sortes.

SENTIMENTS. Vos proches ne partagent pas toujours vos opinions. Cependant, en usant de douceur et en gardant votre calme, vous finirez très certainement par vous faire entendre. Inutile de revenir sur le passé, ça ne vous vaudra que des problèmes. Une personne dont vous aviez perdu la trace vous donne enfin de ses nouvelles... Mais tenez-vous vraiment à renouer avec elle ? Surprise en amour durant la dernière semaine.

AFFAIRES. Les choses vont un peu trop lentement à votre goût, ce qui vous irrite royalement. Toutefois, ce n'est pas en vous emportant ou en vous rebiffant que vous améliorerez votre sort, loin de là. Faites plutôt le point, mettez de l'ordre dans vos affaires et commencez à planifier. Bientôt, vous pourrez passer à l'action. En attendant, gare aux achats compulsifs, surtout avec ce risque de dépense imprévue.

JUILLET

DIM	LUN	MAR	MER	JEU	VEN	SAM
					1	2
3	4	5	6	7	8	9
10	11	12	13 ○ D	14 D	15 F	16 F
17	18	19	20	21	22	23
24 F	25 F	26 D	27 D	28 ● D	29	30
31						

F Jour favorable		D Jour difficile	
○ Pleine lune		● Nouvelle lune	

SANTÉ. Excellente nouvelle : Mars cessera de s'opposer à votre signe le 6 et vous devriez vous sentir renaître. Le moment sera alors parfait pour adopter des mesures efficaces afin de vous débarrasser de problèmes qui vous empêchaient de fonctionner pleinement. Il ne reste qu'à modérer votre penchant pour les bonnes choses… Votre moral connaît des hauts et des bas du 5 au 20.

SENTIMENTS. Vous ferez de nombreuses rencontres ce mois-ci, ce qui pourrait mettre du piquant dans la vie des célibataires. La période est idéale également pour renouer avec d'anciens copains. Les soucis d'ordre familial commenceront à se résorber. Quant à votre partenaire, il sera particulièrement aimable jusqu'au 18, mais il risque de bougonner par la suite. Abordez-le avec humour, vous le dériderez aisément.

AFFAIRES. Vous aimeriez avoir plus de contrôle sur la situation, malheureusement, vous n'êtes pas en position de force pour l'instant et vous devez vous plier à ce que les autres ou la destinée décident pour vous. Au lieu d'aller à contre-courant, jouez la carte de la souplesse et profitez-en pour faire le bilan. De toute façon, le moment est venu de tourner certaines pages et de commencer à regarder ailleurs.

AOÛT

DIM	LUN	MAR	MER	JEU	VEN	SAM
	1	2	3	4	5	6
7	8	9 D	10 D	11 ○ F	12 F	13
14	15	16	17	18	19	20
21 F	22 D	23 D	24 D	25	26	27 ●
28	29	30	31			

F Jour favorable	D Jour difficile
○ Pleine lune	● Nouvelle lune

SANTÉ. Décidément, vous allez de mieux en mieux. Vous êtes tellement en forme que votre entourage a parfois du mal à vous suivre. Vous affichez un moral à toute épreuve tandis que votre résistance physique ne cesse d'augmenter. Il est vrai que vous faites de gros efforts en ce sens, et ça se voit, croyez-moi ! Bon mois pour la danse, l'exercice ainsi que les transformations beauté.

SENTIMENTS. La conjoncture vous avantagera énormément sur le plan intime et social entre le 12 août et le 6 septembre. Vous pourrez raviver la flamme avec votre partenaire ou trouver une personne à votre goût si vous êtes seul. Les invitations abonderont et vous croiserez plein de gens intéressants. Ne reste qu'à vous souhaiter de bien profiter de tous les beaux moments qui viennent.

AFFAIRES. Les choses iront plus rondement à partir du 20. Les obstacles disparaîtront, vous frapperez à la bonne porte au bon moment, vous vous rapprochez de votre but et vos finances cesseront de vous donner des maux de tête. D'ici là, réglez ce qui traîne ou redéfinissez votre plan d'action.

SEPTEMBRE

DIM	LUN	MAR	MER	JEU	VEN	SAM
				1	2	3
4	5 D	6 D	7 F	8 F	9 F	10 ○
11	12	13	14	15	16 F	17 F
18 F	19 D	20 D	21	22	23	24
25 ●	26	27	28	29	30	

F Jour favorable		D Jour difficile
○ Pleine lune		● Nouvelle lune

SANTÉ. Le stress ne semble pas avoir d'emprise sur vous, vous êtes devenu bien philosophe ! Sur le plan physique, vous entamez une période du tonnerre durant laquelle vous ferez preuve d'un dynamisme et d'une robustesse hors du commun. Si vous traîniez encore de la patte, vous pourrez facilement en venir à bout avec quelques efforts. Excellent *timing*, donc, pour prendre votre vie en main.

SENTIMENTS. Je vous rappelle que tous les espoirs sont permis en amour jusqu'au 7. Un brin de délicatesse et d'empathie contribuera à faire durer votre bonheur intime pendant le reste du mois. Le téléphone ne cesse pas de sonner, on vous invite à gauche et à droite, un revenant vous donne même des nouvelles.

AFFAIRES. Les activités se succèdent rapidement, mais vous êtes capable d'en prendre. Un changement dont vous rêviez depuis longtemps pourrait enfin se concrétiser. Vos projets vont bon train, vos idées brillantes vous permettent d'aller de l'avant et de trouver des solutions ingénieuses. Ajoutons que lorsqu'il s'agit de négocier, vos arguments viennent à bout des plus récalcitrants.

OCTOBRE

DIM	LUN	MAR	MER	JEU	VEN	SAM
						1
2	3 D	4 D	5 F	6 F	7	8
9 ○	10	11	12	13	14 F	15 F
16 D	17 D	18 D	19	20	21	22
23	24	25 ●	26	27	28	29
30 D	31 D					

F Jour favorable		D Jour difficile	
○ Pleine lune		● Nouvelle lune et éclipse solaire partielle	

SANTÉ. Ce n'est assurément pas l'éclipse qui viendra à bout de votre vitalité. Vous avez de l'énergie à revendre, parfois même un peu trop. Vous oubliez de vous garder du temps pour vous, vous courez partout sans jamais vous arrêter. Ce rythme effréné peut engendrer de l'insomnie, perturber votre digestion et vous donner des points dans le dos.

SENTIMENTS. Les astres jouent pour vous, sans compter que vous avez un charme irrésistible. Vous êtes constamment de sortie, vous revoyez vos anciens copains et vous nouez également de nouvelles amitiés, ce qui peut se révéler fort positif pour les célibataires. Si vous êtes en couple, votre partenaire pourrait trouver que vous le négligez au profit de votre vie sociale.

AFFAIRES. Après quelques semaines à tourner en rond, voici que la conjoncture favorise toutes vos entreprises. Le moment est venu d'aller de l'avant, de mettre vos projets en marche, de présenter vos requêtes. Les déplacements sont eux aussi avantageux, vous avez même des possibilités au jeu pour un prix secondaire. Attention toutefois aux dépenses farfelues.

NOVEMBRE

DIM	LUN	MAR	MER	JEU	VEN	SAM
		1 F	2 F	3	4	5
6	7	8 ○	9	10 F	11 F	12 D
13 D	14	15	16	17	18	19
20	21	22	23 ●	24	25	26 D
27 D	28 F	29 F	30			

F Jour favorable		D Jour difficile
○ Pleine lune et éclipse lunaire totale		● Nouvelle lune

SANTÉ. Une autre éclipse inoffensive ! Vous continuez à déborder d'énergie, mais vous semblez mieux la canaliser que le mois dernier. Vous prenez désormais des pauses et vous apprenez à refaire le plein. Bravo, car je craignais que vous ne vous épuisiez. La seconde quinzaine est propice aux cours de toutes sortes et aux remises en beauté.

SENTIMENTS. Vous jouirez d'un transit fort avantageux de Vénus entre le 16 novembre et le 11 décembre. Les célibataires rempliront un vide tandis que les autres retomberont en amour avec leur partenaire. Sur le plan social aussi, ça promet, vous vivrez une période passionnante. Vous remettrez à sa place une personne agressive qui commençait à jouer royalement avec vos nerfs.

AFFAIRES. Vous tournez certaines pages et vous vous orientez différemment. C'est une idée géniale qui vous permet de vous affranchir de certaines contraintes et de vous épanouir davantage. Votre rêve d'autonomie et d'indépendance devient de plus en plus accessible. La dépense ne vous pèse pas au bout des doigts, vous y allez peut-être un peu fort !

DÉCEMBRE

DIM	LUN	MAR	MER	JEU	VEN	SAM
				1	2	3
4	5	6	7 ○ F	8 F	9 F	10 D
11 D	12	13	14	15	16	17
18	19	20	21	22	23 ●	24 D
25 D	26 F	27 F	28	29	30	31

F Jour favorable	D Jour difficile
○ Pleine lune	● Nouvelle lune

SANTÉ. Vous semblez plus au ralenti qu'au cours des dernières semaines, mais il n'y a pas de quoi paniquer. L'adoption de meilleures habitudes alimentaires et les transformations beauté demeurent favorisées durant la première quinzaine. Sur le plan moral, le stress pourrait avoir plus d'emprise sur vous entre le 7 et le 31 si vous n'apprenez pas à vous aérer les idées.

SENTIMENTS. Votre vie sociale s'annonce fantastique pendant tout le mois. Vous êtes sollicité comme jamais, à tel point que vous ne savez plus quelle activité privilégier. En amour, ce sont les dix premiers jours qui sont les meilleurs, quoique le reste de 2022 ne vous réserve rien de mauvais. Vous faites bien d'ignorer un jeune ou un membre de la famille qui veut vous monter sur le dos.

AFFAIRES. La première semaine est extraordinaire, vous obtenez tout ce que vous désirez avec une aisance déconcertante. Par la suite, vous devrez user de davantage de persévérance pour arriver à vos fins, mais croyez-moi, ça en vaut largement la peine. Un déboursé imprévu est possible au cours des dix derniers jours, il serait donc judicieux de vous garder un peu d'argent.

SCORPION

DU 24 OCTOBRE AU 22 NOVEMBRE

I l ne vous sert à rien de vouloir le cacher : vous êtes un Scorpion, un vrai. D'ailleurs, vous le savez pertinemment, car rien ne vous échappe.

Ce qui frappe d'abord chez vous, ce sont vos yeux. Remplis de mystère, scrutateurs, ils pénètrent au plus profond de ceux de vos interlocuteurs, jusqu'à leur âme. Lorsque vous regardez quelqu'un, cette personne a l'impression que vous lisez en elle comme dans un livre ouvert et qu'elle ne peut rien vous dissimuler. En fait, ce n'est pas tant ce que vous voyez que ce que vous devinez qui est incroyable. Vous êtes doté d'une remarquable intuition : vous pressentez les événements, vous devinez les gens, leurs intentions et leurs sentiments. Vous percez leurs secrets les plus intimes, ce qui, bien entendu, les met parfois mal à l'aise en votre présence.

Votre charisme et votre magnétisme sont si puissants que vous troublez les gens ; avouez que cela vous plaît bien. Ce côté mystérieux de votre personnalité n'est pas le moindre. Votre charme et votre grand pouvoir de séduction contribuent également à vous conférer un tempérament bien différent de tous les autres.

Ce que l'on sait moins de vous, car vous ne le laissez jamais paraître – sans doute par crainte d'être blessé –, c'est que vous êtes hypersensible et très émotif. Vos sentiments sont à l'image de votre regard : ardents, jamais fades, et toujours remplis de passion. Que vous aimiez ou que vous haïssiez, il n'y a pas de demi-mesures. Vos sentiments sont profonds, très profonds, souvent un peu confus et parfois même troubles. C'est la raison pour laquelle on a quelquefois l'impression que vous vous moquez des gens, que vous êtes hautain, dédaigneux des autres, alors que c'est plutôt une sorte de distance que vous mettez entre vous et eux pour mieux les comprendre et pour être sûr de la qualité de vos relations. Vous avez tellement peur d'être blessé que vous vous tenez en retrait, à l'abri sous votre épaisse carapace. Prêt à vous défendre avec votre aiguillon, vous piquez comme la bestiole qui vous représente, puis vous jugez des réactions. Ce n'est pas de la méchanceté, simplement un test. Et c'est là que réside le problème : personne n'aime être ainsi testé, et l'on se plaint de votre côté démoniaque, de votre cruauté, de votre méchanceté… de ces travers qui intriguent, bien sûr, ceux qui ne vous connaissent pas.

Votre tempérament est contrasté. Vous ne parlez pas, ce qui dérange, et quand vous parlez, cela dérange encore plus : vos propos sont si nets, si catégoriques. Mais encore une fois, cela est attribuable au mur de protection que vous dressez autour de vous. Si l'on parvient à vous rejoindre dans votre forteresse, tout se passe très bien.

Vous êtes passionné de mondes étranges, de personnes insolites, de sciences ésotériques, de parapsychologie, et la mort vous fascine. Bref, vous vous êtes construit un monde de mystère captivant. Comme vous finissez toujours par trouver ce que vous cherchez, vous excellez dans des domaines où votre intuition et votre extraordinaire perception sont mises à l'épreuve. Mais, bien sûr, vous gardez toutes ces découvertes pour vous.

Votre flair et votre mémoire sont incroyables, et comme, en plus, vous êtes très visuel, peu de choses vous échappent. Vous vous souvenez de ce qu'on vous fait et, surtout, de ce qui vous blesse. Même trente ans plus tard, tout est encore aussi frais dans votre esprit. Vous n'oubliez rien et vous êtes assez rancunier. Votre vraie vengeance se manifeste par une méfiance accrue… À moins que vous ne décidiez d'ignorer la personne qui vous a blessé. Dans ce cas, c'est comme si elle n'existait plus pour vous. Que ce soit le camarade de classe qui vous avait lancé un élastique en deuxième année, la fatigante qui tournait autour de votre premier ami de cœur, le vieil oncle qui vous taquinait un peu trop quand vous étiez jeune ou le conjoint repentant qui revient avec des fleurs, mais que vous attendez de pied ferme malgré votre sourire, et qui recevra votre venin… tous ceux qui vous ont blessé goûteront un jour à votre médecine, ils ne perdent rien pour attendre. Quand quelqu'un vous fait du mal, tôt ou tard, ça se retournera contre lui. Vous savez être sarcastique, vous placez vos pointes à l'endroit le plus vulnérable, au point sensible, là où vous atteindrez votre but. Puisque vous avez une tendance à la rancune, vous êtes porté à vivre dans le passé, à remuer le fer dans la plaie et à mijoter votre vengeance, même si cela vous fait souffrir.

Vous êtes possessif, que ce soit en amour ou en amitié. Par contre, vous êtes très fidèle et dévoué envers les gens qui comptent pour vous ; avec eux, c'est à la vie à la mort. Vous taquinez parfois un peu vos proches, vous mettez l'être cher à l'épreuve. Mais si quelqu'un vient causer de la peine à ceux que vous aimez, vous saurez l'accueillir avec votre redoutable aiguillon. Votre confiance n'est pas facile à gagner, mais une fois que c'est fait, votre amitié et votre affection sont indéfectibles. Toutefois, personne n'est à l'abri de vos petites remarques acidulées, pas même votre entourage, que vous aimez tant.

COMMENT SE COMPORTER AVEC UN SCORPION ?

Il n'est pas du tout facile de trouver la bonne attitude du premier coup lorsqu'on le rencontre. Que penser de lui, comment l'aborder sont autant de questions délicates. S'il fait preuve d'humour, on se demande s'il rit à nos dépens. Avec lui, on demeure perplexe, même lorsqu'il fait partie de nos proches depuis bon nombre d'années.

En fait, la première chose à faire est de mériter sa confiance, ce qui n'est pas gagné d'avance. De toute façon, il ne l'accordera pas spontanément. Avec lui, le mot « gagner » prend tout son sens. Car il faudra peut-être des années avant qu'il ne vous la donne. Et si jamais vous la perdez, ne comptez pas la retrouver facilement. Vous devrez aussi vous habituer à ses remarques, à ses petites crises, aux flèches qu'il décoche si facilement à tous. Comme c'est un être très sensible, vous constaterez que ses angoisses sont lourdes à supporter, pour lui, bien sûr… mais aussi pour les autres.

Pour le convaincre de votre idée, il ne sert à rien de tempêter ou de vouloir lui enfoncer vos principes dans le crâne... Laissez-le découvrir de lui-même les raisons profondes de vos positions. Il le fera souvent à votre insu, et ensuite seulement il se décidera. Vos arguments ne changeront rien. D'ailleurs, il ne se laissera sûrement pas influencer par votre raisonnement. Si, par malheur, vous lui cachez quoi que ce soit ou, pire, si vous lui mentez, c'est terminé ; il ne vous fera plus confiance, et vous ne pourrez certainement pas le convaincre du bien-fondé de votre opinion.

Le temps ne changera rien à son comportement ; vous aurez beau le connaître depuis des années, il ne sera pas plus sociable avec vous. Il s'ouvrira un peu – jamais complètement –, mais avec les autres, il ne changera pas. Son esprit de contradiction, ses sarcasmes, son humour cinglant et ses attitudes mystérieuses font partie intégrante de sa personnalité. Il faudra le prendre tel quel, sans chercher à vouloir le changer.

En toutes circonstances, le Scorpion est gouverné par ses émotions. Pour cette raison, il a besoin de savoir qu'il peut se fier aveuglément à vous, que vous lui êtes dévoué et fidèle, et surtout que, même lorsque vous ne le comprenez pas, vous l'acceptez totalement.

Le Scorpion n'est pas un être comme les autres, ne l'oubliez jamais. C'est un être exceptionnel, extraordinaire, dans le vrai sens du terme, c'est-à-dire qui sort de l'ordinaire. C'est d'ailleurs ce qui vous a attiré vers lui. Alors n'essayez surtout pas d'en faire un être ordinaire ; vous perdriez votre temps et dépenseriez votre énergie pour rien.

SES GOÛTS

Par-dessus tout, il aime semer un léger trouble chez les autres. Pour lui, les choses sont tout blanc ou tout noir, c'est clair et net. Il n'y a pas de juste milieu. Il affiche sur lui cette caractéristique : ses vêtements seront blancs, rouges ou noirs et non crème, rose ou gris. Dans les matières, c'est la même chose. Elles sont généralement brutes : le cuir, le métal. Il ne détestera pas les chemises gitanes. Les femmes Scorpion portent presque exclusivement le pantalon. Si elles choisissent une robe, elle sera moulante et très sexy. Le Scorpion dégage beaucoup de magnétisme ; on le remarque de loin et, bien entendu, il utilise cette facette de sa personnalité. Pour son intérieur, il oubliera les flaflas. La décoration de son logement est généralement déconcertante, presque glaciale. En fait, on ne s'y sent pas toujours à l'aise. Vous entrez dans son domaine et avez cette sensation dès que vous avez franchi le pas de la porte. À table, il aime la viande, les fruits de mer, les mets très relevés, très épicés ; n'ayez pas peur de brûler son palais ! S'il a préparé le repas, demandez donc un verre d'eau : vous en aurez besoin, croyez-moi. Il aime les alcools grisants, les vins corsés et capiteux. Ainsi, même à table, il ne connaît pas les demi-mesures. Avec de tels goûts, ce n'est guère étonnant qu'il ait parfois des problèmes d'estomac.

SON POTENTIEL

Faire des cachotteries à un Scorpion relève de l'exploit. Il sait tout, devine tout, voit tout, entend tout, même lorsqu'on pense qu'il n'écoute pas. Il fera fureur dans des métiers où l'investigation est reine : policier, détective, espion ou chercheur. Le domaine de la recherche est vraiment sa discipline. Il excellera dans les techniques policières, la sécurité, la médecine, la recherche fondamentale, la chirurgie, la psychiatrie, l'astrologie ainsi que la boucherie et le travail des métaux. Étant attiré par tout ce qui touche de près ou de loin à la mort, à la sexualité ou au monde interlope, il pourrait devenir enquêteur aux homicides. De toute façon, peu importe sa branche, son intuition lui permet de trouver ce qu'il veut... Et il vaut mieux ne pas contrecarrer ses plans ou être l'objet de son enquête !

SES LOISIRS

Évidemment, notre cher Scorpion aime bien mettre ses capacités et son flair à l'épreuve. Il adore les romans policiers à l'univers très sombre, presque glauque, ou les livres qui lui permettent d'en découvrir plus sur un sujet qui le passionne, notamment les sciences occultes. Quand il veut trouver quelque chose, croyez-moi, il y arrive. Parfois, il lui faut remuer mer et monde, mais cela ne l'arrête pas, au contraire. Rat de musées, il affectionne ces endroits de culture, qui représentent pour lui une autre façon d'en apprendre un peu plus. Pour cette raison, il se montrera intéressé par l'archéologie, le monde du paranormal, des sciences occultes, bref, par ce que la majorité des gens ignorent ou craignent un peu. C'est un être qui analyse constamment ce qui l'entoure : les gens, les choses, les situations. Il devrait essayer de se dépenser un peu plus physiquement et de brûler son trop-plein d'énergie en pratiquant un sport ou en faisant des activités manuelles. Il développe beaucoup son côté intellectuel et cérébral au détriment de son physique. Pour lui faire plaisir, vous pouvez l'emmener au cinéma voir un *thriller* noir, rempli de rebondissements, avec une intrigue bien touffue où un suspect n'attend pas l'autre. Il vous étonnera, car il sera probablement le seul à découvrir le coupable avant la fin.

SA DÉCORATION

Le Scorpion recherche ce qu'il y a de plus à la mode, notamment dans les objets et les tendances, et évidemment sa décoration reflète ses goûts branchés. Du côté des couleurs, il opte pour des teintes franches, audacieuses, par exemple le rouge et le noir, qu'il n'hésite pas à marier. Pour les objets, il préfère ceux ayant une signification à ses yeux, leur valeur décorative important peu. Il se pourrait, par exemple, qu'il collectionne les armes et utilise une épée comme portemanteau... Déconcertant pour ses invités, mais tout à fait logique pour lui. L'ambiance de sa tanière est souvent dramatique. Les meubles ont des angles marqués, l'éclairage est étonnant et même insolite. En fait, son intérieur est théâtral, surprenant... On a parfois l'impression d'entrer dans le repaire d'un être bizarre. Et il n'est pas toujours facile pour les autres d'y évoluer confortablement. Son cadre de vie ne plaira certes pas à tous, mais n'oublions pas que notre Scorpion n'est justement pas n'importe qui.

SON BUDGET

Son compte en banque et ses finances sont, bien entendu, à son image, entourés d'un halo de mystère. Il vous demandera votre salaire sans sourciller, mais n'essayez pas de lui demander combien il gagne, car il vous répondra que ça ne vous regarde pas. Notre Scorpion se fie davantage à son intuition qu'à son jugement, même dans ses finances. Il a du flair et sait détecter les bonnes affaires lorsqu'elles se présentent. Ses placements et ses investissements suivent la même règle : il les choisit avec audace, dans des secteurs auxquels personne n'aurait pensé. Bien entendu, ses pressentiments se révèlent justes, et il fait de bonnes affaires. Par contre, pour gérer son budget au jour le jour, il effectue des acrobaties et ne calcule pas. Il dépense ce qu'il veut quand il le veut... du moins, en apparence. Parce que, ne vous en faites pas, il sait exactement de combien il dispose, jusqu'où aller dans ses petites folies sans mettre en péril son compte en banque.

QUEL CADEAU LUI OFFRIR ?

Le Scorpion attache beaucoup d'importance aux émotions et aux sentiments ; l'objet est secondaire. Il préfère qu'on lui accorde du temps ; un diamant ou une voiture de luxe sans réelle amitié ne compte pas pour lui. Par contre, s'il sait combien vous tenez à lui, une simple carte de vœux lui fera plaisir. N'oubliez pas qu'il accorde une grande importance aux souvenirs et à des objets qui ont une réelle signification pour lui, et ce ne seront pas forcément les cadeaux les plus beaux ni les plus chers qu'il préférera. Si vous tenez absolument à lui offrir un présent dont il se souviendra, choisissez un objet inusité ou très rare. S'il sait qu'il n'y en a qu'un seul sur la terre (ou quelques-uns tout au plus), il en sera d'autant plus touché. Si vous lui donnez un objet que vous avez fait faire spécialement pour lui, un parfum ou un bibelot, il l'appréciera encore plus, car il y attachera une valeur sentimentale.

Le Scorpion est une personne à l'esprit analytique très aiguisé ; donc un roman policier où il défiera Hercule Poirot ou l'inspecteur Maigret saura lui plaire. Des ouvrages sur des civilisations disparues ou mythiques (l'Atlantide, Mu, le continent perdu) ou sur des sujets mystérieux ou relevant du paranormal piqueront sa curiosité. Des alcools rares ou des épices peu connues lui plairont beaucoup, et il s'en régalera.

LES ENFANTS SCORPION

Les petits Scorpion se démarquent des autres par leur regard puissant. Ils observent, ils veulent voir tout ce qui se passe, ils veulent comprendre. Même tout petits, ils en savent déjà beaucoup plus que ce que vous soupçonnez. Ce sont des enfants fouineurs, curieux de tout, qui auront mille et une questions à vous poser en toutes circonstances, et bien sûr pas n'importe lesquelles. Vous en serez souvent désemparé. Inutile de chercher à vous y soustraire en faisant semblant de n'avoir pas entendu, ou même de tenter de changer de sujet : ils vous attendent de pied ferme. N'allez pas leur dire n'importe quoi pour vous débarrasser d'eux, ils devineront votre astuce... On a souvent l'impression qu'ils pressentent les gens et lisent dans les pensées.

Ils ne sont pas faciles à éduquer, car ils sont trop intelligents. Ils cherchent sans cesse à tester les réactions d'autrui et sont d'habiles manipulateurs... Très curieux, ils fouilleront dans vos tiroirs, liront votre courrier personnel, essaieront de découvrir ce que vous leur cachez, sur votre passé notamment, bref, ils ne vous laisseront pas en paix une minute. Ils sont également très possessifs, surtout envers leurs parents, qu'ils n'acceptent pas de partager ; leurs frères et leurs sœurs en savent quelque chose. À l'école, comme ils sont très visuels, ils s'ennuient quand le professeur se lance dans des concepts trop vagues ; ils ont besoin d'exemples concrets.

Le Scorpion est un enfant très sensible ; il a peur d'être blessé. Pour cette raison, il préfère l'attaque à la défense. Il faut lui enseigner que pour être aimé il vaut mieux être gentil et faire des compromis. Comme il ne donne pas facilement sa confiance, vous devez lui apprendre à partager et à être plus sociable, à se faire des amis au lieu de rester dans son coin. Son bonheur et son équilibre en dépendent.

L'ADO SCORPION

Cher Scorpion, tu n'es pas une personne très accessible, et il n'est pas toujours simple de te comprendre. Même tes proches ont de la difficulté à bien cerner ta nature. Et cela peut parfois créer des problèmes dans tes relations avec les autres, mais il faut dire que tu veilles jalousement à sauvegarder ton mystère. Tu leur fais un peu peur, et l'on dirait que cela t'amuse... Ta volonté est grande, tu es secret, passionné, mais tu parles peu.

Tu sembles très fort. Tu ne fais pas de compromis. Tu t'exprimes facilement et sans mâcher tes mots. Tu n'as pas envie de te montrer aimable simplement pour être gentil ou pour faire plaisir, et c'est justement en adoptant ce comportement que tu te crées des problèmes. Tu veux que les autres t'acceptent comme tu es, mais tu ne leur donnes pas la chance d'entrer en communication avec toi. Ils ne savent vraiment pas sur quel pied danser. Pourtant, lorsqu'on te connaît un peu mieux, on peut voir que sous ta carapace tu es un être très sensible et très émotif.

Tu décèles facilement les intentions des gens qui t'entourent, tu devines rapidement les choses et tu découvres aisément la personnalité des autres. Tu as beaucoup de flair ; on ne peut rien te cacher. Lorsque quelqu'un te déplaît ou t'agace, tu trouves toujours le mot juste pour toucher son point faible.

En amour, ta passion explose, mais lorsque tu hais, aïe ! tu es tout aussi excessif. Tes sentiments sont puissants, et il n'y a rien à ton épreuve. Ta volonté est exceptionnelle. Tout cela fait de toi quelqu'un de différent, de « pas comme les autres », et cela attire évidemment l'attention du sexe opposé. Tu dégages beaucoup de magnétisme et, même si tu décides de te mettre à l'écart, tu passes rarement inaperçu.

Tes études

Tu es très curieux et tu t'intéresses à tout ce qui est ardu à comprendre ; tu trouves souvent et rapidement la solution à des problèmes. Tout ce qui est caché t'intrigue. Par contre, l'échec t'effraie. Ta volonté et ta détermination font cependant en sorte que tu échoues rarement. Tu as un esprit scientifique. Comme tu approfondis tout, les travaux d'équipe ne te conviennent pas. Les autres se plaignent de ta lenteur, et toi, tu les trouves trop superficiels ! Il vaut mieux que tu travailles seul : ton rendement scolaire sera alors exceptionnel.

Comme ta mémoire est fabuleuse, tu apprends très rapidement ; tu retiens tout ce que tu entends et surtout tout ce que tu vois.

Ton orientation

L'important, c'est que tu te diriges vers un domaine que tu aimes ; généralement, tu opteras pour la recherche, que ce soit des études scientifiques ou les techniques policières. Un autre de tes domaines de prédilection est la psychologie, car tu analyses très bien les situations et les gens, et tu devines ce que les autres pensent ou ressentent.

Pour toi, la médecine, les sciences, la chirurgie, l'industrie minière, l'armée, la criminologie, la sexologie, les assurances, la sculpture sont des domaines intéressants. Mais tu peux également préférer des secteurs plus inusités encore, par exemple tout ce qui est lié à l'ésotérisme et à la mort. Des choix qui bien sûr étonneront ton entourage.

Tes rapports avec les autres

Tu es une personne solitaire. On peut compter le nombre de tes copains sur les doigts d'une seule main. Si tu as peu d'amis, tu sais par contre que tu peux compter sur eux, car tu les as triés sur le volet. Pour les comprendre, pas besoin de discussions pendant des heures, tu lis en eux comme dans un livre ouvert. Avec les gens qui croisent ton chemin, tu te montres méfiant et souvent sarcastique ; tes remarques font grincer des dents... mais tu t'en moques un peu, n'est-ce pas ?

Lorsque tu cherches à plaire, tu sais mettre de l'avant ton petit côté mystérieux. Tu déploies alors tout ton charme, et ton magnétisme est surprenant. Tes sentiments ne connaissent pas la nuance, et tu n'aimes pas à moitié : c'est tout ou rien. Si quelqu'un te déçoit, te ment effrontément ou te blesse, tu deviens très désagréable, et regagner ta confiance est presque une mission impossible. Tu es assez rancunier et tu dois apprendre à balayer les vieilles histoires pour mieux aller de l'avant.

LE PARENT SCORPION

Le parent inconditionnel

Vous êtes intense dans vos sentiments ; même si vous vous montrez plutôt strict et exigeant avec vos enfants, vous les adorez. Vous vous intéressez beaucoup à eux, vous voulez tout savoir sur ce qui se passe dans leur vie, et vous avez un don pour les faire parler. De fait, vous détestez le mensonge et les cachotteries. Entier, vous pouvez être redoutable lorsqu'il s'agit de défendre vos petits. Votre amour parental est inconditionnel, vous aimez vos enfants envers et contre tout.

L'EMPLOYÉ SCORPION

Il est différent des autres et ne s'intègre pas toujours facilement, mais quelle volonté ! Quand il a un but en tête, c'est un travailleur infatigable qui va vraiment au fond des choses. Il est tenace et parfois entêté, il sort des sentiers battus. Son flair est très aiguisé et il trouve intuitivement des solutions inattendues et brillantes.

LE PATRON SCORPION

De forte personnalité, il ne fait pas de compromis. Il demande la loyauté la plus totale, car il veut pouvoir compter sur son équipe. Il devine tout, et s'il sent qu'on lui joue dans le dos, on se voit montrer la porte. Habile et très rusé, il peut régler n'importe quel problème. Il a du doigté et sait vous faire parler, mais il est très discret à son sujet et ne divulgue pas ses secrets.

LE SCORPION DANS LA CUISINE

Vous êtes intense dans tout ce que vous faites, et quand vous vous en donnez la peine, vous êtes un as de la cuisine. Vos papilles gustatives sont extrêmement développées, et cela vous permet de concocter des plats complexes et très aromatiques.

Vous adorez :
- les saveurs assez fortes et les plats relevés ;
- le piquant, le poivre, les épices et l'ail ;
- concocter des mets aux saveurs contrastées, par exemple une viande à la sauce épicée accompagnée d'une salade délicate ;
- cuisiner à feu fort : vous êtes le champion des grillades.

✦ CE QUE LA NATUROPATHE VOUS SUGGÈRE

Ne forcez pas trop la note avec les épices, car votre estomac délicat pourrait en souffrir.

Attention également aux aliments très acides, pour la même raison.

Ajoutez davantage de verdure et de légumes frais à vos plats.

ILS SONT SCORPION EUX AUSSI

Jean-Michel Anctil, Joe Biden, Charlotte Cardin, Hillary Clinton, Louise Deschâtelets, Leonardo DiCaprio, Anne Dorval, Drake, Jodie Foster, Bill Gates, Noémie Godin-Vigneau, Luc Guérin, Anne Hathaway, Marc Labrèche, Andrée Lachapelle, Fabienne Larouche, Sylvie Legault, Sophie Lorain, Matthew McConaughey, Claudine Mercier, Demi Moore, Patricia Paquin, Katy Perry, Joaquin Phoenix, Pablo Picasso, Claude Poirier, Serge Postigo, Geneviève Rioux, Julia Roberts, Meg Ryan, Lise Watier, Jean-Philippe Wauthier, Owen Wilson, Nanette Workman.

✦ OUTILS POUR TRANSFORMER VOTRE DESTINÉE

Cessez de ruminer de vieilles histoires. On ne peut pas refaire le passé ; de plus, cette attitude gâche souvent le présent.

Osez faire confiance aux autres. Des déceptions sont possibles, pourtant, dans bien des cas, vous aurez de belles surprises.

Laissez sortir la colère sur le coup. Vous refoulez trop, ça fermente, puis ça explose au mauvais moment ou avec la mauvaise personne. Réagissez immédiatement.

Pensée positive pour le Scorpion

Je me libère de tout ce qui est arrivé par le passé. Je me pardonne et je pardonne aux autres. Ainsi, ma route devient de plus en plus agréable et lumineuse.

Pensée positive spéciale pour 2022

J'ai toute la force nécessaire pour avancer vers de nouveaux horizons. Je deviens de plus en plus libre de mon passé.

Le subconscient nous dirige toujours selon nos pensées. En répétant le plus souvent possible ces pensées conçues tout spécialement pour vous, vous vous attirerez plein de belles choses.

Signe : Scorpion

Élément : eau

Catégorie : fixe

Symbole : ♏

Points sensibles : organes de reproduction, maladies vénériennes, rectum, estomac, sinus, prostate.

Planète maîtresse : Pluton, planète de la mort.

Pierres précieuses : tourmaline, malachite, sanguine.

Couleurs : noir, blanc, rouge et toutes les couleurs franches.

Fleurs : orchidée, chrysanthème, fleurs exotiques... y compris les plantes carnivores !

Chiffres chanceux : 5-8-14-17-23-29-30-39-41-44.

Qualités : ardent, passionné, intuitif, actif, magnétique, patient, capable de tout, trouve toujours ce qu'il cherche.

Défauts : renfermé, sarcastique, catégorique, méfiant, rancunier, tendance à se cantonner dans le passé.

Ce qu'il pense en lui-même
Je fais bien peu confiance aux êtres humains... je reste sur mes gardes.

Ce que les autres disent de lui
Qu'est-ce qu'il va encore nous sortir aujourd'hui ?

PRÉDICTIONS ANNUELLES

L e transit de Saturne dans votre quatrième secteur vous pousse à l'introspection. Vous ne vous comprenez plus et vous cherchez plus que jamais à faire la lumière sur ce qui vous empêche d'être heureux depuis un bon moment. Un processus astreignant, mais qui en vaut la peine puisque vous arriverez à déterminer la cause de ce malaise cette année. Vous remonterez loin en arrière, jusqu'à revisiter des événements appartenant à votre enfance. Plusieurs facteurs extérieurs sont susceptibles de représenter des défis supplémentaires et de contribuer eux aussi à cette profonde métamorphose. Des perturbations pourraient notamment survenir dans les sphères de votre existence qui nécessitent une restructuration. Heureusement, Jupiter, qui veille sur vous, vous permettra de vous en sortir brillamment et d'aller vers un avenir meilleur.

SANTÉ. Avec Saturne dans le décor, il vaut mieux agir de manière conséquente, car en vous négligeant et en faisant fi du gros bon sens, vous vous exposez à divers ennuis. Cependant, ceux qui prendront leur vie en main et qui investiront dans leur bien-être moral et physique bénéficieront fort probablement du soutien précieux de Jupiter, non seulement pour garder la forme, mais aussi pour améliorer sensiblement leur état. Vous avez un grand pouvoir sur ce qui vient, à vous de bien jouer vos cartes.

SENTIMENTS. Comme nous l'avons vu, la conjoncture vous poussera à réévaluer vos relations interpersonnelles et ça pourrait aller jusqu'à éliminer définitivement certains individus de votre existence. Il se peut également que des gens se retirent d'eux-mêmes, mais qu'importe, vous entrez dans un cycle d'énorme popularité durant lequel vous aurez plein d'occasions de rencontres. Un de perdu, dix de retrouvés, c'est le cas de le dire ! Les célibataires auront même le bonheur de trouver un partenaire à leur goût. Un conseil, ne négligez pas la santé de vos aînés.

AFFAIRES. Ici aussi, il y a du ménage à faire. Vous avez l'impression, fort juste d'ailleurs, que vous piétinez, que vous vous enlisez. Il faut que ça change ! Parfois, ce sera vous qui déciderez de faire volte-face ou de passer à autre chose tandis qu'à d'autres moments vous n'aurez d'autre choix que d'affronter les difficultés qui se présenteront. Peut-être que, sur le coup, vous vous sentirez un peu ébranlé, mais ça se révélera avantageux. Vous aurez de la veine dans vos démarches même si elles ne fonctionnent pas d'emblée. Quelques chances au jeu, mais on doit malgré tout vous recommander de faire attention aux voleurs, aux gens véreux et aux escrocs.

JANVIER

DIM	LUN	MAR	MER	JEU	VEN	SAM
						1
2 ●	3	4 D	5 D	6 F	7 F	8 F
9	10	11	12	13	14	15
16 F	17 ○ F	18	19 D	20 D	21	22
23	24	25	26	27	28	29
30	31					

F Jour favorable	D Jour difficile
○ Pleine lune	● Nouvelle lune

SANTÉ. On dénote un brin de fragilité sur le plan tant physique que moral. Rien d'important, mais je vous invite tout de même à vous prémunir contre le rhume et à protéger vos extrémités. Vous avez du mal à profiter du moment présent, vous ressassez de vieilles histoires et vous vous inquiétez de votre avenir. Vous pensez trop et ça ne donne rien de bon.

SENTIMENTS. Il vous est difficile de dire ce que vous ressentez et désirez. Vous voudriez parler, mais vous ne trouvez pas les mots. Pas étonnant que vos proches ne sachent comment réagir. Ils sont pleins de bonne volonté et vous devriez faire un effort pour vous ouvrir davantage. Le moment est venu toutefois de remettre un membre de la famille à sa place.

AFFAIRES. C'est tout ou rien. À certains moments, les choses fonctionnent vite et bien, tandis qu'à d'autres ça stagne ou ça accroche carrément. Ne perdez pas de temps là où ça bloque, passez à autre chose et misez sur les occasions qui se présenteront. Vous avez quelques chances au jeu.

FÉVRIER

DIM	LUN	MAR	MER	JEU	VEN	SAM
		1 ● D	2 D	3 F	4 F	5
6	7	8	9	10	11	12 F
13 F	14 F	15 D	16 ○ D	17	18	19
20	21	22	23	24	25	26
27	28 D					

F Jour favorable		D Jour difficile	
○ Pleine lune		● Nouvelle lune	

SANTÉ. Le moral ira beaucoup mieux durant la première quinzaine, mais il risque de flancher à nouveau par la suite si vous retombez dans vos mauvaises habitudes du mois passé. Physiquement, vous semblez habité par une énergie renouvelée, vous avez envie de bouger davantage et de reprendre votre vie en main. Bravo !

SENTIMENT. Vous bénéficiez actuellement de l'appui de Vénus et de Jupiter pour donner un nouvel élan à vos amours. Une rencontre inopinée, un tendre rapprochement voire une réconciliation sont au programme. Sur le plan social, attendez-vous aussi à de l'effervescence. On vous gâte, on vous chouchoute, on vous fait même les yeux doux.

AFFAIRES. Les démarches que vous ferez pour améliorer votre situation produiront des résultats fort positifs, en particulier si elles sont effectuées au cours de la première quinzaine. Une proposition intéressante pourrait également arriver à point nommé. Bon mois pour vous promener et taquiner la chance.

MARS

DIM	LUN	MAR	MER	JEU	VEN	SAM
		1 D	2 ● F	3 F	4	5
6	7	8	9	10	11	12 F
13 F	14 D	15 D	16 D	17	18 ○	19
20	21	22	23	24	25	26
27 D	28 D	29	30 F	31 F		

F Jour favorable	D Jour difficile
○ Pleine lune	● Nouvelle lune

SANTÉ. La planète Mars viendra rejoindre Saturne dans un secteur délicat de votre ciel le 6, ce qui pourrait vous prédisposer à certains malaises et aux blessures si vous n'en faites qu'à votre tête. Soyez donc sur vos gardes pour déjouer ce transit et tâchez d'évacuer la pression nerveuse avant qu'elle ne s'accumule.

SENTIMENTS. On ne peut pas dire que tout est rose. Soit vous éprouvez des inquiétudes pour un proche, soit vous vous sentez acculé au pied du mur pendant certaines discussions. Essayez de ne pas répondre trop vite sinon ce sera l'explosion. Entre le 10 et le 27, vous pourriez trouver de meilleurs arguments et, surtout, une façon de vous exprimer plus adéquate.

AFFAIRES. Misez sur la première semaine pour faire démarrer vos projets ou pour présenter vos requêtes, c'est à ce moment que la chance vous sourira. Même chose dans les tirages. Le reste du mois pourrait être décevant et il serait sage de mettre des sous de côté avant qu'une tuile ne vous tombe dessus.

AVRIL

DIM	LUN	MAR	MER	JEU	VEN	SAM
					1 ●	2
3	4	5	6	7	8 F	9 F
10 F	11 D	12 D	13	14	15	16 ○
17	18	19	20	21	22	23
24 D	25 D	26 F	27 F	28	29	30 ●

F Jour favorable	D Jour difficile
○ Pleine lune	● Nouvelle lune, celle du 30, combinée à une éclipse solaire partielle

SANTÉ. Les dangers de vous infliger une blessure de même que la vulnérabilité sont encore présents jusqu'au 15. Pas question, donc, de relâcher votre vigilance. Le moment serait bien mal choisi pour courir des risques ou commettre des abus. Le reste du mois s'annonce infiniment mieux. Vous serez en forme et souriant.

SENTIMENTS. Drôle de conjoncture ! Avec certaines personnes, c'est l'enfer, tandis qu'avec d'autres le climat ne pourrait être plus enchanteur... Il est facile de savoir avec qui vous voudrez passer du temps. Votre vie sociale sera hyper entraînante à partir du 7 et les célibataires pourraient faire une belle rencontre. Quelqu'un de plus âgé que vous a quelques ennuis, votre aide lui sera précieuse.

AFFAIRES. Ici aussi le mois se divise en deux périodes tout à fait distinctes. La première moitié laisse à désirer, les retards et les frustrations se multiplient. Puis le climat changera radicalement, vous réussirez aisément tout ce que vous entreprendrez et, en ce qui concerne vos finances, vous verrez la lumière au bout du tunnel. Vous aurez à nouveau quelques occasions dans les jeux de hasard.

MAI

DIM	LUN	MAR	MER	JEU	VEN	SAM
1	2	3	4	5 F	6 F	7 F
8 D	9 D	10	11	12	13	14
15 ○	16	17	18	19	20	21 D
22 D	23 F	24 F	25	26	27	28
29	30 ●	31				

F Jour favorable	D Jour difficile
○ Pleine lune et éclipse lunaire totale	● Nouvelle lune

SANTÉ. L'éclipse de ce mois se produit dans votre signe, il se peut que vous vous sentiez déphasé et que vous ayez du mal à calmer vos nerfs. Ce serait dommage que ça vous affecte, car autrement vous disposez d'une forte dose d'énergie. Essayez de vous recentrer et prenez les moyens nécessaires pour mieux gérer le stress.

SENTIMENTS. La vie sociale et le secteur de l'amitié demeurent hautement positifs. Vous passez de bons moments avec vos copains, anciens et nouveaux. Les célibataires pourraient encore avoir une belle surprise. C'est à la maison que ça cloche, la communication est toujours difficile et vous vous tracassez pour un proche.

AFFAIRES. Il vous reste quelques possibilités au jeu, mais ce qui vous avantage le plus, ce sont certainement vos activités. Bon moment pour les nouvelles occupations, pour redresser votre situation et pour négocier. Vous obtiendrez des résultats spectaculaires pour peu que vous vous donniez la peine d'agir. Une dépense inattendue vous oblige à sortir des sous que vous espériez utiliser autrement.

JUIN

DIM	LUN	MAR	MER	JEU	VEN	SAM
			1	2 F	3 F	4 D
5 D	6 D	7	8	9	10	11
12	13	14 ○	15	16	17 D	18 D
19 F	20 F	21 F	22	23	24	25
26	27	28 ●	29 F	30 F		

F Jour favorable		D Jour difficile	
○ Pleine lune		● Nouvelle lune	

SANTÉ. Le mauvais transit de Mercure frappe encore pendant les quatorze premiers jours, vous avez les nerfs en boule et vos états d'âme se répercutent même sur votre bien-être physique. Par la suite, le climat changera radicalement et vous recouvrerez tous vos moyens. Ce sera le moment de régler ce qui accrochait et de repartir à neuf.

SENTIMENTS. Votre partenaire est taciturne et ça vous afflige, mais vous ne feriez qu'envenimer les choses en le talonnant de trop près. Autre défi concernant la marmaille et la famille, avec qui le dialogue ne sera pas toujours facile, il vaut mieux ne pas insister pour l'instant. Vos amis se font rares et ça tombe bien mal. Ne désespérez pas, tout se tassera bientôt.

AFFAIRES. Bien que les événements ne se produisent pas selon vos plans, vous pourrez néanmoins progresser. Le truc, c'est de miser sur la souplesse et de sauter sur les bonnes occasions qui se présenteront. Vous aurez davantage de latitude au cours de la seconde quinzaine, mais vous devrez en contrepartie protéger adéquatement ce qui vous appartient.

JUILLET

DIM	LUN	MAR	MER	JEU	VEN	SAM
					1 D	2 D
3 D	4	5	6	7	8	9
10	11	12	13 ○	14	15 D	16 D
17 F	18 F	19	20	21	22	23
24	25	26 F	27 F	28 ●	29 D	30 D
31						

F	Jour favorable		D	Jour difficile
○	Pleine lune		●	Nouvelle lune

SANTÉ. En plus de devoir composer avec le carré de Saturne depuis le début de l'année, vous serez soumis à un transit contrariant de Mars à partir du 5. Les meilleurs moyens pour échapper à cette conjoncture demeurent la circonspection et la prévention. Prenez des précautions pour ne pas vous blesser, bannissez les excès en tous genres, y compris ceux de travail, et soignez vos malaises sans tarder.

SENTIMENTS. Tout ira à merveille tant dans l'intimité qu'en société durant la première semaine. Hélas ! le reste du mois s'annonce plus morne et pourrait même comporter quelques déceptions. Ce ne sera pas le moment de vous impatienter ni d'élever le ton, car ça mettrait le feu aux poudres.

AFFAIRES. Le contrôle de la situation vous échappe et vous détestez ça. Pourtant, en vous obstinant ou en voulant que tout fonctionne à votre goût, vous risquez non seulement d'envenimer les choses, mais aussi de ne pas être disponible lorsqu'une bonne occasion se présentera. Une dépense imprévue vous oblige à faire des prouesses d'ingéniosité, c'est le bouquet !

AOÛT

DIM	LUN	MAR	MER	JEU	VEN	SAM
	1	2	3	4	5	6
7	8	9	10	11 ○ D	12 D	13 F
14 F	15	16	17	18	19	20
21	22 F	23 F	24 F	25 D	26 D	27 ●
28	29	30	31			

F Jour favorable	D Jour difficile
○ Pleine lune	● Nouvelle lune

SANTÉ. Les vingt premiers jours sont encore menacés par le carré de Mars, par conséquent, il faut demeurer vigilant. Une chute, un accident ou un dérèglement de santé pourra ainsi être évité. Mais si vous ignorez la consigne, vous risquez de vous retrouver sur le carreau. Quant à la dernière semaine, elle se déroulera sur le thème du renouveau et le moral se replacera également.

SENTIMENTS. Bonne nouvelle, vos tracas concernant un enfant s'effacent graduellement et vous arrivez à vous mettre d'accord. Tout n'est pas aussi rose du côté des autres membres de la famille, qui continuent de vous causer des soucis. Certains se montrent même de mauvaise foi. Par chance, vous devenez plus philosophe, vous vous laissez moins atteindre et vous êtes enfin capable de prendre du recul.

AFFAIRES. Les choses ne vont pas nécessairement à votre goût dans ce domaine non plus durant les trois premières semaines. Des retards, des pépins de toutes sortes et des dépenses imprévues vous agacent encore. Ensuite, ce sera l'accalmie. En attendant, vous devrez vous prémunir contre les voleurs, les filous et les dégâts matériels.

SEPTEMBRE

DIM	LUN	MAR	MER	JEU	VEN	SAM
				1	2	3
4	5	6	7	8 D	9 D	10 ○ F
11 F	12	13	14	15	16	17
18	19 F	20 F	21 D	22 D	23 D	24
25 ●	26	27	28	29	30	

F Jour favorable		D Jour difficile	
○ Pleine lune		● Nouvelle lune	

SANTÉ. Mars est sortie du décor, il ne reste que Saturne. On peut affirmer que l'état de crise et les dangers de blessures s'amenuisent fortement. Évidemment, il faut continuer à vous occuper de vous et à miser sur la prévention, mais vous avez désormais de bien meilleurs atouts pour y arriver. Ce mois vous est également favorable sur le plan psychologique.

SENTIMENTS. Le passage de Vénus dans votre onzième maison vous permet enfin de communiquer plus aisément avec votre partenaire et vos proches en général. Vous pourrez aussi engager la conversation avec de nouvelles personnes qui se révéleront fort stimulantes. Avis aux célibataires !

AFFAIRE. Le ciel s'est considérablement dégagé et vous avez une plus grande marge de manœuvre. C'est la période idéale pour expérimenter des activités, pour négocier et pour entreprendre des démarches. Ajoutons que vous vous ferez des contacts intéressants qui pourraient vous aider beaucoup au cours des prochains mois.

OCTOBRE

DIM	LUN	MAR	MER	JEU	VEN	SAM
						1
2	3	4	5 D	6 D	7 F	8 F
9 ○	10	11	12	13	14	15
16 F	17 F	18 F	19 D	20 D	21	22
23	24	25 ●	26	27	28	29
30	31					

F Jour favorable		D Jour difficile	
○ Pleine lune		● Nouvelle lune et éclipse solaire partielle	

SANTÉ. L'éclipse solaire aura lieu dans votre signe et pourra avoir des répercussions sur le physique comme sur le moral. Il vaut donc mieux privilégier la vigilance dans vos déplacements et éviter les refroidissements. Vos nerfs sont plutôt à plat, vous auriez intérêt à vous changer les idées et à vous éloigner de ceux qui vous prennent trop d'énergie.

SENTIMENTS. Comme vous traversez justement une phase d'hypersensibilité, vous avez tendance à voir les problèmes plus gros qu'ils ne le sont en réalité. Un ami pourrait vous aider à remettre les choses en perspective, n'hésitez donc pas à lui faire part de ce qui vous tracasse. Surprise sur le plan sentimental entre le 23 et le 31.

AFFAIRES. Ici aussi, il pourrait y avoir des hauts et des bas à cause de l'éclipse. Le moment est venu de tourner quelques pages et d'élargir vos horizons. Si certaines situations se terminent en queue de poisson, de nouvelles portes s'ouvriront pour vous. En fin de compte, tout ce branle-bas vous avantagera, n'ayez crainte.

NOVEMBRE

DIM	LUN	MAR	MER	JEU	VEN	SAM
		1 D	2 D	3 F	4 F	5
6	7	8 ○	9	10	11	12 F
13 F	14 F	15 D	16 D	17	18	19
20	21	22	23 ●	24	25	26
27	28 D	29 D	30 F			

F Jour favorable	D Jour difficile
○ Pleine lune et éclipse lunaire totale	● Nouvelle lune

SANTÉ. Encore une éclipse, mais cette fois à l'opposé de votre signe ! Vous devez donc continuer à faire preuve de sagesse et de prudence. En agissant de la sorte, vous éviterez plusieurs désagréments. La nervosité vous tiraille jusqu'au 23, pas étonnant que vous dormiez mal ou que vous ayez des douleurs un peu partout.

SENTIMENTS. L'éclipse met en relief votre position par rapport aux autres et vous vous devez de préciser certaines choses. Il y a des gens qui ne correspondent plus du tout à vos aspirations. Vous leur avez donné suffisamment d'occasions de changer et de faire leurs preuves. Tant pis pour eux s'ils n'ont pas compris, vous en avez assez des promesses qui ne riment à rien et vous vous apprêtez à couper les ponts. Il était temps ! Rencontre déterminante avant le 18.

AFFAIRES. La conjoncture peut créer du remous dans vos activités, rien de majeur, mais une petite déception qui pourrait passer de travers. Ne vous en faites pas trop avec ça et misez plutôt sur les progrès que vous êtes en train d'accomplir. Quelques chances au jeu pour un prix secondaire. Ne dépensez pas trop pour des choses qui ne sont pas réellement nécessaires, car nous décelons encore des imprévus budgétaires.

DÉCEMBRE

DIM	LUN	MAR	MER	JEU	VEN	SAM
				1 F	2 F	3
4	5	6	7 ○	8	9	10 F
11 F	12 D	13 D	14 D	15	16	17
18	19	20	21	22	23 ●	24
25	26 D	27 D	28 F	29 F	30	31

F	Jour favorable		D	Jour difficile
○	Pleine lune		●	Nouvelle lune

SANTÉ. Quelle belle accalmie ! Un minimum d'efforts vous gardera à l'abri des blessures, des infections, des malaises et des défaillances nerveuses. Bon mois pour bouger un peu plus, pour vous inscrire à un programme d'exercice ou pour les remises en beauté. Le *timing* est aussi excellent pour corriger vos mauvaises habitudes et vous débarrasser ainsi d'un problème qui perdurait.

SENTIMENTS. Vous vous trouvez dans un nouveau cycle que vous appréciez largement. Dès le 10, Vénus et Mars se mettront de la partie pour vous faire vivre des choses formidables. Un coup de foudre pour les gens seuls, un doux rapprochement pour les autres et, pour tous, une vie sociale enlevante. Un petit incident en début de mois s'arrange rapidement sans laisser de traces.

AFFAIRES. La conjoncture vous sert aussi très bien dans ce domaine. Plus les jours avancent, plus vos projets se concrétisent. Vos buts sont maintenant accessibles et vous gagnez du terrain. Quelque chose que vous espériez depuis longtemps se produit enfin, vous n'avez pas attendu pour rien. Rentrée d'argent surprise avant le 21.

SAGITTAIRE

DU 23 NOVEMBRE AU 20 DÉCEMBRE

Jupiter, la planète de l'abondance, joue un rôle crucial dans votre vie, et toute votre personnalité en est fortement influencée. Seriez-vous le plus chanceux du zodiaque ? Tout porte à le croire.

Votre optimisme et votre bonne humeur légendaires contribuent à cette chance. Si vous sentez la tristesse et la mélancolie vous envahir, vous ne vous laissez pas abattre. Rapidement, vous y trouvez un remède : sortir, mettre le nez dehors. Pour vous, ne pas rester enfermé est la meilleure des solutions, le plus puissant des toniques. On se demande même pourquoi vous avez un domicile ; on ne vous y trouve jamais !

Vous ne pouvez pas rester en place. Demeurer à l'intérieur vous fait dépérir. Que ce soit pour faire une course au dépanneur du coin, pour aller voir une vieille connaissance à l'autre bout de la ville ou vous promener sur les canaux de Venise, vous devez sortir de chez vous. Vous êtes un fanatique des voyages, les tampons de votre passeport le prouvent. Et, bien sûr, plus c'est loin, plus vous êtes aux anges. Vivre dans vos valises ne vous fait absolument pas peur, au contraire, c'est ce que vous appréciez le plus.

Découvrir de nouvelles coutumes, le folklore régional, la cuisine et, surtout, les habitants des quatre coins du monde, voilà ce qui vous attire. Il ne serait pas étonnant que votre partenaire soit d'origine étrangère. Il se pourrait que vous ayez plusieurs amis en Nouvelle-Zélande ou au fin fond de la Mandchourie, que vous n'hésiterez d'ailleurs pas à aller voir, malgré les milliers de kilomètres qui vous séparent. Vous avez besoin de changement, de renouveau, et les voyages vous en fournissent une bonne dose. Vous êtes toujours entre deux avions, et vos proches s'en plaignent parfois, car ils n'arrivent pas à vous voir... à moins de se mettre à fréquenter assidûment les aéroports. Le symbole de votre signe est le centaure, mais au lieu d'un arc et de flèches, il pourrait porter des valises et avoir des billets d'avion à la main ! À la maison, les pays que vous avez visités ou que vous aimeriez connaître occupent une grande place dans votre décor. Vous collectionnez les bibelots, les tapis, les toiles représentant toutes ces contrées lointaines.

Mais le voyage n'est pas votre unique passion, vous en avez d'autres, qui demandent elles aussi beaucoup d'énergie : le sport, les jeux de hasard, le magasinage et surtout la danse sont pour vous d'excellents moyens de dépenser votre énergie... tout en sortant. Vous passeriez des nuits entières dans les boîtes de nuit à la mode, à vous trémousser sur la piste.

Votre trait de caractère le plus marquant est votre redoutable besoin d'indépendance. Vous devez vous sentir libre, être autonome, ne pas dépendre de qui que ce soit et aller où bon vous semble, sans avoir de comptes à rendre. Votre conjoint devra s'y faire. S'il tente de vous retenir dans les mailles de son filet, de vous garder tout à lui, le beau cheval fougueux qui vous représente ouvrira vite la porte de son écurie dorée. Évidemment, cela rend vos relations sentimentales un peu difficiles, surtout au début puisque votre conjoint n'a pas encore appris à bien vous connaître. En fait, pour vous garder, il faut savoir vous laisser partir...

Vous aimez les grands espaces, la nature et la campagne. Vous vous sentez très attiré par les animaux : chats, chiens, perroquets, chevaux. Vous vous entourez d'une véritable ménagerie. Le problème est de trouver quelqu'un pour garder tous vos pensionnaires lorsque vous décidez de lever les voiles pour quelque temps.

Vous êtes régi par la planète de l'abondance, et votre physique reflète bien cette influence. Votre stature est imposante, vous vous exprimez avec éloquence et par de grands gestes, et vous avez une légère prédisposition à l'embonpoint. De toute façon, on ne peut pas vous rater. Vous êtes de ceux qui apprécient les plaisirs de la vie, en particulier ceux de la table.

Franc et direct, vous n'aimez pas faire de chichi ni mettre de gants blancs pour donner votre opinion. Le problème est que tout le monde n'est pas comme vous et que certains se sentiront blessés par vos propos parfois peu diplomates. Avec vous, c'est à prendre ou à laisser... et cela fait grincer des dents certaines gens. Par contre, une fois qu'on vous connaît, c'est votre nature généreuse et votre cordialité qu'on remarque.

Vous brassez de grandes idées mais, en même temps, vous réussissez généralement à bien vous adapter au système et à vous créer une existence confortable, quitte à mener de front deux activités.

Comme vous êtes une personne chanceuse, il vous arrive souvent d'être sauvé par la cloche, c'est-à-dire que tout vous arrive à point nommé : un chèque substantiel, un contrat lucratif ou un gain viennent vous renflouer.

COMMENT SE COMPORTER AVEC UN SAGITTAIRE ?

Il ne faut surtout pas brimer sa liberté ; s'il se sent enfermé ou attaché, il ne pourra pas le supporter et se sauvera. Même chose s'il sent que vous vous accrochez à lui : il prendra la poudre d'escampette. Donc, pour bien vous entendre avec un natif de ce signe, vous devez comprendre son besoin d'indépendance, son goût de liberté. Le laisser sortir, voyager à sa guise est une excellente façon de vous assurer qu'il vous reviendra...

Lors d'une discussion, il ne faut pas tergiverser avec lui. Allez droit au but, mais sans l'affronter directement ; il n'aime pas être contredit de manière trop radicale. Lui, de son côté, ne mâchera pas ses mots ; la diplomatie et le Sagittaire sont bien éloignés l'un de l'autre. Par contre, c'est un être très volubile. Si vous avez quelque chose à dire, dites-le vite, car après vous ne pourrez plus placer un mot. C'est un vrai moulin à paroles. Ou alors... il sera déjà parti !

Le Sagittaire discute sans écouter. Il fait presque un monologue. Armez-vous de patience pour le convaincre. En fait, vous devrez sans aucun doute rabâcher souvent les mêmes choses pour qu'il finisse par y porter attention. Le mieux est de lui faire croire que l'idée vient de lui ; dans ce cas, il dissertera longtemps sur le sujet, et vous n'aurez qu'à vous laisser convaincre… Mais attention, si vous vous rangez trop vite de son côté, il trouvera votre attitude suspecte. Il n'aime pas gagner sans combattre.

C'est un être essentiellement actif, qui ne reste jamais en place, qui a un besoin presque viscéral de bouger. S'il vous propose une sortie, acceptez… il serait bien capable de vous laisser seul à la maison et de sortir quand même. Par contre, si vous décidez de sortir seul, il n'y verra probablement aucun inconvénient, car il a besoin de se sentir libre. Il est indépendant dans l'âme.

S'il vous propose un voyage à l'autre bout du monde, n'hésitez pas à l'accompagner ; il a besoin de quelqu'un pour bien fonctionner dans ses pérégrinations. Et s'il désire partir seul, laissez-le faire ; il aime bien s'ennuyer un peu des êtres chers, à condition que ce soit lui qui parte.

Donc, si vous croisez la route d'un Sagittaire, mettez de bonnes chaussures de marche, gardez votre passeport valide sous la main et soyez prêt à le suivre. Soyez aussi prêt à l'attendre. Il a besoin de votre patience et de votre confiance, parce qu'il en manque terriblement.

SES GOÛTS

Immanquablement, il sera fasciné par tout ce qui vient de loin, ce qui est exotique, ce qui sort de l'ordinaire. Généralement, il croit que c'est toujours plus beau dans le jardin du voisin ; il aimerait bien aller y jeter un coup d'œil.

Lorsqu'il part, ce n'est pas pour aller dans la ville voisine ; les destinations peu connues, les contrées inexplorées sont de nouveaux mondes à découvrir pour lui. Et ses bagages regorgeront vite de souvenirs achetés dans un souk du Moyen-Orient, d'armes de chasse ramenées d'Amazonie, de chants pygmées enregistrés sur bandes magnétiques et de recettes typiques de Papouasie–Nouvelle-Guinée. Évidemment, il fera aussi une razzia dans les boutiques des pays qu'il parcourt ; alors vous devez vous attendre à le voir avec une chemise tibétaine, des bijoux gigantesques, des pantalons hindous très amples, bref, des articles fort peu adaptés à nos conditions météorologiques, mais dans lesquels notre Sagittaire se sent parfaitement à l'aise.

Son intérieur est, bien entendu, à l'avenant. Les objets qui décorent sa demeure viennent des quatre coins du monde : meubles de bambou d'artisans népalais côtoyant des faïences de Quimper, estampes japonaises surmontant des tapis persans... On a l'impression de faire le tour de la planète en quelques secondes. Et devinez ce qu'on trouve dans son assiette ? Des tacos, des sushis, du couscous, de la paella, le fameux haggis écossais (panse de brebis farcie), de tout sauf du bon vieux pâté chinois. Et les portions sont généreuses ! Si vous l'invitez, n'hésitez pas une seconde à lui offrir des mets exotiques. Les vins et les alcools importés, le saké, l'ouzo, toutes ces boissons qui viennent d'ailleurs sont pour lui de véritables nectars... et il en redemandera. Pour terminer la soirée, si vous l'invitez à danser – la salsa, évidemment –, notre Sagittaire sera aux anges.

SON POTENTIEL

Comme il a constamment la bougeotte, il sera un formidable agent de voyages ou un guide touristique passionnant. L'import-export, les relations extérieures, la représentation de commerce et toutes les professions qui l'obligent à se déplacer, comme astronaute, agent de bord ou conducteur d'autobus, lui conviennent. Le gouvernement, la politique, la philosophie, la sociologie, les automobiles, la justice, l'élevage et le commerce de produits d'origine animale, le transport de personnes ou de marchandises sont d'autres sphères d'activité où il fera certainement ses preuves, car cela demande de bonnes connaissances et une grande soif d'apprendre. Si vous voulez faire dépérir un Sagittaire, vous n'avez qu'à lui offrir un travail de bureau ou de machiniste sur une chaîne de montage ; il fera une dépression à coup sûr.

SES LOISIRS

Au moindre petit congé, le voilà sautant dans un avion pour visiter des pays inconnus ou au volant de son véhicule tout-terrain dans les chemins cahoteux du fin fond de la Côte-Nord ou du Labrador. Il ne peut rester bien longtemps à la maison et il n'hésitera pas à sortir pour un oui ou pour un non, même si ce n'est que pour aller chercher du pain au coin de la rue. Notre Sagittaire aime parcourir les rues à la recherche d'une bonne aubaine. Si vous voulez magasiner avec un natif de ce signe, armez-vous de patience et enfilez votre meilleure paire de chaussures de marche, car, avec lui, une courte visite au magasin peut se transformer en excursion d'une journée. Le Sagittaire est un être actif, qui doit dépenser son énergie; il excelle donc dans le sport. Il adore aussi la danse et a le rythme dans le corps. Passionné de la vie animale, il est intrigué et intéressé par tous les animaux, de la fourmi au gigantesque dragon de Komodo. S'il peut aller les voir évoluer dans leur habitat naturel, il est encore plus heureux. Il passera des heures en compagnie de ses animaux. Exploiter un élevage d'autruches ou simplement promener son chien, tout est prétexte à sortir, à exprimer son goût de la liberté.

Comme il est curieux, il demeure sur le qui-vive et cherche sans cesse à améliorer ses connaissances. Il peut donc décider de suivre des cours universitaires sur des sujets peu orthodoxes; pour lui, c'est une autre façon d'élargir ses horizons.

SA DÉCORATION

Il n'hésite pas à ramener des objets parfois bien hétéroclites de ses nombreuses expéditions de par le monde. Avec lui, il faut s'attendre à tout. Son intérieur peut ressembler à une véritable caverne d'Ali Baba: un tapis du Pakistan, de la vaisselle de l'île de Crète, des peintures éclatantes des Antilles... Et comme le natif de ce signe est une personne de goût, tous ces objets de différentes origines donnent beaucoup de chaleur à son intérieur et s'harmonisent parfaitement bien entre eux. Notre Sagittaire est un citoyen du monde et il l'affiche. Son logis est invitant; on peut y rester des heures à tout observer de près. Le dépaysement y est garanti. Et pour parfaire l'impression, il vous offrira sans doute un café turc, du saké ou une bonne grappa.

SON BUDGET

À quoi bon tenir un budget? Telle pourrait être la devise d'un vrai Sagittaire. Il se débrouille très bien sans aligner de colonnes de chiffres. Jupiter, la planète qui régit ce signe, est celle de l'abondance; il ne manque jamais de rien. Il a beau être dans une impasse sur le plan financier, il y a toujours quelque chose qui lui tombe du ciel pour le sauver: un nouvel emploi, un contrat, une petite prime, qui sait? Il attache peu d'importance à la vie matérielle, et l'argent ne semble pas au cœur de ses préoccupations. Il préfère s'accorder les plaisirs qui le tentent, y compris les sorties et les voyages, sans considérer l'aspect financier. Quant au travail, il est relativement chanceux; il n'en manque jamais longtemps. Il a même un certain flair pour les bonnes affaires, pour faire fructifier son argent ou pour en gagner rapidement. Même s'il n'achète qu'un billet de loterie par année, il gagnera plus souvent qu'un autre qui participe à chaque tirage. L'argent lui tombe entre les mains, même s'il s'en préoccupe fort peu. C'est peut-être grâce à cela, justement!

QUEL CADEAU LUI OFFRIR?

Des billets d'avion ou une croisière sont le cadeau idéal; mais si votre budget ne vous permet pas de lui offrir un tel présent, vous pouvez lui donner un objet exotique d'un pays qu'il n'a pas encore visité, ou des billets pour un film des *Grands Explorateurs*... il en sera ravi.

Si vous partez vous-même dans un pays lointain, pensez donc à lui rapporter un souvenir. Même une bagatelle, si elle a fait du chemin, lui fera beaucoup plus plaisir qu'un objet coûteux qu'il verra dans tous les magasins de la ville.

Si vous optez pour un livre, regardez du côté des récits de voyage, des guides sur des contrées qu'il n'a pas encore découvertes. Comme c'est un amateur de sport, un accessoire pour son vélo sera apprécié, tout comme un abonnement à un cours de sport ou de danse. Et pourquoi pas un petit animal de compagnie, s'il n'en a pas encore?

LES ENFANTS SAGITTAIRE

Joufflus et potelés, ce sont de vrais chérubins. Ils affichent toujours un air satisfait, mais ils ont constamment faim. Ce sont de petits êtres dynamiques. Ils sont bien difficiles à suivre ou à contenir. Attention, ils sont fascinés par le feu; ne laissez pas d'allumettes ou de briquets à portée de leurs petites mains fouineuses. Ils adorent les animaux, et votre foyer risque de ressembler très vite à une ménagerie: chiens, chats, lapins, souris blanches, iguanes, furets, et j'en passe. Ils adopteront probablement tous les animaux errants des alentours et vous les ramèneront à la maison sans vous avertir. Demander la permission ne leur viendra sûrement pas à l'idée.

Du côté des sports, ils aiment la compétition. Du tricycle à la trottinette, de la planche à roulettes aux patins à roues alignées, ils chercheront des moyens qui les aideront à se déplacer plus vite et plus loin. Un jour, ils finiront par vous demander une voiture.

Comme ils adorent la danse, ils passeront sûrement leurs soirées de fin de semaine dans les discothèques de la région. Très jeunes, ils ont déjà un bon groupe d'amis, et vous ne les verrez pas souvent, à moins qu'ils ne ramènent toute la bande dîner chez vous, sans vous prévenir, évidemment.

Le bambin Sagittaire déborde de vitalité et d'initiative, mais il serait bon de lui apprendre à respecter un peu les autres – à commencer par ses propres parents – et à écouter davantage. Ces enfants ont tendance à ne pas penser à autrui ; ce n'est pas qu'ils soient égoïstes, cela ne leur vient pas à l'idée, tout simplement. Il faudra donc leur apprendre à prêter attention aux gens, et plus tard vous verrez que ces beaux principes ne seront pas tombés dans l'oreille d'un sourd.

L'ADO SAGITTAIRE

Tu ne peux rester en place plus de cinq minutes d'affilée. C'est vrai qu'il y a tellement de choses à réaliser, de gens à voir, de découvertes à faire qu'il serait aberrant de rester entre les quatre murs de ta maison. En fait, le seul endroit où tu n'es à peu près jamais, c'est chez toi.

Impulsif et honnête, tu as un franc-parler qui n'est pas toujours apprécié de ton entourage. Ta loyauté est exemplaire. Ton grand défaut est cependant ton manque de discipline : il est impossible de t'enfermer pour te forcer à faire quelque chose, que ce soit pour étudier ou simplement pour faire plaisir à tes parents. Tu es tellement indépendant et autonome que tu ne sembles avoir besoin de personne. Tu es très individualiste : tu as tes goûts et tes idées, et tu n'en changes pas facilement.

Tu adores découvrir des endroits que tu ne connais pas, rencontrer des gens, communiquer avec le plus de personnes possible. Tu es très attiré par les grands espaces et la nature ; partir en camping dans des endroits sauvages et reculés ne te fait vraiment pas peur. D'ailleurs, tu rêves de voyager, de rencontrer des gens différents, de découvrir d'autres cultures. Ta devise pourrait être « les voyages forment la jeunesse », et dès que tu en auras l'occasion, tu voudras sauter dans le premier avion pour un pays lointain. Tu aimes le sport et la danse, ce qui te permet de brûler ton énergie... tu en as tellement.

En général, tu te débrouilles bien. Tu es quelqu'un de chanceux qui a une attitude positive face à la vie et aux événements ; pas grand-chose ne peut te démonter. Tu sais toujours te tirer des situations les plus étranges haut la main.

Indépendant de nature, tu n'aimes pas attendre après les autres. Non seulement tu ne les attends pas, mais tu ne les écoutes pas non plus ; on risque de te le reprocher. Alors, même si tu aimes communiquer, fais attention de ne pas imposer tes idées sans écouter celles de tes amis ou des étrangers qui croiseront ta route.

Tes études

Tu as beaucoup de facilité pour apprendre, et comme tu as aussi une ambition plutôt démesurée, tu peux réussir presque tout ce que tu entreprends. Par contre, concentre-toi sur un seul but à la fois, car ta petite tendance à vouloir tout faire en même temps et quand tu en as envie pourrait te causer quelques problèmes. Tu as réponse à tout et tu adores discourir sur n'importe quel sujet, ce qui te permet de te faire remarquer. Tu aimes attirer l'attention. Tu as horreur de ne pas être le centre d'intérêt. Ta facilité à parler dérange les autres, tes amis, tes professeurs, car si la parole te vient à propos, écouter n'est pas toujours ton fort. Et en plus, tu aimes rire, alors tu prends énormément de place. Et si, par le plus grand des hasards, tu es en classe alors que le soleil brille joyeusement, il devient presque impossible de te garder sagement assis à écouter...

Ton orientation

Tout t'intéresse. Cela devient un réel problème, car tu n'arrives pas à choisir un domaine précis ; tes champs d'intérêt varient au gré de tes humeurs et de tes découvertes. Fixe-toi un objectif, même s'il est très ambitieux, puis accroche-toi. Puisque tu es naturellement doué, si tu persistes, tu réussiras mieux que beaucoup d'autres. Évidemment, si l'on t'offre un emploi routinier et monotone, ça n'ira pas. Il te faut du mouvement, du monde autour de toi, des défis pour te stimuler. Un domaine qui te conviendrait bien est celui des voyages, que ce soit en tant qu'agent de bord, capitaine de bateau ou commandant de bord. Tu seras aussi excellent dans l'import-export et les échanges commerciaux en général, la promotion, la publicité, les communications, les relations publiques, les finances, le journalisme, la philosophie, les sports, les soins vétérinaires, l'agriculture, l'élevage, ainsi que tous les emplois qui demandent des déplacements fréquents.

Tes rapports avec les autres

Chaleureux et sociable comme tu l'es, tu ne manques certes pas d'amis, et bien souvent tu es le leader d'un petit groupe. Tu proposes les activités, décides des sorties, et comme tu as beaucoup d'idées et que tu aimes bouger, les gens te suivent sans protester. Tu as beaucoup de copains et l'on recherche ta compagnie, car ta bonne humeur est contagieuse, ainsi que ton entrain et ta vivacité. Pas le temps de déprimer avec toi. Malgré tout, tu aimes bien t'isoler parfois, pour faire les choses par toi-même et à ta façon, histoire de bien démontrer que tu es une personne autonome.

LE PARENT SAGITTAIRE

Le parent stimulant

Vous êtes très ouvert avec vos enfants ; vous prenez plaisir à parler avec eux et à leur faire découvrir plein de choses, vous essayez d'élargir leur horizon. Vous les guidez mais, surtout, vous les aidez à devenir indépendants. D'ailleurs, vous aimez vous amuser autant qu'eux. Vous leur donnez généreusement tout ce que vous avez, mais vous ne tenez pas à ce qu'ils passent leur vie entière dans le nid familial : vous voulez que vos enfants soient autonomes et volent de leurs propres ailes.

L'EMPLOYÉ SAGITTAIRE

Il est dynamique et carbure aux défis. Il s'ennuie et se sent limité dans la routine. Il lui faut de l'action, des choses à régler, des gens à rencontrer. Autonome, il a le sens de l'initiative et sait ce qu'il a à faire, mais il a besoin de latitude, il ne supporte pas qu'on le surveille. Enthousiaste, il accomplit beaucoup, à condition qu'on lui laisse un peu de corde.

LE PATRON SAGITTAIRE

C'est quelqu'un qui veut des résultats, et vite. Il déteste les lenteurs, les délais : il faut que les choses bougent, et il mène plusieurs entreprises ou projets de front. Il en demande beaucoup et n'aime pas les excuses. Il dit ce qu'il pense, directement, et manque parfois de tact. Motivé, il atteint toujours ses objectifs et c'est alors toute son équipe qui en bénéficie.

LE SAGITTAIRE DANS LA CUISINE

On ne peut pas dire que vous raffolez de la cuisine, vous avez toujours tant de choses plus intéressantes à faire. Pour cette raison, vous adoptez souvent la cuisine rapide ou les plats préparés.

Toutefois, votre signe gouverne la fête et l'abondance, et lorsque l'envie vous prend de concocter quelque chose, le résultat est souvent très intéressant. L'exotisme et les cuisines étrangères vous fascinent. Vous servez des portions généreuses, à votre image.

Vous adorez :
- innover et mêler des saveurs orientales et occidentales ;
- les plats qui sortent de l'ordinaire, mais qui ont en même temps l'avantage de se préparer facilement ;
- les grillades, le rôtissage et, bien sûr, le barbecue ;
- prendre un verre tout en cuisinant. Pourquoi pas ?

✦ CE QUE LA NATUROPATHE VOUS SUGGÈRE

Modérez votre consommation de fritures ; votre foie, votre silhouette ainsi que votre santé en général en bénéficieraient.

Réduisez un peu vos portions.

Efforcez-vous de vous détendre et de prendre le temps de manger calmement, et évitez de faire autre chose en même temps.

ILS SONT SAGITTAIRE EUX AUSSI

Christina Aguilera, Marie-Louise Arsenault, Sébastien Benoit, Nicola Ciccone, Marc-André Coallier, Michel Courtemanche, Miley Cyrus, Clémence DesRochers, Walt Disney, Simon Durivage, Billie Eilish, Varda Étienne, Brendan Fraser, Nelly Furtado, Jane Fonda, André-Philippe Gagnon, Nathalie Gascon, Hugo Girard, Milla Jovovich, Marie Laberge, Diane Lavallée, Laurence Leboeuf, Bruce Lee, Denis Lévesque, Macha Limonchik, François Massicotte, Pénélope McQuade, Nicki Minaj, Kent Nagano, Fred Pellerin, Brad Pitt, André Sauvé, Marie-Claude Savard, Frank Sinatra, Britney Spears, Ben Stiller, Taylor Swift, Hugo St-Cyr, Karine Vanasse.

◆ OUTILS POUR TRANSFORMER VOTRE DESTINÉE

Ne confondez pas routine et ennui. Il y a moyen d'apprécier le quotidien et même d'y mettre du piquant, au lieu de tout envoyer promener.

Arrêtez-vous pour écouter l'autre ; vous bougez, vous parlez sans arrêt, pourtant on apprend davantage en écoutant.

Apprivoisez le calme et le silence plutôt que de vous étourdir dans le mouvement et dans le bruit.

Pensée positive pour le Sagittaire

Je vais où la Vie m'appelle, sachant que l'univers s'apprête à me combler.
Je déborde de reconnaissance pour toute la chance dont je dispose.

Pensée positive spéciale pour 2022

Je me plie aux caprices de la Vie car je sais que suis toujours gagnant.
Les changements m'apportent la réussite.

Le subconscient nous dirige toujours selon nos pensées. En répétant le plus souvent possible ces pensées conçues tout spécialement pour vous, vous vous attirerez plein de belles choses.

Signe : Sagittaire

Élément : feu

Catégorie : mutable

Symbole : ♐

Points sensibles : hanches, cuisses, reins, troubles musculaires, crampes, obésité. Ils ont les plus belles jambes du zodiaque.

Planète maîtresse : Jupiter, planète de l'abondance.

Pierres précieuses : turquoise, grenat, saphir.

Couleurs : crème, beige, brun, orange.

Fleurs : amarante, violette et narcisse.

Chiffres chanceux : 8-9-12-18-23-27-35-36-44-45… et tous les autres. Ils ont tellement de veine !

Qualités : autonome, indépendant, bon vivant, robuste, sportif, amateur de voyages, confiant, globe-trotter.

Défauts : dépensier, gourmand, incapable de rester en place, matérialiste, n'écoute pas.

Ce qu'il pense en lui-même
J'ai tellement hâte d'aller me promener !

Ce que les autres disent de lui
Il n'est jamais chez lui… Il devrait au moins s'acheter un cellulaire !

PRÉDICTIONS ANNUELLES

Vous qui détestez la monotonie et aimez les défis, vous allez être servi puisque l'année s'annonce fertile en rebondissements. Jupiter, la planète qui gouverne votre signe, passera quelques mois dans un secteur plutôt délicat de votre thème astral. Avant la fin du printemps, il se pourrait donc que vous éprouviez quelques contrariétés et que vous deviez composer avec des éléments inattendus. Bien qu'on ne frôle pas la catastrophe, les choses n'iront pas forcément à votre goût et le contrôle de la situation vous échappera, ce qui risque de vous énerver royalement. Dès le 10 mai, ce transit déstabilisant se transformera en influence très positive. Vous ressentirez alors un relâchement des tensions, mais surtout l'arrivée d'un courant de chance. Vos désirs commenceront à se concrétiser et vous pourriez même mettre la main sur une somme inespérée. Quelques précautions vous permettront d'éviter les pièges que pourraient comporter les deux derniers mois.

SANTÉ. L'avenir appartient à ceux qui feront attention à eux. Jupiter vous poussera peut-être à croire que vous êtes invincible, vous incitant ainsi à déroger aux règles de base d'une saine hygiène de vie et à la prudence la plus élémentaire. En brûlant la chandelle par les deux bouts, en gérant mal votre alimentation et en vous laissant aller, vous ressentiriez une chute marquée d'énergie, sans compter que vous prendriez un coup de vieux. Ne jouez pas non plus au casse-cou, vous le regretteriez.

Par contre, ceux qui choisiront d'investir dans leur bien-être obtiendront des résultats spectaculaires entre la mi-mai et la fin octobre. La conjoncture sera si positive que vous pourriez même vous débarrasser d'un problème que vous traîniez depuis un bon bout de temps.

SENTIMENTS. L'heure est aux prises de conscience. L'inutilité des relations compliquées, entre autres avec un membre de la famille, vous saute aux yeux. Sans nécessairement couper les ponts, il semble que vous soyez sur le point de prendre vos distances. Si vous êtes déjà impliqué sentimentalement avec quelqu'un, une crise est également possible au cours des cinq premiers mois et, là aussi, vous devrez faire un choix, ce qui laisse entrevoir un restant d'année beaucoup plus heureux. Ce printemps, l'arrivée d'un cycle de popularité extraordinaire transformera certains aspects de votre vie, entre autres sur le plan social. Les célibataires réaliseront leur rêve, une histoire digne d'un beau roman d'amour les attend.

AFFAIRES. Ne jouez pas d'audace avec votre argent avant le 10 mai ainsi que du 27 octobre au 20 décembre. Il vaudra mieux privilégier les placements sûrs, voire ultraconservateurs, plutôt que les investissements risqués qui promettent gros mais qui menacent de vous laisser avec un déficit. Ne lâchez pas la proie pour l'ombre et souvenez-vous que tout le monde n'a pas votre honnêteté et votre sens moral. Entre le 11 mai et le 26 octobre, Jupiter favorisera l'ensemble de vos entreprises et pourrait même vous faire gagner quelques prix au jeu. Cette période sera également propice aux voyages, aux déménagements ou aux recherches d'emploi si c'est ce que vous souhaitez.

JANVIER

DIM	LUN	MAR	MER	JEU	VEN	SAM
						1
2 ●	3	4	5	6 D	7 D	8 D
9 F	10 F	11	12	13	14	15
16	17 ○	18	19 F	20 F	21 D	22 D
23	24	25	26	27	28	29
30	31					

F Jour favorable	D Jour difficile
○ Pleine lune	● Nouvelle lune

SANTÉ. L'année commence par un transit de Mars dans votre signe jusqu'au 25. Vous avez de l'énergie à revendre et vous êtes exubérant, mais parfois vous ne touchez pas à terre et vous oubliez complètement de faire attention à vous. Gare aux imprudences et à la négligence, sans quoi vous risquez de vous retrouver sur le carreau.

SENTIMENTS. Vous avez envie de voir du nouveau monde. On dirait que votre entourage immédiat vous tape sur les nerfs et que vous cherchez à le fuir. Encore là, vous auriez tort d'aller trop vite. Vous blesseriez des gens qui vous aiment énormément même si leur façon de le démontrer est souvent maladroite. Un membre de la famille dépasse les bornes... Ça va barder !

AFFAIRES. Ici aussi, la conjoncture pourrait vous pousser à commettre des gestes intempestifs alors que c'est justement le contraire qui vous favoriserait. Je sais que les choses ne sont pas à votre goût, mais, croyez-moi, il vaut mieux vous montrer souple et tenter de vous adapter, du moins pour l'instant. Risque d'une dépense déplaisante.

FÉVRIER

DIM	LUN	MAR	MER	JEU	VEN	SAM
		1 ●	2	3 D	4 D	5 F
6 F	7	8	9	10	11	12
13	14	15 F	16 ○ F	17 D	18 D	19
20	21	22	23	24	25	26
27	28					

F Jour favorable		D Jour difficile	
○ Pleine lune		● Nouvelle lune	

SANTÉ. Les influences planétaires sont plus coulantes, mais on ne peut pas en dire autant de votre attitude. Vous vous laissez aller et vous cherchez constamment la petite bête durant la première quinzaine. Vite, ressaisissez-vous et vous pourrez ainsi mieux profiter des prochaines semaines. Si vous attendez, le malaise risque de s'installer.

SENTIMENTS. Les dissensions et la contrariété s'estompent peu à peu. Le climat pourrait évidemment s'améliorer plus rapidement si vous y mettiez un peu du vôtre. Au lieu de faire la tête ou de rester sur vos positions, pourquoi ne pas vous ouvrir davantage aux autres ? Tout le monde s'en réjouirait. Quelqu'un que vous aimez bien vous confiera une bonne nouvelle concernant sa situation financière.

AFFAIRES. De l'hésitation de votre part et des retards font en sorte que le début du mois sera laborieux. Vous ne savez plus où vous en êtes, ni par quel bout commencer. Vous reprendrez cependant votre vitesse de croisière à partir du 15. On sera mieux disposé à vous écouter et votre charmante personnalité vous ouvrira bien des portes.

MARS

DIM	LUN	MAR	MER	JEU	VEN	SAM
		1	2 ● D	3 D	4 F	5 F
6 F	7	8	9	10	11	12
13	14 F	15 F	16 F	17 D	18 ○ D	19
20	21	22	23	24	25	26
27	28	29	30 D	31 D		

F Jour favorable		D Jour difficile
○ Pleine lune		● Nouvelle lune

SANTÉ. Certaines planètes auront une influence positive sur votre forme physique une fois la première semaine écoulée. En plus d'être énergique et dynamique, vous vous débarrasserez de vos petits bobos en un rien de temps si vous faites quelques efforts. Bonne période aussi pour les transformations beauté. L'équilibre nerveux semble un peu chancelant entre le 10 et le 27.

SENTIMENTS. Vous bénéficierez d'un excellent transit de Vénus entre le 6 mars et le 7 avril. Vous pourrez aplanir les problèmes avec votre partenaire et même rencontrer quelqu'un de sympathique si vous êtes seul. Plusieurs invitations et propositions d'activités divertissantes vous permettront non seulement de vous amuser, mais aussi de renouer contact avec de bons amis et de vous en faire de nouveaux.

AFFAIRES. Le scénario est le même dans ce domaine. C'est à partir du 6 que la conjoncture vous avantage le plus. Ce sera alors le moment de vous appliquer et de travailler d'arrache-pied à votre succès. Les actions soutenues et l'énergie que vous déploierez vous vaudront d'énormes satisfactions sur le plan tant monétaire que personnel. Bon mois également pour mettre de l'ordre dans votre budget et pour penser à épargner.

AVRIL

DIM	LUN	MAR	MER	JEU	VEN	SAM
					1 ● F	2 F
3	4	5	6	7	8	9
10	11 F	12 F	13 D	14 D	15	16 ○
17	18	19	20	21	22	23
24	25	26 D	27 D	28 F	29 F	30 ●

F Jour favorable	D Jour difficile
○ Pleine lune	● Nouvelle lune, celle du 30, combinée à une éclipse solaire partielle

SANTÉ. Un début de mois génial durant lequel vous vous portez à merveille sur tous les plans. Vous pourriez toutefois commencer à ressentir des effets de l'éclipse dès le 15. Vous devrez faire davantage attention à vous si vous souhaitez conserver votre belle forme physique et votre moral. Gare aux accidents bêtes.

SENTIMENT. Vénus continue de vous gâter en amour durant la première semaine. Une rencontre, une déclaration ou un petit cadeau de votre partenaire vous ravira. Votre vie sociale demeure excitante tout le long de la première quinzaine. Hélas ! le reste du mois pourrait vous décevoir si vous ne mettez pas un peu d'eau dans votre vin ou si vous provoquez un proche.

AFFAIRES. Même scénario dans ce secteur. Un début d'avril fantastique suivi d'une seconde moitié bien fâcheuse. Agissez sans tarder si vous voulez que tout aille rondement. Par la suite, vous risquez de vous heurter à différents obstacles. Vous devrez également vous prémunir contre les dégâts, les escroqueries et les contraventions.

MAI

DIM	LUN	MAR	MER	JEU	VEN	SAM
1	2	3	4	5	6	7
8 F	9 F	10 D	11 D	12 D	13	14
15 ○	16	17	18	19	20	21
22	23 D	24 D	25 F	26 F	27 F	28
29	30 ●	31				

F Jour favorable		D Jour difficile	
○ Pleine lune et éclipse lunaire totale		● Nouvelle lune	

SANTÉ. La situation demeure délicate jusqu'au 25 et vous devez continuer à vous prémunir contre les défaillances et les blessures. De plus, l'éclipse vous rend hypersensible et mélancolique. Les larmes vous montent aux yeux au moindre désagrément, sans compter que vous avez tendance à ressasser une foule de vieux souvenirs. Tenez bon, tout se replacera comme par enchantement au cours des derniers jours.

SENTIMENTS. De charmants transits se succéderont à partir du 8 et viendront accroître votre popularité. On vous invitera à gauche et à droite, et de nouveaux copains ou un rapprochement avec ceux que vous avez déjà vous fera chaud au cœur. Vous mettrez cartes sur table avec votre partenaire tandis qu'une amitié amoureuse pourrait marquer le début d'une étape pour les célibataires. Avec la famille, c'est loin d'être simple.

AFFAIRES. Des retards et des déceptions sont à prévoir, mais vous devriez finir par obtenir gain de cause. L'ardeur et l'étonnante créativité dont vous faites preuve seront des atouts précieux à moyen et à long terme. Restez loin de projets risqués et ne prenez pas de décisions précipitées. Si ça peut vous consoler, vous avez des chances dans les tirages à partir du 10.

JUIN

DIM	LUN	MAR	MER	JEU	VEN	SAM
			1	2	3	4 F
5 F	6 F	7 D	8 D	9	10	11
12	13	14 ○	15	16	17	18
19 D	20 D	21 D	22 F	23 F	24	25
26	27	28 ●	29	30		

F	Jour favorable	D	Jour difficile
○	Pleine lune	●	Nouvelle lune

SANTÉ. Pas d'éclipses ni de dissonances planétaires. Au contraire, vous avez tout pour vous en sortir et repartir du bon pied. Vos interventions et vos résolutions pour améliorer votre état psychologique ou physique sont vouées à des résultats extraordinaires. Arrêtez de vous poser des questions et agissez, c'est le moment ou jamais !

SENTIMENTS. Il n'y a pas que votre mine radieuse qui est responsable de cette popularité sans cesse croissante, les aspects positifs de Jupiter y sont sans doute également pour quelque chose. Si vous êtes seul, les conquêtes seront nombreuses. En amitié aussi, vous jouez gagnant.

AFFAIRES. Vous profitez désormais de l'appui de Jupiter dans ce secteur, jusqu'au 27 octobre. Grâce au transit bienfaisant de cette planète, qu'on surnomme « la grande bénéfique », vous pourrez améliorer considérablement votre situation financière ou redonner un nouvel élan à votre vie. Il est possible que vous rafliez quelques prix dans différents tirages.

JUILLET

DIM	LUN	MAR	MER	JEU	VEN	SAM
					1 F	2 F
3 F	4 D	5 D	6	7	8	9
10	11	12	13 ○	14	15	16
17 D	18 D	19 F	20 F	21	22	23
24	25	26	27	28 ●	29 F	30 F
31 D						

F Jour favorable	D Jour difficile
○ Pleine lune	● Nouvelle lune

SANTÉ. Votre dynamisme fait plaisir à voir. Vous avez envie de bouger, d'expérimenter des choses différentes, bref vous ne tenez pas en place. Pratiquer un sport ou vous adonner à l'exercice vous permettra de canaliser adéquatement ce surplus d'énergie et de retrouver la forme. Le seul problème, c'est que ça risque de vous ouvrir un peu trop l'appétit... Gare à vous si vous consommez plus de calories que vous n'en brûlez !

SENTIMENTS. Vos amis et votre partenaire vous traitent avec délicatesse, pourtant vous avez l'impression qu'il vous manque quelque chose. Seriez-vous blasé ? Au lieu de vous languir et d'attendre que les autres vous divertissent, allez de l'avant et proposez certaines activités. Vous verrez, elles seront fort bien accueillies et, tous ensemble, vous passerez des moments exquis.

AFFAIRES. Vous avez l'âme d'un conquérant ! En plus de vous attaquer à ce qui accrochait, vous commencez de nouveaux projets qui semblent très prometteurs. Période fantastique pour effectuer des démarches ou des recherches, je vous assure que vous n'en reviendrez pas bredouille. En résumé, vous marquez des points sur tous les plans ! Bon moment également pour changer d'air et taquiner la chance.

AOÛT

DIM	LUN	MAR	MER	JEU	VEN	SAM
	1 D	2 D	3	4	5	6
7	8	9	10	11 ○	12	13 D
14 D	15 F	16 F	17	18	19	20
21	22	23	24	25 F	26 F	27 ● D
28 D	29 D	30	31			

F	Jour favorable		D	Jour difficile
○	Pleine lune		●	Nouvelle lune

SANTÉ. Tout continue de très bien aller jusqu'au 20. Vous êtes en super forme sur le plan tant moral que physique. La conjoncture se prête parfaitement aux transformations beauté de même qu'à l'adoption de saines habitudes. Vous devrez cependant augmenter la vigilance par la suite afin d'éviter les blessures ou les légères défaillances.

SENTIMENTS. Vénus, appuyée par Jupiter, devrait vous combler entre le 12 août et le 5 septembre. Vos relations amicales et romantiques vous procureront énormément de bonheur. En plus d'approfondir les liens déjà existants, vous aurez l'occasion de rencontrer des personnes fort aimables, ce qui pourrait, incidemment, changer complètement la vie des célibataires.

AFFAIRES. Les trois premières semaines s'annoncent exceptionnelles. Ce sera le moment ou jamais de mettre vos projets en branle, de faire vos démarches et de régler une fois pour toutes ce qui accrochait. Excellente période également pour les rénovations, pour un nouveau domicile ainsi que pour voir du pays. Et n'oubliez pas de vous acheter un billet de loterie !

SEPTEMBRE

DIM	LUN	MAR	MER	JEU	VEN	SAM
				1	2	3
4	5	6	7	8	9	10 ○ D
11 D	12 F	13 F	14	15	16	17
18	19	20	21 F	22 F	23 F	24 D
25 ● D	26	27	28	29	30	

F Jour favorable	D Jour difficile
○ Pleine lune	● Nouvelle lune

SANTÉ. L'opposition de Mars complique les choses. Vous devez faire davantage attention à vous si vous souhaitez rester à l'abri des accidents et des ennuis de santé. Sur le plan psychologique, on décèle des épisodes de surexcitation alternant avec des phases d'abattement. En bref, vous avez du mal à gérer votre potentiel énergétique. Arrêtez-vous donc quelques instants afin de rajuster vos priorités.

SENTIMENTS. Votre partenaire vous adore, mais vous repoussez ses avances. On se demande aussi pourquoi vous déclinez toutes ces charmantes invitations que vos amis vous lancent. Vous voulez être seul alors que c'est justement le contraire qu'il faudrait faire. Tout le monde vous aime, profitez-en. Et laissez le passé de côté !

AFFAIRES. Vous avez l'impression de travailler dans l'ombre et de ne pas recevoir l'appréciation que vous méritez. C'est vrai qu'on a tendance à vous tenir pour acquis. Ne vous en faites pas, et surtout, n'abandonnez pas pour si peu. Le long terme vous récompensera largement, croyez-moi ! Chances au jeu et pendant vos déplacements du 1er au 23.

OCTOBRE

DIM	LUN	MAR	MER	JEU	VEN	SAM
						1
2	3	4	5	6	7 D	8 D
9 ○ F	10 F	11	12	13	14	15
16	17	18	19 F	20 F	21 D	22 D
23	24	25 ●	26	27	28	29
30	31					

F	Jour favorable		D	Jour difficile
○	Pleine lune		●	Nouvelle lune et éclipse solaire partielle

SANTÉ. L'éclipse solaire et ce mauvais aspect de Mars augmentent votre vulnérabilité. Évitez de relâcher votre vigilance lorsque vous vous déplacez ou que vous utilisez des objets avec lesquels vous pourriez vous faire mal. Vous manquez de discipline et ça amoindrit votre système. Au moins, le moral sera fantastique du 11 au 30.

SENTIMENTS. Votre attitude est nettement meilleure qu'au mois dernier et tout le monde s'en réjouit. Ça donne même envie à votre partenaire de vous refaire la cour. Vous recevrez de nombreux compliments et, si vous cherchez l'âme sœur, gardez l'œil ouvert ! Votre vie sociale redevient enlevante, vous ne vous ennuierez jamais. N'élevez pas le ton pendant une discussion si vous désirez régler une divergence une fois pour toutes.

AFFAIRES. Bien que vous soyez loin de la catastrophe, vous ressentez un certain malaise, voire un vide. Vos activités ne vous comblent que partiellement, mais vous n'avez guère d'autres options que de vous contenter de la routine. Ce ne sera pas éternellement comme ça, mais pour l'instant, vous avez intérêt à vous montrer accommodant. Surtout pas de coups de tête !

NOVEMBRE

DIM	LUN	MAR	MER	JEU	VEN	SAM
		1	2	3 D	4 D	5 F
6 F	7 F	8 ○	9	10	11	12
13	14	15 F	16 F	17	18 D	19 D
20	21	22	23 ●	24	25	26
27	28	29	30 D			

	F Jour favorable		D Jour difficile
○	Pleine lune et éclipse lunaire totale	●	Nouvelle lune

SANTÉ. Ce n'est pas l'éclipse qui risque de vous jouer des tours, mais plutôt les dissonances de Jupiter et de Mars qui pourraient, entre autres choses, vous pousser à adopter un certain laxisme. Ce n'est pas le moment d'envoyer promener vos résolutions, ni de faire abstraction des règles du bon sens. Attention également aux blessures souvent associées à ces transits planétaires.

SENTIMENTS. Avec l'arrivée de Vénus chez vous le 16, vous aurez l'occasion de mettre un peu de piquant dans votre vie de couple. Je sais, vous vous dites que c'est toujours vous qui prenez les initiatives, mais si vous voulez qu'il se passe quelque chose de concret, vous n'avez guère le choix. Un petit effort vous permettra aussi de renouer avec d'anciens copains et de vous faire de nouveaux amis.

AFFAIRES. Un mois quelque peu délicat durant lequel vous avez intérêt à demeurer souple. Bientôt, vous n'aurez plus à ronger votre frein et vous pourrez reprendre le total contrôle de la situation. Entre-temps, profitez-en pour élaborer votre plan d'attaque, définissez clairement ce que vous voulez faire puisque dès le 21 décembre, et tout le long de 2023, vous aurez la voie libre.

DÉCEMBRE

DIM	LUN	MAR	MER	JEU	VEN	SAM
				1 D	2 D	3 F
4 F	5	6	7 ○	8	9	10
11	12 F	13 F	14 F	15 D	16 D	17
18	19	20	21	22	23 ●	24
25	26	27	28 D	29 D	30 F	31 F

F Jour favorable	D Jour difficile
○ Pleine lune	● Nouvelle lune

SANTÉ. Les astres exigent encore pas mal de doigté. Une distraction ou un réflexe tardif pourrait vous causer une blessure. Essayez de demeurer bien centré, même si trop de choses vous trottent dans la tête. Comme votre résistance semble à la baisse durant les trois premières semaines, il vaut mieux ne pas trop vous éloigner des préceptes d'une saine hygiène de vie. Bonne période pour rafraîchir votre image.

SENTIMENTS. De belles surprises en amour et en amitié vous attendent avant le 10. Puis, entre le 21 et le 31, on saura réellement comment vous faire plaisir. Le milieu de décembre se déroulera agréablement si vous acceptez une ou deux concessions et si vous faites les premiers pas.

AFFAIRES. Jupiter, planète de l'abondance et du succès, redeviendra votre alliée le 21, pour cinq mois. Vos projets prendront forme aisément, vos objectifs seront enfin accessibles et vos finances grimperont en flèche. Vous aurez la main heureuse au jeu et la chance vous accompagnera lorsque vous souhaiterez changer d'air. En attendant, la résilience demeure votre meilleur atout.

CAPRICORNE
DU 21 DÉCEMBRE AU 20 JANVIER

Le natif du Capricorne a un don tout à fait particulier : il passe inaperçu, tellement qu'il finit par se faire remarquer ! Quel paradoxe ! Si vous trouvez un de vos invités tout seul dans la cuisine en train d'essuyer les verres, pas de doute, il s'agit d'un Capricorne.

Ce signe est la sagesse et le sérieux incarnés. Quant à sa patience, elle est légendaire. Le temps court pour le Capricorne. Avec votre capacité de travail étonnante, on se demande pourquoi vous n'êtes pas un peu plus énergique. Vous êtes plutôt flegmatique, et rien ne semble vous démonter. Vous maîtrisez les concepts abstraits comme nul autre, tant et si bien que votre esprit analytique et votre logique terre à terre sont des atouts indéniables.

Vous êtes cependant d'une telle rectitude – oserions-nous dire d'une telle rigidité – que votre peur des changements, votre sens de l'économie, qui tient de l'ascèse, sont souvent critiqués par votre entourage. Vous n'êtes pas une personne qui agit sur des coups de tête ; avec vous, tout est mûrement réfléchi. Vous n'êtes vraiment pas démonstratif, et vous exprimer oralement n'est pas une de vos forces. D'ailleurs, vous parlez peu et surtout jamais de vous.

Votre modestie peut parfois vous jouer des tours. Vous préférez rester dans l'ombre, et c'est sûrement la peur qui conditionne cet isolement. Par contre, lorsque vient le moment de rationaliser, de travailler sur un problème complexe, vous n'hésitez pas à vous mettre à la tâche, souvent en solitaire. Votre minutie, votre perfectionnisme sont exceptionnels, mais toujours dans le but de ne pas vous faire remarquer. Vous pouvez être président d'une société et avoir l'air d'un simple ouvrier, être riche comme Crésus et porter des vêtements dont votre bonne ne voudrait pas. L'habit ne fait pas le moine... et surtout pas le Capricorne !

En bon signe de terre, vous souffrez d'insécurité et vous craignez la solitude. Pourtant, vous n'hésitez pas à vous retirer pour vous ressourcer. Vous avez un sens de l'économie très développé et vous avez peur de manquer de ressources financières... tellement que vous cachez de l'argent ici et là pour les mauvais jours, mais vous ne l'avouerez jamais ! Votre pire crainte est d'être rejeté, et vous anticipez la fuite du temps. À partir de la trentaine, toutefois, la vie des Capricorne prend un tournant pour le moins surprenant lorsqu'on les sait si réservés. Plusieurs d'entre eux sortent de l'ombre, leur situation évolue très favorablement. Leur caractère, leur moral et même leur vitalité s'améliorent, tout comme leur compte en banque ! Le temps qui passe est votre meilleur allié ; grâce à lui, vous vous bonifiez, comme le vin.

Le natif du Capricorne fonctionne différemment des autres, à « rebrousse-temps » serait-on tenté de dire. Il se comporte comme un vieillard dans sa jeunesse et semble rajeunir avec les années. La deuxième partie de sa vie est bien meilleure que la première, alors que dire de la troisième ! Le Capricorne n'a donc pas à s'inquiéter des années qui passent car, pour lui, le meilleur est à venir.

Pour gagner votre amitié ou votre amour, la patience est de rigueur. Mais une fois que vous avez accordé votre confiance et votre cœur, vous êtes prêt à tous les sacrifices pour ceux que vous aimez. Comme vous ne parlez pas beaucoup, vous exprimez vos sentiments par des gestes qui sont souvent empreints d'une grande générosité. L'amitié et l'amour sont éternels pour vous, et vous ne dérogez pas à cette règle.

Dévoué, parfois jusqu'à l'abnégation, vous vous effacez devant les autres, vous sacrifiez vos propres intérêts, vous vous consacrez à des missions impossibles, à des gens qui n'en valent pas la peine ou qui abusent de vous. Votre générosité n'a pas de bornes, et bien des gens le savent et en profitent. Heureusement, avec le temps, votre grand complice, vous apprenez à mieux mesurer votre propension à vous dédier aux autres et à choisir ceux qui vous entourent. Peu à peu, vous déterminez avec plus de justesse ce que vous voulez donner et jusqu'à quel point vous pouvez le faire. De plus en plus, vous balisez votre générosité, ce qui n'est pas plus mal.

Vous êtes sage, sérieux, vous n'avez pas de temps pour la frivolité et les divertissements stériles, ce qui peut vous faire paraître distant. Vous ne vous liez pas facilement et vous ne vous confiez pas non plus ; vous avez l'impression que vous ennuyez les autres avec vos petits malheurs. Tant de discrétion passe pour de la froideur. Avec le temps, vous vous ouvrirez un peu plus, au grand bonheur de votre entourage et au vôtre également.

COMMENT SE COMPORTER AVEC UN CAPRICORNE ?

S'approcher d'un Capricorne relève parfois du parcours du combattant. Si l'on se fait insistant, il recule et reste dans son coin, discret. Si on le laisse s'éloigner, la solitude le fait souffrir. Ce n'est pas évident, avec lui, de doser ses approches. Pourtant, vous devez impérativement faire le premier pas parce qu'il ne prendra pas d'initiative.

Par contre, si un Capricorne décèle un problème ou un ennui chez vous, il sera le premier à vouloir vous aider, mais sans dévoiler ses propres attentes et ses propres difficultés. Pour commencer une relation avec un natif de ce signe, la patience, l'attention, la capacité de lire entre les lignes sont vos meilleurs atouts. Il n'est pas facile de l'approcher, mais une fois qu'il se sera laissé apprivoiser, vous aurez sans aucun doute le meilleur et le plus fidèle allié dont vous pouviez rêver.

Dans une réunion entre amis, s'il vide le lave-vaisselle ou passe un coup de balai dans la cuisine, cela ne veut pas dire qu'il ne s'amuse pas... il se rend utile. Il aime bien qu'il y ait du monde... dans la pièce d'à côté. Les mondanités ne l'intéressent pas, et il n'aime pas gaspiller le temps.

Si votre conjoint est un Capricorne, ne l'obligez pas à vous suivre dans vos sorties ; il le ferait à reculons, et ce ne serait agréable ni pour l'un ni pour l'autre. Dans ces cas-là, son âme de solitaire prend le dessus. Puisqu'il vous fait confiance, vous pouvez sortir et vous amuser l'esprit en paix ; il en sera très heureux pour vous. Si vous tenez à le convaincre de s'afficher en société, il faudra y aller graduellement, argument par argument, en lui démontrant la logique de votre raisonnement. Il ne faut jamais chercher à transformer radicalement la vie d'un Capricorne par des changements trop brusques. Montrez-lui ses intérêts et les avantages, oubliez autant que possible les inconvénients – il pourrait avoir peur – et surtout laissez-le peser le pour et le contre avant de lui demander de prendre sa décision.

La réflexion lui est aussi indispensable que l'air qu'il respire. Il doit considérer et reconsidérer la suggestion avant de se ranger à votre avis, mais il n'avouera peut-être pas ce qu'il pense. Si finalement vous constatez que rien n'y fait, qu'aucune de vos propositions ne l'aide à se décider, il faudra peut-être le prendre par les sentiments et lui démontrer à quel point telle ou telle chose, telle ou telle sortie compte pour vous. Dans ce cas, si c'est pour vous donner un coup de main, il acceptera sans trop rechigner. Il ne voudrait pas se sentir coupable de vous avoir fait rater une rencontre avec des gens importants pour votre carrière, par exemple.

Le Capricorne n'a pas confiance en ses moyens, et l'énergie pour lancer des projets lui fait souvent défaut. Sa crainte le paralyse. Votre aide et votre appui sont significatifs pour lui ; vous pouvez lui donner un sérieux coup de main, et il vous en sera éternellement reconnaissant.

SES GOÛTS

Ce qui le caractérise, c'est la simplicité et la frugalité. Il n'a pas besoin de strass, de paillettes, de flaflas pour vivre heureux. Il vit selon ses moyens, parfois même en dessous, mais c'est ainsi. Rien chez lui n'est ostentatoire. Les objets sobres, classiques, voire anciens, ont sa préférence. Ses vêtements sont bien coupés ou, plutôt, ont été bien coupés à l'époque ; la mode a eu le temps de passer et de revenir, mais il a toujours le même ensemble. En fait, notre Capricorne ne paie pas de mine ; ses employés, ses enfants sont mieux habillés que lui, mais son portefeuille est drôlement bien garni. Quel économe, quand même !

Dans son intérieur, son besoin de sécurité entre parfois en contradiction avec son goût de la parcimonie. Pour cette raison, il préfère les grosses maisons, les gros meubles, ce qui a l'air solide, durable, ce qui traversera la barrière du temps.

À table, les excès sont presque bannis, sa sagesse prenant le dessus. Mais il a un petit problème, il oublie de diversifier suffisamment son alimentation. Les légumes, les crudités, les fruits ne se retrouvent pas forcément à son menu en quantité suffisante pour maintenir un bon état de santé... et, surtout, il aime parfois un peu trop les sucreries !

SON POTENTIEL

Travailleur déterminé, le Capricorne ne craint pas les projets à très long terme. Il travaille à son rythme, c'est-à-dire lentement ; dans l'ombre ou à l'écart, il fait son chemin sans que personne s'en aperçoive. Lorsqu'il touche au but, tout le monde est bien étonné. Sa devise pourrait être : « Rien ne sert de courir, il faut partir à point. »

Comme c'est un travailleur méticuleux qui ne laisse rien au hasard, il fera sa marque dans les domaines qui requièrent un esprit plus terre à terre : l'administration, la gestion, les banques – il aime bien l'argent ! –, les mathématiques, les recherches, les investigations (comptables ou autres), les relations d'aide, la gérontologie, l'enseignement ou la politique.

Le natif du Capricorne peut être une personne influente, exercer un pouvoir étendu et gérer une immense fortune, et rien n'y paraîtra. Il laisse les autres s'auréoler de leur succès, alors que c'est plutôt lui qui tire les ficelles dans l'ombre.

SES LOISIRS

Sérieux comme il est, on se demande bien quels loisirs lui permettent de se détendre. Dans ses moments libres comme dans sa vie quotidienne, le Capricorne aime bien rester à l'écart. Il optera donc pour des passe-temps de solitaire, qui lui permettent de réfléchir, de penser à ce qu'il lui plaît sans être obligé de converser ou de faire belle figure devant quiconque.

Il choisira souvent de se promener longuement, même en ville. Le ski, la raquette, la natation et la pêche lui conviennent très bien. La lecture est pour lui un excellent moyen d'évasion, et il choisira souvent des ouvrages en rapport avec ses préoccupations ou ses activités professionnelles. C'est un être réfléchi qui se ressource en plongeant dans ses pensées. Mais il ne faut pas oublier qu'il est aussi sensible ;

alors, de temps à autre, il faut le secouer et le convaincre de socialiser un peu plus.

SA DÉCORATION

En matière de décoration, comme en toute chose dans sa vie, la sobriété est sa marque ; il a un esprit très conservateur. D'ailleurs, il accumule les objets, et ce, depuis des années. C'est un véritable écureuil. Ses armoires sont des petites réserves où il entasse ce qui lui permettrait de survivre plusieurs années en cas de disette subite : nourriture, papeterie, vêtements, quincaillerie… Il ne sera jamais pris au dépourvu. Et puis il y a la remise, le grenier, la cave…

Son sens de l'économie est tellement fort qu'il ne dépensera pas un sou pour toutes ces babioles vite démodées qu'on annonce dans les magazines. Par contre, comme il souffre d'insécurité, tout le nécessaire sera toujours à portée de main. Son domicile est son refuge ; il lui faut donc quatre murs bien solides autour de lui. Il peut acheter une immense maison, et l'on se demandera ce qu'il fera de tant d'espace ; il sera vite utilisé, n'ayez crainte.

Le Capricorne n'aime pas la modernité ; il préfère les objets et les choses que le temps a éprouvés. Ce sera donc un amateur éclairé d'antiquités qui représentent des valeurs sûres ; il en aura certainement beaucoup chez lui. Pour son intérieur, il choisira des meubles lourds, solides, imposants, ceux qui donnent une image de stabilité, et cela, souvent en quantité industrielle. Bien qu'il reçoive très rarement, il dispose d'un assortiment de vaisselle à faire rougir les plus grands restaurateurs. Il conserve tout, des assiettes de grand-maman au gros La-Z-Boy de papy, de l'armoire canadienne au canapé Louis XV hérité de la vieille tante Hortense, du bureau de son enfance au lit de son adolescence : tout est là. Vous comprenez maintenant pourquoi il lui faut une si grande maison.

Le Capricorne a ses petites habitudes, ses manies. Il aime sa tranquillité, et c'est souvent à son domicile qu'il trouve cette sécurité dont il est si friand. Retrouver ses affaires là où il les a déposées, quel soulagement ! Bref, si vous êtes son conjoint ou son colocataire, de grâce, ne changez pas les meubles de place pendant qu'il a le dos tourné… vous le mettriez très mal à l'aise.

SON BUDGET

L'économie n'est pas un vain mot pour le Capricorne. Sage et prévoyant de nature, il ne se laisse jamais aller à des dépenses inconsidérées. Il n'ouvre son portefeuille bien garni que lorsqu'il y est obligé. Au magasin, il vérifiera la qualité, évaluera la valeur, la garantie, essaiera peut-être même d'obtenir un rabais, s'assurera de faire une bonne affaire, et, malgré tout, à la caisse, il aura encore un pincement au cœur. Tout coûte terriblement cher de nos jours, n'est-ce pas? Le Capricorne n'est pas avare, mais il souffre d'insécurité et a toujours peur de manquer d'argent. Il est également conscient de la valeur des choses. Comme il a des goûts modestes, il ne se fait jamais à l'idée de devoir dépenser. Mais il a bon cœur, et quand il se permet une dépense, c'est pour offrir quelque chose aux autres, pas à lui-même...

Le Capricorne économise sur tout; il fait constamment attention à son portefeuille et réalise des prouesses avec un budget limité. Même si ses revenus sont peu élevés, il réussira à mettre de l'argent de côté en prévision de jours moins fastes. Il adore créer des petites cachettes : quelques pièces dans le pot de biscuits, une enveloppe bien garnie sous une pile de chandails, des sous dans le compartiment secret du portefeuille; un peu ici, un peu là, sans parler des comptes en banque, des placements... Avec lui, l'expression « avoir son bas de laine » est tout à fait juste. La prévoyance est l'une de ses belles qualités; il prépare ses vieux jours depuis longtemps et, croyez-moi, il ne sera pas dans le besoin, loin de là. Il a des REER, des obligations, des placements, des actions en tout genre. Et pourtant, même s'il est assis sur des millions, l'inquiétude lui triture quand même les neurones...

QUEL CADEAU LUI OFFRIR?

On a vu que notre Capricorne est plutôt conservateur et qu'il garde tout très longtemps. Il serait peut-être indiqué de remplacer quelques objets, comme sa vieille télé en noir et blanc, qui pourrait passer au numérique... à condition que vous la lui achetiez, car son téléviseur des années 1960 lui convient bien (d'ailleurs, il le gardera au fond du grenier, même s'il accepte d'en mettre un modèle plus récent dans le salon). Le natif du Capricorne vous dira qu'il n'a besoin de rien, et il en est convaincu. Vous devrez donc faire de sérieux efforts pour trouver une chose utile qu'il n'a pas en quatre ou cinq exemplaires. Optez avant tout pour des objets sobres et plutôt traditionnels ; la modernité et les gadgets ne sont pas dans ses goûts. S'il a besoin d'un bon agenda, n'arrivez pas avec un Palm ; achetez-en un plus classique. Regardez aussi du côté des vêtements, car les siens doivent être complètement démodés ; il en achète si peu souvent. Les coupes classiques, la qualité et les teintes neutres lui conviendront le mieux. Un beau tricot, des gants ou un foulard le réchaufferont, car il est frileux et aime son confort. Le natif du Capricorne ne se permet jamais de gâteries. Il revient à ses proches de lui offrir des petits luxes. Il sera mal à l'aise, ne saura pas comment vous remercier, mais sera si content que son bonheur fera plaisir à voir.

LES ENFANTS CAPRICORNE

Sage et docile, le bébé Capricorne ne pose jamais de problèmes. En grandissant, il sera toujours aussi sage, et même sérieux pour son âge. Il a besoin de contact avec des enfants plus vieux, voire des adultes ou des personnes âgées. Il est fasciné par les vieilles personnes et les écouterait pendant des heures.

Les grands-mamans et les grands-papas sont aux anges avec lui. Par contre, avec les amis de son âge, il n'est pas très sociable ; en fait, le petit Capricorne préfère rester à l'écart pour observer de loin le monde. La solitude lui plaît, et son côté individualiste ressort déjà. Il est important de lui apprendre à s'amuser, à avoir du plaisir et surtout à fréquenter des camarades de son âge. Il est craintif, renfermé et manque de confiance en lui. Par contre, au fil du temps, il réussira à surmonter sa timidité maladive.

L'ADO CAPRICORNE

Pour ton âge, tu es quelqu'un de très mûr, qui ne perd pas son temps pour des broutilles. Tes amis sont probablement plus vieux que toi et ils te stimulent beaucoup. Tu es tranquille, réfléchi, calme, et tu aimes prendre ton temps. Mais lorsque tu te décides à agir, tu vas jusqu'au bout de tes idées et de tes actes. On ne peut pas te reprocher de faire les choses à moitié. Comme tu es très responsable, les gens n'hésitent pas à te confier certaines tâches, et bien souvent cela passe avant tout, même au détriment de tes loisirs ou de tes goûts personnels. On peut se fier à toi, mais on t'en demande un peu trop pour ton âge, car tu es si raisonnable qu'on te croit plus vieux que tu ne l'es réellement. Tu as des valeurs traditionnelles, conservatrices : la justice, la famille, l'ordre établi comptent beaucoup pour toi. Tu t'intègres bien au système, sans te rebeller. Tu es aussi attaché à l'aspect matériel de la vie, tu es économe et sérieux, tu te fais même de petites réserves en cas de besoin, et tu ne jettes jamais rien, tu prends soin de tes affaires. Malgré les apparences, tu es un être très fier, et lorsqu'on pique ton orgueil, tu t'en souviens longtemps. Sur le plan social, tu es plutôt discret. On te trouve même distant et froid. Tu préfères rester dans l'ombre, par prudence et aussi à cause de ta timidité. Tu as une nature plutôt triste et, avoue-le, la vie te fait peur. Pourtant, tu as tous les atouts en main pour réussir, pour monter très haut... Tu dois apprendre à cultiver ta confiance en toi, car avec les années qui passent tu accompliras de grandes et belles choses, et la réussite sera au rendez-vous si tu parviens à écarter ce sentiment d'insécurité qui te ralentit.

Tes études

Travailleur, tenace et méticuleux, tu te consacres à fond à tout ce que tu entreprends. Tu apprends lentement, mais comme tu comprends bien ce qu'on t'enseigne et que tu as une bonne mémoire, on ne peut pas te prendre en défaut. Ce que tu sais, c'est pour la vie. Étant donné que tu es déterminé, les études supérieures te conviennent fort bien ; le temps joue pour toi. Tu travailles mieux seul qu'en équipe. Tu devras te montrer plus souple avec les autres, car cela te sera bien utile pour évoluer en société.

Ton orientation

Peu importe le domaine que tu choisiras, tu réussiras. Tu es si sérieux, tu as si bien balisé ta vie, calculé le pour et le contre, que ton application sera récompensée. Tu surmonteras les obstacles et atteindras ton objectif, envers et contre tous. Les domaines qui pourraient t'amener sur le chemin du succès sont les finances, la comptabilité, le droit, la politique, la Bourse, l'administration, la fonction publique, le système bancaire, l'industrie, la santé, la gérontologie, les antiquités, le commerce, l'immobilier, l'agriculture, les affaires et les emplois ayant trait à la terre. Tu vois, tu as l'embarras du choix. Ta carrière pourrait commencer dans l'ombre, mais dès que tu auras atteint la trentaine la réussite t'attend, et tu te mettras un peu plus en évidence.

Tes rapports avec les autres

Les gens te croient froid, car tu es souvent distant et renfermé. Tu as peu d'amis, mais tu as su les choisir. Ils savent qu'ils peuvent compter sur toi, même s'ils en abusent un peu, avoue-le. Au fil du temps, tu parviens à dire non lorsque tu sens que les autres tirent trop sur la corde. L'amitié doit être un échange équitable. On en sait peu sur toi, car tu as du mal à exprimer tes sentiments ou à parler ; tu crains souvent de déranger. Tu as beaucoup à offrir, et lorsqu'on te connaît vraiment on découvre en toi un être adorable sur qui l'on peut compter.

LE PARENT CAPRICORNE

Le parent traditionnel

De nature terre à terre, vous voyez loin : cela fait de vous un parent quelque peu exigeant, mais juste et réaliste. Vous n'êtes pas très démonstratif. Toutefois, même si vous ne le laissez pas toujours paraître, vous êtes très sensible à ce que vivent vos enfants, et vous n'hésitez pas à vous sacrifier pour eux. Vous misez sur le concret, vous aidez vos jeunes à préparer leur avenir, et vous travaillez très dur pour qu'ils ne manquent de rien, sur le plan matériel notamment.

L'EMPLOYÉ CAPRICORNE

C'est un employé très responsable, qui s'investit entièrement dans son boulot. Travaillant sans relâche, il arrive tôt et repart tard, les heures supplémentaires ne l'effraient pas. Fiable et organisé, il en prend beaucoup sur ses épaules et devient vite indispensable à son équipe. Bien qu'il soit assez réservé, l'admiration des autres le motive.

LE PATRON CAPRICORNE

Il sait ce qu'il veut et n'en démord pas. Il manque parfois de flexibilité mais pas de ténacité. Pour lui, ce sont les résultats concrets qui comptent, et il atteint ses buts. Très exigeant envers lui-même, il l'est autant avec les autres et attend la perfection de son équipe. Il croit au travail acharné plus qu'à la chance, et il apprécie les gens efficaces et déterminés.

LE CAPRICORNE DANS LA CUISINE

Vous avez des goûts classiques, et votre façon de cuisiner est assez traditionnelle. Vous privilégiez les saveurs simples et les recettes de base, sans trop de fioritures.

Votre signe correspond à la fidélité, et cela s'applique aussi à vos recettes. Vous aimez les valeurs sûres, et parfois on vous reproche de manquer un peu d'imagination.

Vous adorez :

- profiter des rabais à l'épicerie et faire des réserves ; votre garde-manger déborde, et vous pourriez faire face à tout imprévu ;
- servir des repas simples mais substantiels, comme le classique « steak-patates-légumes » (vous n'aimez pas rester sur votre faim) ;
- préparer les plats qui ont bercé votre enfance, par exemple le pâté chinois que faisait votre mère ;
- les plats réchauffés et les pâtes alimentaires.

✦ CE QUE LA NATUROPATHE VOUS SUGGÈRE

Limitez la consommation d'aliments acides qui menacent vos articulations et votre peau.

Vous avez besoin de protéines : mangez-en plus, et choisissez-les de bonne qualité.

Consommez davantage de légumes verts.

ILS SONT CAPRICORNE EUX AUSSI

Jean Airoldi, Daniel Bélanger, Dan Bigras, Mary J. Blige, David Bowie, Carla Bruni, Nicolas Cage, Jim Carrey, Véronique Cloutier, Bradley Cooper, Kevin Costner, Bernard Derome, Yves Desgagnés, Étienne Drapeau, Lara Fabian, Bernard Fortin, Mel Gibson, Patrick Huard, Guy Jodoin, Patrick Lagacé, Jude Law, Annie Lessard, Ricky Martin, Kate Middleton, Sophie Moreau, Sylvie Moreau, Marina Orsini, Michelle Obama, Mahée Paiement, Elvis Presley, Catherine Proulx-Lemay, Louise Richer, Michael Schumacher, Alexandra Stréliski, Kiefer Sutherland, Justin Trudeau, Denzel Washington, Mariloup Wolfe.

✦ OUTILS POUR TRANSFORMER VOTRE DESTINÉE

Cessez de trop accumuler ; cela engendre le chaos et accentue le stress et la peur. Faites le ménage dans vos affaires de temps à autre.

Valorisez le plaisir. Vous êtes trop sérieux, vous misez trop sur le devoir, mais il est également important de profiter de la vie et des gens qui vous entourent.

Méfiez-vous de l'autosabotage ; vous avez un potentiel énorme et votre plus gros handicap est votre autocritique. Croyez en vous.

Pensée positive pour le Capricorne

Ma confiance en moi et dans la Vie augmente constamment.
J'ose accepter les nombreux bienfaits qu'on m'envoie.
Plus j'en accepte, plus il m'en arrive.

Pensée positive spéciale pour 2022

J'ai le droit irrévocable d'être heureux et prospère.
Mon avenir m'appartient.

Le subconscient nous dirige toujours selon nos pensées. En répétant le plus souvent possible ces pensées conçues tout spécialement pour vous, vous vous attirerez plein de belles choses.

Signe : Capricorne

Élément : terre

Catégorie : cardinal

Symbole : ♑

Points sensibles : ossature, décalcification, dentition faible, articulations, genoux, jambes, arthrite, surdité, problèmes d'ouïe et de peau. Jeune, il a peu de vitalité... mais il rajeunit tous les ans.

Planète maîtresse : Saturne, planète de la sagesse.

Pierres précieuses : améthyste, grenat, diamant.

Couleurs : gris et toutes les couleurs terre.

Fleurs : rose, œillet rouge, glaïeul.

Chiffres chanceux : 3-8-11-17-23-28-30-35-44-48.

Qualités : discipliné, sérieux, économe, sage, discret, déterminé, diplomate, traditionnel, terre à terre. Il sait que le temps est son précieux allié.

Défauts : manque d'assurance, timide, renfermé, autoritaire, ne jette rien, pessimiste, manque de confiance.

Ce qu'il pense en lui-même
Je vais tout faire pour eux... Je veux qu'ils m'aiment à tout prix !

Ce que les autres disent de lui
Demandons-lui ce qu'on veut : il ne sait pas dire non !

PRÉDICTIONS ANNUELLES

Votre remontée se poursuit de plus belle et, à partir de votre anniversaire, vous avancerez à une vitesse fulgurante. Vous couperez plus facilement avec le passé et vous vous remettrez parfaitement des expériences traumatisantes que vous avez connues. Mieux encore, vous êtes animé par une telle soif de vivre qu'on vous reconnaîtra à peine. Plus brave, plus fonceur, vous embrasserez une nouvelle étape de votre existence avec confiance. Vous vous féliciterez rapidement de votre audace. Avant le 10 mai, puis du 27 octobre au 20 décembre, la quasi-totalité des planètes lentes influencera votre signe de façon positive, ce qui vous permettra de faire ce que vous souhaitez réellement de votre vie et d'atteindre aisément vos objectifs. Les autres mois n'augurent rien de vilain, mais vous auriez intérêt à demeurer bien centré sur vos véritables priorités. Attention aux erreurs de jugement et aux illusions.

SANTÉ. Année de récupération, de remise en forme et de libération. Vous devriez vous sentir bien comme ça ne vous est pas arrivé depuis longtemps. À vrai dire, vous donnerez carrément l'impression de rajeunir sur le plan tant physique que moral. Autre point marquant, vous serez moins casanier, vous aurez envie de bouger davantage et de faire de belles rencontres, ce qui aura des répercussions positives sur votre humeur, mais également sur votre santé, bien entendu. Entre le 11 mai et la fin octobre, puis lors des dix derniers jours de décembre,

Jupiter fera carré à votre signe et il sera préférable de freiner vos pulsions de gourmandise, voire le laisser-aller en général.

SENTIMENTS. Comme nous l'avons vu, vous voudrez vraiment élargir votre cercle de relations et nouer de nouvelles amitiés. La vie mettra justement sur votre route des personnes compatibles avec qui vous partagerez beaucoup de choses. Il pourrait même être question d'une formidable rencontre pour les célibataires. Quant à ceux qui sont déjà en couple, ils auront tous les atouts en main pour insuffler un élan à leurs amours. Quelques petits soucis d'ordre familial ne parviendront pas à assombrir ce magnifique tableau. De toute façon, vous serez toujours capable de trouver des solutions ingénieuses.

AFFAIRES. Avec toute cette vigueur qui vous anime, ça promet de bouger ! Excellente année pour reprendre le contrôle de la situation. Des études, une réorientation ou carrément un changement d'activités vous permettront de vous réaliser pleinement. Vous vous débarrasserez de certaines dettes, vos placements fructifieront et vous aurez également quelques possibilités dans les tirages pour un prix secondaire. Bonne année pour les déménagements, les acquisitions ou ventes immobilières, les rénovations ainsi que les voyages. Soyez cependant bien prudent avec vos sous de juin à novembre.

JANVIER

DIM	LUN	MAR	MER	JEU	VEN	SAM
						1
2 ●	3	4	5	6	7	8
9 D	10 D	11 F	12 F	13 F	14	15
16	17 ○	18	19	20	21 F	22 F
23 D	24 D	25 D	26	27	28	29
30	31					

F Jour favorable	D Jour difficile
○ Pleine lune	● Nouvelle lune

SANTÉ. La présence de Mars dans votre douzième secteur gruge quelque peu votre énergie jusqu'au 25. À certains moments, vous pourriez même vous sentir abattu et songeur. Peut-être devriez-vous penser à un petit tonique ou, tout simplement, à mettre un peu d'ordre dans votre vie. Vous retrouverez votre fougue au cours de la dernière semaine, mais vous devrez en revanche vous prémunir contre une blessure.

SENTIMENTS. La visite de Vénus dans votre signe ajoutera du piquant à votre intimité et devrait aussi vous apporter de nombreuses invitations. Vous reverrez d'anciens copains que vous aviez un peu négligés et vous vous ferez également de nouveaux amis. D'ailleurs, une rencontre est fort possible pour les célibataires. Un proche vous irrite, passez l'éponge, bientôt vous en rirez.

AFFAIRES. Rien de grave en vue, sinon une foule de petites contrariétés. Vous déplorez des retards, un manque de communication de même qu'un brin d'incertitude. Heureusement, le mois se terminera sur une note plus optimiste. Une bonne nouvelle ou le règlement d'une affaire qui traînait ajoutera à votre sentiment de satisfaction.

FÉVRIER

DIM	LUN	MAR	MER	JEU	VEN	SAM
		1 ●	2	3	4	5 D
6 D	7 F	8 F	9 F	10	11	12
13	14	15	16 ○	17 F	18 F	19
20 D	21 D	22	23	24	25	26
27	28					

F	Jour favorable		D	Jour difficile
○	Pleine lune		●	Nouvelle lune

SANTÉ. Mars a quitté votre douzième secteur pour entrer dans votre signe. Vous pouvez dire adieu à la fatigue et au manque de motivation. Toutefois, cette configuration planétaire engendre aussi des risques d'accident. Soyez donc sur vos gardes pour ne pas vous faire mal. Un malaise subit et lancinant devrait se résorber rapidement.

SENTIMENTS. Il semble que Vénus se plaise chez vous puisqu'elle y restera durant tout le mois. Les célibataires pourront enfin rencontrer quelqu'un qui leur convient parfaitement si ce n'est déjà fait, tandis que ceux qui sont en couple retomberont littéralement en amour. Une bonne nouvelle n'arrivant jamais seule, attendez-vous aussi à une vie sociale trépidante.

AFFAIRES. Février promet également d'être très constructif dans ce domaine. Le moment est idéal pour redresser et consolider votre budget. Un contrat, une proposition alléchante et des démarches qui aboutissent aisément sont autant de possibilités. Quelques chances dans les tirages et une annonce positive concernant vos finances viendront parfaire ce réjouissant tableau.

MARS

DIM	LUN	MAR	MER	JEU	VEN	SAM
		1	2 ●	3	4 D	5 D
6 D	7 F	8 F	9	10	11	12
13	14	15	16	17 F	18 ○ F	19 D
20 D	21	22	23	24	25	26
27	28	29	30	31		

F Jour favorable	D Jour difficile
○ Pleine lune	● Nouvelle lune

SANTÉ. Les astres vous favorisent toujours. Les choses continuent de progresser tant et si bien qu'on vous trouvera dans une forme exceptionnelle à partir du 7. En plus, vous aurez un moral à toute épreuve. Bonne période pour modifier votre alimentation ou pour rafraîchir votre image.

SENTIMENTS. Les six premiers jours sont magiques. Le reste du mois ne s'annonce pas mal non plus, mais il pourrait être plus routinier. Au moins, il n'y a pas de gros chagrins ni de déceptions à l'horizon. Et puis, si vous voulez que ça bouge comme au cours des dernières semaines, rien de plus simple, vous n'avez qu'à prendre quelques initiatives.

AFFAIRES. Vous avez tellement de projets en tête que vous ne savez plus par où commencer. Vous semblez d'ailleurs assez désorganisé avant le 10, ce qui n'est pas du tout dans votre nature. Par la suite, vous agirez de manière plus structurée et les résultats ne se feront pas attendre. Chance pour toute question financière du 11 au 29.

AVRIL

DIM	LUN	MAR	MER	JEU	VEN	SAM
					1 ● D	2 D
3 F	4 F	5 F	6	7	8	9
10	11	12	13 F	14 F	15 D	16 ○ D
17	18	19	20	21	22	23
24	25	26	27	28 D	29 D	30 ● F

F Jour favorable	D Jour difficile
○ Pleine lune	● Nouvelle lune ; celle du 30, combinée à une éclipse solaire partielle

SANTÉ. Vraiment, rien ne vous arrête ! En plus de vous sentir dangereusement en forme, vous avez des nerfs d'acier. L'éclipse de ce mois n'en vient même pas à bout. Tant mieux ! Profitez-en donc pour faire des réserves d'énergie et pour vous débarrasser une fois pour toutes de ce qui accrochait.

SENTIMENT. Vénus et Jupiter vous promettent plusieurs moments enchanteurs entre le 7 avril et le 3 mai, tant dans l'intimité que sur le plan social. On vous lancera toutes sortes d'invitations. Pas d'hésitation, acceptez aussitôt, surtout si vous êtes célibataire ! Un cadeau, un message rempli de gentillesse, voire une déclaration vous émouvra.

AFFAIRES. La première quinzaine est bonne et vous continuerez à avancer selon vos projections. Par la suite, un gros courant de chance vous permettra de réaliser des prouesses et de gagner de l'argent, vous aurez même des possibilités au jeu. Excellente période pour tout ce qui a trait à votre domicile ainsi que pour effectuer des recherches, pour présenter une requête ou pour voir du pays.

MAI

DIM	LUN	MAR	MER	JEU	VEN	SAM
1 F	2 F	3	4	5	6	7
8	9	10 F	11 F	12 F	13 D	14 D
15 ○	16	17	18	19	20	21
22	23	24	25 D	26 D	27 D	28 F
29 F	30 ●	31				

F Jour favorable		D Jour difficile
○ Pleine lune et éclipse lunaire totale		● Nouvelle lune

SANTÉ. À part la tension nerveuse qui se fait parfois bien présente à cause de l'éclipse, vous n'aurez pas vraiment à vous plaindre avant le 24. Pour que tout aille encore plus rondement, gardez-vous du temps pour vous relaxer, ce que vous avez négligé de faire au cours des dernières semaines. Prudence entre le 25 et le 31.

SENTIMENTS. Les gens autour de vous sont bien changeants. Un jour, ils sont aux anges, le lendemain, ils vous tombent dessus. C'est contrariant parce que vous êtes justement plus sensible ces temps-ci. Afin de ne pas envenimer les choses, évitez de prendre ce qu'on vous dit au pied de la lettre ou de vous emporter. Avec la famille, il vaut mieux marcher sur des œufs.

AFFAIRES. Ne restez pas dans votre coin, au contraire : foncez, lancez vos projets, engagez des pourparlers et sachez vous mettre en valeur. Une proposition avantageuse ou un gain imprévu peut survenir au moment où vous vous y attendez le moins. Une distraction risque de vous occasionner des frais durant la dernière semaine, gare aux négligences.

JUIN

DIM	LUN	MAR	MER	JEU	VEN	SAM
			1	2	3	4
5	6	7 F	8 F	9 D	10 D	11
12	13	14 ○	15	16	17	18
19	20	21	22 D	23 D	24 F	25 F
26	27	28 ●	29	30		

F Jour favorable	D Jour difficile
○ Pleine lune	● Nouvelle lune

SANTÉ. Mars et Jupiter font toutes deux un carré à votre signe, ce qui pourrait compromettre votre bien-être si vous n'y prenez garde. Il faut absolument éviter de courir des risques, de commettre des abus ou de vous négliger, car vous en paierez les conséquences. Sur le plan moral, la conjoncture présente un indice élevé de tension, ne la laissez pas vous envahir.

SENTIMENTS. À la maison, c'est tout ou rien. Votre partenaire et la marmaille vous chérissent par moments tandis qu'à d'autres ils vous envoient promener. Heureusement, vos amis sont là quand ça brasse et ils vous aideront à vous changer les idées afin que vous puissiez prendre le recul nécessaire. Plusieurs invitations sont au programme avant le 23, dont une qui pourrait surprendre les célibataires.

AFFAIRES. Les choses ne vont pas tout à fait rondement, mais ce n'est quand même pas une raison pour capituler. Creusez-vous un peu les méninges et je vous assure que vous trouverez une solution pour chaque problème que vous rencontrerez. À vrai dire, on peut parler d'obstacles, mais certainement pas d'échecs.

JUILLET

DIM	LUN	MAR	MER	JEU	VEN	SAM
					1	2
3	4 F	5 F	6 D	7 D	8 D	9
10	11	12	13 ○	14	15	16
17	18	19 D	20 D	21 F	22 F	23 F
24	25	26	27	28 ●	29	30
31 F						

F Jour favorable	D Jour difficile
○ Pleine lune	● Nouvelle lune

SANTÉ. Jusqu'au 6, faites donc attention à vous, car Mars continue de vous malmener. Par la suite, elle deviendra une alliée précieuse, augmentant rapidement votre vitalité et votre résistance. Il vaut mieux toutefois bannir la gourmandise et les excès de toutes sortes si vous voulez en profiter pleinement, parce que Jupiter, elle, est demeurée dans le décor.

SENTIMENTS. Dans l'intimité, votre période la plus prometteuse s'étend du 1er au 18. Un rapprochement ou le règlement d'une querelle d'amoureux vous donnera des ailes. Sur le plan social, c'est tout le mois qui vous favorise. On vous traitera avec énormément d'égards, vous passerez du bon temps avec vos amis et de nouvelles connaissances. Les célibataires devraient d'ailleurs garder l'œil ouvert.

AFFAIRES. Vous éprouverez quelques déceptions ou frustrations durant la première semaine. Les choses n'iront pas comme vous le souhaitez, et vous devrez redoubler d'efforts pour arriver à un résultat tangible. Vous pourrez toutefois célébrer le retour de la chance par la suite. Vos entreprises débloqueront, vos espoirs commenceront à se concrétiser et d'heureux changements se produiront.

AOÛT

DIM	LUN	MAR	MER	JEU	VEN	SAM
	1 F	2 F	3 D	4 D	5	6
7	8	9	10	11 ○	12 D	13 D
14	15 D	16 D	17	18 F	19 F	20
21	22	23	24	25	26	27 ● F
28 F	29 F	30 D	31 D			

F Jour favorable	D Jour difficile
○ Pleine lune	● Nouvelle lune

SANTÉ. Les astres vous favorisent énormément jusqu'au 20. Vous pourrez alors trouver la solution à un problème qui vous chicotait depuis quelque temps et repartir du bon pied. Excellente période également pour revoir votre alimentation, adopter une meilleure hygiène de vie ou vous inscrire à un programme d'exercices. Le moral sera lui aussi beaucoup plus solide.

SENTIMENTS. Votre vie mondaine ressemble à celle d'une star, vous volez la vedette partout où vous passez, en particulier au cours des trois premières semaines. Belles occasions de rencontre pour les célibataires. Pour les couples, il sera question d'une réconciliation ou d'amours qui redémarrent entre le 12 et le 26.

AFFAIRES. Il faut battre le fer pendant qu'il est chaud ! Ce n'est certainement pas le moment d'hésiter ou de tergiverser. Suivez votre première idée et allez de l'avant, vous serez surpris des résultats. Même si vous avez la réputation d'être vite sur vos patins, à certains moments vous trouvez que les choses avancent trop rapidement. Qu'importe, vous finirez gagnant.

SEPTEMBRE

DIM	LUN	MAR	MER	JEU	VEN	SAM
				1	2	3
4	5	6	7	8	9	10 ○
11	12 D	13 D	14 F	15 F	16	17
18	19	20	21	22	23	24 F
25 ● F	26 D	27 D	28	29	30	

F Jour favorable	D Jour difficile
○ Pleine lune	● Nouvelle lune

SANTÉ. Vous ne devriez pas avoir trop de misère à déjouer les carrés de Mercure et de Jupiter si vous vous en donnez la peine. Vous faites des montagnes avec des riens, ce qui vous invite parfois à compenser par certains excès. Cette configuration rend plus distrait, attention de ne pas vous infliger une blessure à une extrémité. Prenez garde aux maux de gorge.

SENTIMENTS. Vénus vous avantage du 5 au 29 et les possibilités de rencontres amoureuses et sociales demeurent fort élevées. Bon moment pour les engagements sérieux et les projets à long terme. Les compliments et les marques d'attention se multiplient. Servez-vous de votre sens de l'humour si une altercation survient avec un membre de la famille...

AFFAIRES. Ça ne va pas aussi prestement qu'au cours des dernières semaines. Vous devrez probablement vous y prendre à deux fois pour arriver à ce que vous voulez, mais je vous assure que ça vaut la peine de persister. Si vous vous découragez au premier insuccès, vous ne pourrez pas profiter des belles occasions que ce mois vous réserve malgré tout. Il faut en rire, vous finirez bien par en venir à bout.

OCTOBRE

DIM	LUN	MAR	MER	JEU	VEN	SAM
						1
2	3	4	5	6	7	8
9 ○ D	10 D	11 F	12 F	13 F	14	15
16	17	18	19	20	21 F	22 F
23	24 D	25 ● D	26	27	28	29
30	31					

F Jour favorable	D Jour difficile
○ Pleine lune	● Nouvelle lune et éclipse solaire partielle

SANTÉ. L'éclipse ne présente pas de véritables risques. Cependant, le retour du carré de Mercure entre le 11 et le 30 pourrait vous incommoder. Protégez vos extrémités, prémunissez-vous contre le rhume et apprenez à vous relaxer. Vous gardez trop de choses à l'intérieur et ça finit par miner votre énergie. Un proche ne demande pas mieux que de vous écouter, pourquoi ne pas lui confier vos inquiétudes ?

SENTIMENTS. Vous ne vous comprenez plus. Lorsque vous êtes seul, vous vous ennuyez, mais quand vous voyez des gens ils ont tôt fait de vous taper sur les nerfs. De nombreuses personnes vous aiment mais ne savent plus sur quel pied danser. La dernière semaine s'annonce assurément plus coulante.

AFFAIRES. Vous vous en demandez trop, pas étonnant que vous vous sentiez stressé. C'est vrai que vous en avez beaucoup sur les épaules, mais ce n'est pas une raison pour tenter de tout faire en même temps. Soyez sur vos gardes entre le 10 et le 28, pour ne pas engloutir une jolie somme. Gare aux beaux parleurs et aux achats impulsifs.

NOVEMBRE

DIM	LUN	MAR	MER	JEU	VEN	SAM
		1	2	3	4	5 D
6 D	7 D	8 ○ F	9 F	10	11	12
13	14	15	16	17 F	18 F	19 F
20 D	21 D	22	23 ●	24	25	26
27	28	29	30			

F Jour favorable	D Jour difficile
○ Pleine lune et éclipse lunaire totale	● Nouvelle lune

SANTÉ. Cette éclipse risque d'en perturber beaucoup, mais certainement pas vous ! De fait, elle exercera une action positive sur votre signe et vous permettra de vous débarrasser de certains ennuis ou mauvaises habitudes que vous traîniez depuis quelque temps. Vous devenez également plus résistant sur le plan psychologique. Bravo !

SENTIMENTS. Vous êtes dans les bonnes grâces de Vénus pendant la première quinzaine et vous avez tout ce qu'il faut pour vous réjouir de votre vie amoureuse et sociale. Le reste du mois n'est pas menaçant, c'est tout simplement que l'exubérance fera place à la douceur, au calme et au romantisme. Le comportement d'un enfant ou vos échanges avec celui-ci s'amélioreront avant le 17.

AFFAIRES. Ce mois s'annonce infiniment plus constructif que les deux précédents. Vous traversez une phase de renouveau. Votre situation se modifie pour le mieux et vous vous rapprochez de votre but. Vos désirs deviennent réalité avec un minimum d'effort. Une bonne nouvelle vous attend sur le plan financier, peut-être à la loterie.

DÉCEMBRE

DIM	LUN	MAR	MER	JEU	VEN	SAM
				1	2	3 D
4 D	5 F	6 F	7 ○	8	9	10
11	12	13	14	15 F	16 F	17 D
18 D	19 D	20	21	22	23 ●	24
25	26	27	28	29	30 D	31 D

F Jour favorable		D Jour difficile
○ Pleine lune		● Nouvelle lune

SANTÉ. S'il est vrai que vous alliez bien le mois passé, décembre s'annonce encore mieux. Vous vous sentez tellement en forme que vous donnez l'impression de rajeunir. Vous êtes beau comme un cœur, ce qui vous vaut toutes sortes de compliments. Excellente période pour les bonnes résolutions, l'exercice physique et toute démarche en vue de parfaire votre bien-être ou d'améliorer votre apparence.

SENTIMENTS. Vénus entre dans votre signe le 10, ce qui constitue un gage de bonheur et de popularité. Si vous êtes seul et qu'on vous invite à sortir, ne refusez surtout pas, car c'est là que vous pourriez connaître la personne de votre vie. Ceux qui sont vraiment impliqués dans une relation retomberont en amour avec leur partenaire. Ajoutons que vous serez également très sollicité.

AFFAIRES. Vous traversez une période particulièrement avantageuse. Les démarches en vue d'améliorer votre situation professionnelle ou financière seront assurément couronnées de succès. Un conseil, toutefois. Ne signez pas de documents officiels sans savoir avant le 21. Bon mois aussi pour prendre des vacances.

VERSEAU

DU 21 JANVIER AU 19 FÉVRIER

On dit souvent du Verseau qu'il est né au moins un siècle trop tôt. On le trouve original, voire plutôt excentrique, et il n'est pas toujours facile de le comprendre. Ses idées sont renversantes, osées, bref, très avant-gardistes.

Le Verseau est un amateur de nouveautés : le dernier gadget trouve toujours une place dans sa cuisine, son atelier, son bureau. Les bidules, les machins, les trucs, vous les connaissez tous et vous pouvez faire découvrir bien des objets aux autres, ceux que le monde ignore totalement. Et tout ça, sans parler de ce que vous avez bricolé ou « bidouillé » vous-même, parce que personne n'avait pensé à l'inventer avant vous !

Le signe du Verseau est donc associé aux nouvelles technologies, quel qu'en soit le domaine : électricité, télécommunications, satellites, informatique, énergie nucléaire et science atomique.

Le plus célèbre des Verseau, Jules Verne, a beaucoup fait jaser avec ses idées abracadabrantes, révolutionnaires pour l'époque : imaginez, il disait que l'homme pourrait voler dans un oiseau de métal, aller sur d'autres planètes, voyager au plus profond des océans, creuser des tunnels sous les montagnes, regarder la télévision, et j'en passe... Certains sceptiques le tenaient pour fou. Pourtant, aujourd'hui, ces exploits ne nous étonnent plus, ils sont monnaie courante. Dans un siècle, cher Verseau, on reconnaîtra que vous étiez un visionnaire, mais en attendant, il pourra vous sembler irritant d'avoir à convaincre les autres que vous n'affabulez pas et que vos idées trouveront des applications insoupçonnées dans l'avenir.

Votre signe est également placé sous un aspect humanitaire. Dans votre cœur, il n'y a pas de frontières ; l'univers entier devient votre domicile. Vous aimez tout le monde sans distinction ! Peu importe la classe sociale, la religion, la race, le sexe, vous savez trouver ce que chacun a de meilleur en soi. Pour vous, c'est l'humanité qui compte. Et ce grand esprit de famille qui vous anime se reflète jusque dans votre cercle d'amis. Celui-ci est très diversifié et étonnant ; s'y côtoient des gens qui, hormis vous, n'auraient pas grand-chose en commun. Vous mélangez les genres : le président d'une entreprise cotée en Bourse, un violoniste de l'orchestre symphonique, une militante antimondialisation, un installateur de téléphones, une missionnaire à la retraite et une *top model*. Vous mixez les histoires, les expériences de vie et les points de vue... et votre petite soirée fera encore jaser dix ans plus tard.

Pour vous, apprendre et expérimenter – que ce soit dans votre cuisine (sans doute un laboratoire de chrome et d'acier) ou au travail, par l'éducation des petits ou en réglant les problèmes des pays en voie de développement – ne sont pas des mots vides de sens. Les sentiers battus, les habitudes, les manies, ce n'est pas votre genre. Vous voulez faire mieux que les autres, et avec votre touche bien personnelle.

Anticonformiste comme vous l'êtes, vous astreindre à respecter un budget n'est pas dans vos pratiques courantes. Vous craquez pour un objet... eh bien, vous l'achetez à crédit, et la facture viendra plus tard. Vous jouez à la Bourse, mais vous oubliez la facture d'épicerie que vous devez acquitter... Vous jonglez avec votre argent comme avec vos idées.

Comme vous placez la générosité sur un piédestal, vous êtes parfois d'une grandeur magnifique. Cependant, vous sacrifier vous demande quelquefois beaucoup d'efforts. Vous êtes débordant d'idées, mais vous aimez laisser les autres les appliquer.

Sur le plan affectif, vous vous avouez large d'esprit... quand vous n'êtes pas impliqué. Mais si, par malheur, votre conjoint prend ce principe au pied de la lettre, il risque de lui en cuire. Vous avez l'esprit ouvert, mais quand ça ne s'applique pas à vous. Indépendant, vous prônez la liberté, et l'élu de votre cœur doit l'accepter. Par contre, si lui-même accorde ses faveurs à une autre personne... aïe ! La liberté a quand même des limites, n'est-ce pas? Surtout celles que vous lui mettez !

COMMENT SE COMPORTER AVEC UN VERSEAU?

Pour devenir l'amour de la vie d'un Verseau, il faut être patient, être d'abord son ami et laisser les sentiments mûrir entre vous. Si vous avez en tête l'image du petit couple charmant vivant dans une maison coquette entourée de fleurs, vous pourriez avoir une amère déception. Cette seule pensée lui donne la chair de poule. Par contre, une tour de verre ultramoderne au centre-ville, ou une maison dont il a lui-même dessiné les plans, vous attend sûrement. Ainsi, la jolie maisonnette blanche à volets bleus dans un jardinet fleuri... oubliez ça tout de suite.

Notre Verseau est anticonformiste dans l'âme, et vous ne pourrez rien y faire, autant vous y habituer tout de suite. Si vous cherchez à lui parler de problèmes quotidiens, de la fenêtre du sous-sol qui coince ou de la dernière marche de l'escalier qui se fend, vous tombez plutôt mal. Le mieux est de régler ces détails vous-même; le Verseau a d'autres choses plus importantes à faire, et perdre son temps pour de telles broutilles ne l'intéresse tout simplement pas.

Par contre, si vous voulez discuter de la question des sans-abris dans les grandes villes occidentales, de la peine de mort ou de la Première Guerre mondiale, vous tomberez sur un interlocuteur attentif et renseigné, mais de grâce, oubliez les soucis domestiques.

Il vous faut aussi apprendre à respecter sa liberté, à le laisser découvrir ce qui lui plaît, à accepter qu'il ait des occupations autres que les vôtres. Emboîtez-lui le pas, secondez-le et épaulez-le. Notre Verseau aime bien avoir un bon complice, mais doit avoir le dernier mot. Quant à vouloir lui faire faire le grand ménage du printemps ou récurer les casseroles... laissez tomber, car vous gaspillerez votre salive.

Pour le convaincre de faire quelque chose, parlez-lui d'aider les pays défavorisés et sortez vos grandes théories humanitaires, car les arguments simples et terre à terre, il n'en a que faire. Il évolue dans la haute stratosphère, notre Verseau, bien au-dessus des banalités. De toute façon, puisque vous êtes là et que cela vous interpelle, vous vous en occuperez à sa place. Le mieux pour vous est qu'il trouve lui-même ce dont vous voulez le convaincre. Bien sûr, faites cela à son insu. De cette façon, il vous expliquera le problème avec un exemple concret, et vous aurez atteint votre but. Mais n'oubliez jamais qu'avec un natif du Verseau il y a deux vérités : celle du monde et celle de son quotidien, et elles sont loin d'être compatibles.

Ce qui l'indispose, ce sont les plaintes, les reproches et les pressions. Se faire pousser dans le dos l'exaspère et le fait même fuir. Le meilleur moyen de vous en faire un ami est de faire comme lui, de vous joindre à sa bande, de l'accompagner dans ses sorties, de discuter à bâtons rompus des grandes théories humanistes. Et tant pis pour le tube de dentifrice mal rebouché qui gît dans le lavabo de la salle de bain.

SES GOÛTS

Avec une personnalité aussi originale, il ne peut évidemment pas avoir des goûts conventionnels. Ce qui choque ou surprend, et surtout qui sera à la mode dans dix ans seulement, voilà ce qui fait son bonheur. Bien sûr, tout le monde le trouve excentrique. Mais pour lui, il est tout à fait normal d'être à l'avant-garde, jusque dans sa tenue vestimentaire. Les complets-cravates ou les tailleurs bon chic bon genre, très peu pour notre Verseau. Par contre, un look hyper « flyé », affichant sa petite touche, voilà dans quoi il se sent bien. Il ne supporte pas d'être pareil aux autres. Chez lui, regardez-y de plus près et vous découvrirez les plus récents gadgets et les inventions les plus bizarres. Il réussit même à dénicher des objets qui ne seront probablement sur le marché que trois mois plus tard. Dans son assiette aussi, on peut lire son goût pour l'originalité. Ainsi, à table, il aime découvrir, innover, voire se surprendre lui-même. Des combinaisons inusitées, gâteau au confit d'oignons, poulet à la confiture de cerises de terre, potage aux pommes et au fenouil... il essaie les mixtures les plus étranges. Alors, s'il vous invite à dîner, vous serez surpris, mais vous conviendrez que c'est bon... dans le genre. Malheureusement, comme notre Verseau est aussi un être très occupé, les services de restauration rapide connaissent bien son adresse.

SON POTENTIEL

Le Verseau s'intéresse aux nouvelles technologies, à tout ce qui sort de l'ordinaire et au bien-être de l'humanité. Les domaines où il évoluera le mieux sont ceux de l'industrie aérospatiale, l'informatique, l'électronique, le génie électrique, l'invention, la futurologie, le cinéma, la télévision, la radio, mais aussi la psychologie, les sciences sociales et les arts. Il a une personnalité originale, et des idées fulgurantes et brillantes jaillissent de son esprit. Il est souvent très créatif. De toute façon, quoi qu'il fasse, il ne se conformera jamais aux normes, et ce sera toujours étonnant.

SES LOISIRS

Le Verseau est intrigué par tellement de choses que vouloir lui attribuer un ou des passe-temps n'est pas facile. C'est une personne polyvalente, mais la nouveauté et l'inconnu le captivent et le passionnent tout particulièrement. Il est avide de découvertes ; il veut sans cesse apprendre, explorer, comprendre et être étonné. De telles aptitudes lui permettent d'explorer à fond le monde de l'informatique, de la création par ordinateur, et même de la conception et de la programmation de machines intelligentes. Même s'il travaille dans un secteur particulier, il voudra continuer chez lui, le soir, pour approfondir ses connaissances ou faire de nouvelles trouvailles.

Les technologies de pointe l'attirent comme un aimant. Aéronautique, missions spatiales, intelligence artificielle, manipulations génétiques émoustillent sa curiosité. Il est aussi irrésistiblement intrigué par ce qui semble mystérieux, comme la spiritualité. S'il aime la lecture, il choisira certainement un ouvrage ou un magazine qui traite d'un de ces sujets.

Le Verseau a besoin de compagnie, de voir des gens, de discuter, de confronter ses idées à celles des autres, de régler le sort de l'humanité ; il ne peut rester seul bien longtemps. Son cercle de relations s'agrandit d'année en année, et il consacre un temps considérable à sa vie en société, avec ses amis. Pour cette raison, la psychologie humaine pourrait être un autre de ses multiples champs d'intérêt. En fait, il peut s'adonner à n'importe quelle activité et y trouver du plaisir, du moment qu'il sent que son esprit est mis à contribution. Car notre

Verseau aime faire fonctionner ses neurones, tellement qu'il se plaît à inventer : il a toujours quelque chose à « patenter », des stores verticaux à ouverture télécommandée ou un programme d'ordinateur pour inventer des recettes très personnelles aux ingrédients inusités, un dévidoir électrique pour permettre au chat de se nourrir tout seul, etc. Avec lui, la science n'a pas de limites. Et devinez quel genre de films obtient sa préférence ? La science-fiction, bien entendu !

SA DÉCORATION

Lorsqu'on franchit le seuil de sa maison, on a souvent l'impression d'entrer dans un magasin d'appareils électroniques. Son domicile est rempli de multiples gadgets qui lui simplifient la vie. Si vous voulez découvrir les plus récents appareils ménagers, par exemple ce fameux réfrigérateur qui se branche sur Internet pour passer lui-même la commande de ce qui manque sur ses rayons, c'est chez le Verseau que vous le trouverez en premier. En fait, il ne serait guère étonnant que sa maison soit bourrée de domotique. Elle est si moderne, si informatisée qu'on a parfois le sentiment de débarquer sur une autre planète.

Le chrome, l'acier inoxydable, les métaux dépolis, la laque blanche ou noire et le granit composent un intérieur résolument contemporain. On dirait qu'il habite la station internationale en orbite autour de notre planète. Mais il ne se contente pas d'avoir un style futuriste. Il le personnalise, et là, croyez-moi, vous n'êtes pas au bout de vos surprises. Une tapisserie du Moyen Âge pourrait bien voisiner avec un cadre d'aluminium anodisé... vide. Pour lui, l'objet ancien met le reste du décor en valeur. Bien sûr, chacun a ses goûts et ses couleurs préférées, n'est-ce pas ?

Et puis, avez-vous remarqué combien sa maison est toujours grouillante de monde ? Ses proches prendraient-ils son intérieur pour un musée ou pour une curiosité à voir absolument ?

SON BUDGET

Le Verseau vit dans le futur. Pour son budget, c'est pareil ! Il achète maintenant et paiera plus tard. La tentation est si forte – un nouvel appareil, un gadget qui vient de sortir – qu'il vous est inutile de lui dire qu'il peut s'en passer. Si le bidule existe, il le lui faut, et pas dans un mois, tout de suite. Une autre partie de son argent est consacrée à l'aide à autrui ; il a tellement d'amis qu'il y en a toujours un qui se trouve dans le besoin. Tout cela fait en sorte que son compte en banque est parfois à bout de souffle.

En fait, l'argent lui brûle les doigts. Ses proches et son conjoint auront beau essayer de le raisonner, l'économie... très peu pour lui. Il méprise le capitalisme : il le dit souvent à qui veut bien l'entendre. Néanmoins, il consomme diablement.

Tenez, il vient de s'acheter un nouvel ordinateur et il passe des heures sur un programme de comptabilité censé l'aider à tenir son budget... mais voilà, si le logiciel est bien au point, il n'aura ni le temps ni l'envie de s'en servir pour faire tous ces calculs idiots. Une machine pour imprimer de beaux billets bruns serait peut-être un meilleur gadget pour notre Verseau.

QUEL CADEAU LUI OFFRIR ?

Trouver un cadeau pour un Verseau, c'est facile : tout ce qui est nouveau, électronique, à l'avant-garde lui plaira. Le problème est qu'il l'a peut-être déjà acheté. Il sait dénicher les nouveautés avant même qu'elles soient annoncées dans les journaux.

De toute façon, peu importe ce que vous pensiez lui offrir, cherchez un objet qui lui simplifiera la vie. Entre deux modèles, choisissez le plus futuriste, avec des tas de boutons, de réglages et de manettes. Vous, vous y perdriez sûrement votre latin. Lui, il trouvera comment ça marche en un rien de temps. Un nouvel aspirateur qui sert aussi de brosse à vêtements, une perceuse qui fait des trous carrés, bref, plus c'est bizarre, plus c'est compliqué, plus c'est nouveau, plus il aimera. Sans même lire le mode d'emploi, il a un flair pour comprendre comment utiliser la moindre fonction avec le maximum d'efficacité.

Le marché abonde en nouveautés ; vous trouverez sûrement le cadeau idéal pour un Verseau qui a tout : le dernier modèle de cellulaire intelligent, une calculatrice avec microémetteur intégré, une montre qu'on peut utiliser comme GPS, un agenda avec écran numérique qui se branche sur Internet et permet de voir les enfants à la garderie... enfin, visez le plus bizarre des cadeaux *high tech* et vous tomberez dans le mille.

LES ENFANTS VERSEAU

Éveillés, curieux, avides d'apprendre, les petits bouts de chou Verseau aiment avoir beaucoup de monde autour d'eux et, forcément, ils sont le centre d'attention de tous, car ils sont dynamiques. Au fil des années, ils deviendront des enfants très sociables, avec plein de copains. Ces derniers ne seront pas toujours de votre quartier, et vous ne les apprécierez pas forcément, mais votre petit Verseau aime la diversité, ce qui est différent. De plus, il a l'âme humanitaire ; ne l'oubliez pas. Comme il aime être entouré, la garderie ne lui fera pas peur, et il ramènera sa bande à la maison. Les jouets qu'il préférera seront ceux qu'il pourra monter et démonter à loisir, et même transformer au gré de sa fantaisie, car il adore bricoler, « patenter ». Les avions, les fusées, les jeux électroniques, les consoles de jeux vidéo ou les sites internet, voilà de quoi le tenir fort occupé pendant des heures. Il faudrait toutefois essayer de lui inculquer le respect de certaines valeurs plus traditionnelles. Il n'est pas facile, notamment, de lui apprendre à demeurer à l'écoute des autres, de ses proches. C'est bien beau d'avoir des idées humanitaires et de vouloir sauver la planète, mais ses parents ne sont pas simplement là pour nettoyer sa chambre et lui donner de l'argent pour s'acheter le plus récent logiciel. Le respect des autres commence à la maison ; lorsqu'il aura compris cela, il mettra son esprit inventif et ses capacités au service de sa famille, pour votre plus grande joie.

L'ADO VERSEAU

Tu es un anticonformiste-né ; ton comportement, ta personnalité et tes idées surprennent ton entourage. Tu possèdes une intelligence aiguë, un esprit avant-gardiste, presque futuriste. Tu demeures à l'affût des nouvelles tendances et tu t'intéresses à tout ce qui est inédit. Tu es vif d'esprit, et il ne te faut pas longtemps pour comprendre quelque chose et même l'adapter à tes besoins. Tes champs d'intérêt sont si vastes – tu en découvres de nouveaux chaque jour – qu'il est impossible d'en faire la liste.

Une telle personnalité ne te permet pas de passer inaperçu. De toute façon, ce n'est pas ce que tu recherches ; tu aimes au contraire être bien entouré, et tu veux que ton originalité soit reconnue. Tu y arrives bien souvent. Comme tu es très indépendant, l'ordre établi et les conventions t'énervent.

Tu trouves que les gouvernements de la planète ne font pas grand-chose de constructif, et comme tu ne veux pas être écrasé par le système, tu développes un sens de la répartie, de l'idéalisme, de la justice sociale et de la liberté plus grand que les autres.

Tu aimes beaucoup les gens ; tu t'entoures d'un tas de copains qui occupent une place importante dans ta vie. Mais cela ne veut pas dire que tu fais des compromis pour qu'on t'aime. En fait, on te reproche même de ne pas être assez affectueux et démonstratif. Mais pour toi, prouver tes sentiments ne se fait pas seulement avec des câlins.

Comme tout ce qui est à l'avant-garde t'attire, les jeux électroniques, l'informatique, les instruments de musique nouveau genre ou les gadgets inusités remplissent ta chambre. Tu passes aussi beaucoup de temps penché au-dessus de toutes ces bricoles. Tu aimes les monter, les démonter, les remonter pour en faire autre chose, bref, tu es ingénieux et bricoleur, et tu inventes constamment. Cependant, et c'est étonnant, les objets comptent très peu pour toi ; tu les utilises à pleine capacité et puis, lorsqu'ils ne te servent plus, tu les oublies. Tes proches déplorent ton manque de sens pratique et tes dépenses... Mais, à la fin, pour toi, les gens et les idées passent avant tout.

Tes études

Tu apprends très facilement dans n'importe quel domaine, du moment que ton intérêt est stimulé. Les programmes scolaires stricts et les cours obligatoires ne sont pas pour toi. Le problème, c'est que beaucoup de sujets retiennent ton attention. Mais dès que tu as trouvé le « pourquoi du comment », tu passes à autre chose et délaisses ce qui te passionnait quelques semaines plus tôt. La vie étudiante t'intéresse plus que les études elles-mêmes. Pourtant, tu as beaucoup de talent, et si tu parviens à trouver une direction et à la maintenir, tu pourrais réaliser de grandes choses pour la collectivité. En fait, je te conseille de dénicher un domaine qui sort de l'ordinaire... tu y seras imbattable.

Ton orientation

Il n'est pas facile de choisir ton orientation, il y a tellement de choses intéressantes et de métiers d'avenir. Heureusement, tu es capable de voir à long terme, si tu t'en donnes un peu la peine. Les deux champs d'intérêt où tu exprimeras le mieux tes talents sont le travail social et les nouvelles technologies. Tu pourrais donc exceller dans tout ce qui est psychologie, criminologie, syndicalisme, justice, politique, journalisme, télévision, radio, cinéma, marketing, électronique, astrologie, informatique, astronautique, technologies de pointe, génie, électricité, aéronautique, domotique, robotique, ou même futurologie, nanotechnologie, vie artificielle, etc. Quoi que tu fasses, tu mettras souvent au point une méthode ingénieuse et inédite pour réussir.

Tes rapports avec les autres

Tu as de nombreux camarades, et vous formez un groupe peu ordinaire; c'est le moins qu'on puisse dire. Les préjugés n'ont aucune emprise sur toi; tu choisis les gens qui t'entourent sans tenir compte de leur statut, de leurs origines et ton cercle d'amis est un peu disparate, mais il est le reflet de la société, et cette diversité est pour toi une source constante de découvertes. Tu passes énormément de temps avec tes copains à discuter, à échanger et à refaire le monde. Pour toi, l'amitié n'est pas un mot dénué de sens.

LE PARENT VERSEAU

Le parent branché

Vous n'aimez pas les rôles traditionnels ; vous êtes plus l'ami que le parent de vos enfants. Ouvert, vous les considérez comme des êtres à part entière, vous respectez leur individualité, leur façon de voir. Vous stimulez leur intelligence, vous leur enseignez l'indépendance et le droit à la différence. Par contre, vous n'êtes pas suffisamment porté sur la discipline, et cela pourrait créer des malaises lorsqu'ils auront à s'intégrer à l'école ou, plus tard, au marché du travail.

L'EMPLOYÉ VERSEAU

Le traintrain l'étouffe, il est allergique à la routine. Il a un constant besoin de nouvelles expériences et de défis. Bien qu'il soit original et indépendant, il fonctionne mieux à l'intérieur d'un groupe : il a l'esprit d'équipe et sait motiver ceux qui l'entourent. Un brin rebelle, il n'hésite pas à s'insurger contre les demandes irréalistes. Il aime innover et sortir des sentiers battus.

LE PATRON VERSEAU

C'est un employeur stimulant, qui ne se prend pas pour un autre. Il sait reconnaître ceux qui font des efforts, c'est d'ailleurs un excellent motivateur. Il a le don de bien s'entourer. Humain, il apprécie une atmosphère de camaraderie et de bonne entente. Il surprend souvent son équipe par l'originalité de ses méthodes et de ses projets.

LE VERSEAU DANS LA CUISINE

Vous aimez sortir des sentiers battus. Vous êtes original, tout comme l'est votre façon de cuisiner. Vous aimez surprendre et impressionner avec des plats insolites et des combinaisons surprenantes dont vous seul avez le secret.

Votre signe correspond au partage, et vous aimez beaucoup les préparations où tous les convives interviennent, comme les fondues ou la raclette.

Vous adorez :
- les gadgets et appareils de toutes sortes ;
- faire vos emplettes dans des endroits inusités ou exotiques ;
- inventer des recettes : vous pouvez vous montrer à la fois audacieux et ingénieux ;
- les plats colorés et les présentations qui captent l'attention, car vous êtes un visuel.

✦ CE QUE LA NATUROPATHE VOUS SUGGÈRE

Vous êtes toujours pressé : vous devez quand même modérer la cuisine minute et les préparations commerciales.

Essayez de vous discipliner pour manger à des heures régulières et évitez de sauter des repas.

Faites attention aux abus d'excitants (alcool, café), qui vous rendent nerveux.

ILS SONT VERSEAU EUX AUSSI

Jennifer Aniston, Marie-Claude Barrette, Gregory Charles, Ellen De Generes, Sébastien Delorme, Clodine Desrochers, Louis-Georges Girard, Wayne Gretzky, Mario Jean, Ashton Kutcher, Taylor Lautner, Manon Leblanc, Vincent Léonard, Alex Nevsky, Ana Ortiz, Mario Pelchat, Marie-Chantal Perron, Marie-Lise Pilote, Ludivine Reding, Kim Rusk, Mario Saint-Amand, Nicolas Sarkozy, Shakira, Gilbert Sicotte, Natasha St-Pier, Ed Sheeran, Justin Timberlake, John Travolta, Jules Verne, Andrée Watters, Oprah Winfrey, Elijah Wood.

✦ OUTILS POUR TRANSFORMER VOTRE DESTINÉE

Il ne faut pas avoir peur de l'autorité ni des responsabilités. Même si ce n'est pas dans votre nature, si vous voulez faire votre chemin, il faut vous affirmer.

Devenez un modèle pour ceux qui vous entourent ; ainsi, vous ne vous sentirez plus à part.

Ne rejetez pas le passé ou les traditions en bloc ; même si tout ne vous convient pas, il y a néanmoins du bon en eux.

Pensée positive pour le Verseau

Je suis un être unique et je remercie la Vie de me faire vivre des expériences uniques. Je suis en harmonie avec la création.

Pensée positive spéciale pour 2022

Je me défais du passé et je célèbre le début d'un temps de renouveau.

Le subconscient nous dirige toujours selon nos pensées. En répétant le plus souvent possible ces pensées conçues tout spécialement pour vous, vous vous attirerez plein de belles choses.

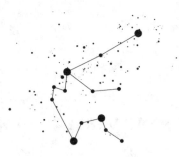

Signe : Verseau

Élément : air

Catégorie : fixe

Symbole : ♒

Points sensibles : chevilles, jambes, varices, enflures, chutes, crampes, engourdissements, système cardiovasculaire.

Planète maîtresse : Uranus, planète des nouvelles technologies.

Pierres précieuses : améthyste, saphir étoilé, ambre.

Couleurs : pêche, turquoise et tous les tons de bleu.

Fleurs : mandragore, oiseau de paradis, toutes les fleurs inhabituelles... À moins qu'il n'en invente !

Chiffres chanceux : 4-8-13-16-21-22-34-37-44-48.

Qualités : avant-gardiste, indépendant, original, plein d'humanité, intelligent, compréhensif, sans préjugés, désintéressé, en avance sur son temps.

Défauts : instable, indifférent, anarchiste, peur de s'attacher, refus des responsabilités, difficultés avec le budget.

Ce qu'il pense en lui-même
Si je n'avais pas été là, les voitures seraient encore tirées par des chevaux...

Ce que les autres disent de lui
Il ne pourrait pas faire comme les autres pour une fois ?

PRÉDICTIONS ANNUELLES

Vous ne détenez pas encore toutes les réponses aux importantes questions que vous vous posez depuis quelque temps, vous poursuivrez donc tout naturellement vos recherches en 2022. Vous vous interrogerez sur le sens à donner à votre existence et vous aurez parfois l'impression de naviguer en eaux troubles. Pourtant, ça vaut la peine de continuer puisque cette réflexion profonde, cette quête d'identité ne peut que vous aider à mieux fonctionner. Vous affronterez vos peurs, vous déterrerez de vieux souvenirs qui vous avaient traumatisé pour enfin vous en affranchir. Bien que plutôt lourd, le passage de Saturne apporte un extraordinaire sentiment de libération à ceux qui vont au fond des choses, et c'est justement là où vous êtes rendu ! Vous entamerez une période plus clémente le 10 mai. Les solutions vous apparaîtront avec davantage de clarté et, bonne nouvelle, vous aurez la possibilité de les appliquer. Le meilleur est donc assurément à venir !

SANTÉ. Avec les effets de Saturne qui se manifestent, vous avez intérêt à vous montrer conséquent. N'abusez pas de vos forces physiques et psychologiques. Soignez vos malaises sans attendre et restez dans les limites d'une saine hygiène de vie. De toute façon, il est temps d'ordonner tout ça. En agissant de la sorte, vous éviterez de vous retrouver sur le carreau. Jupiter viendra vous prêter assistance à la mi-mai. Son influence n'éliminera pas toute vulnérabilité mais pourrait certes vous aider à remédier à vos problèmes, surtout si vous mettez la main à la pâte.

SENTIMENTS. Comme vous êtes toujours en pleine période d'introspection, il est tout à fait normal que les autres passent en second. Vous avez trop souvent donné le beau rôle à votre entourage, vous contentant des restes. Vous avez fait des compromis qui allaient à l'encontre de vos véritables valeurs seulement pour plaire à vos proches, mais cette époque est révolue. Désormais, vous avez davantage de cran, vous souhaitez ce qu'il y a de meilleur, et on ne peut que vous donner raison. Une fois que vous aurez fait le point, des changements importants surviendront. À partir de l'été, vous voudrez vous ouvrir, rencontrer des gens, nouer de nouvelles amitiés. D'ailleurs, ceux qui sont seuls ou qui ont vécu une rupture pourraient refaire leur vie. La situation de quelqu'un que vous aimez bien vous causera peut-être encore quelques soucis.

AFFAIRES. Vous aurez fréquemment à composer avec l'inattendu. Heureusement, vous appartenez à un signe fort adaptable et créatif, ce qui vous permettra de vous réorganiser efficacement. Vous ne l'auriez peut-être pas fait par vous-même, mais comme on vous y pousse, vous découvrirez que c'est pour le mieux. Avec Saturne dans les parages, soyez plus méfiant que pas assez. N'accordez pas votre confiance au premier venu, mettez vos avoirs en sécurité et, surtout, exigez des garanties sérieuses. Importante remise en question en ce qui concerne vos activités, vous arrivez à un tournant et le besoin de changement devient pressant. Votre budget vous causera moins de maux de tête pendant la seconde moitié de l'année, mais vous devrez continuer à vous montrer prudent.

JANVIER

DIM	LUN	MAR	MER	JEU	VEN	SAM
						1
2 ●	3	4	5	6	7	8
9	10	11 D	12 D	13 D	14 F	15 F
16	17 ○	18	19	20	21	22
23 F	24 F	25 F	26 D	27 D	28	29
30	31					

F Jour favorable		D Jour difficile	
○ Pleine lune		● Nouvelle lune	

SANTÉ. Vous vous sentez d'attaque pour entamer la nouvelle année. Vous débordez d'énergie et vous avez la tête remplie de projets, parfois un peu trop : vous oubliez de vous garder du temps pour faire le plein. Attention, à ce rythme-là, vous allez finir par vous mettre à terre. Un rhume risque de s'envenimer si vous négligez de vous soigner.

SENTIMENTS. Vous êtes plus à l'aise à l'extérieur qu'à la maison. Une vague de popularité vous permet de profiter de bons moments avec vos amis et de connaître de nouvelles personnes avec qui vous sympathisez immédiatement. L'intimité vous pèse et vous préférez parfois être seul. Vos proches se demandent ce qui se passe.

AFFAIRES. Vous traversez une période très productive jusqu'au 25 et tout ira très vite. Ne perdez pas de temps à tergiverser, sautez sur les occasions qui se présenteront et saisissez la balle au bond avant que quelqu'un d'autre ne vous dame le pion. Les conditions sont propices aux déplacements d'affaires ou de loisir, aux démarches et aux recherches. Un conseil, n'apposez pas votre signature sur un contrat ou un document officiel sans avoir bien réfléchi.

FÉVRIER

DIM	LUN	MAR	MER	JEU	VEN	SAM
		1 ●	2	3	4	5
6	7 D	8 D	9 D	10 F	11 F	12
13 F	14	15	16 ○	17	18	19
20 F	21 F	22 D	23 D	24	25	26
27	28					

F Jour favorable		D Jour difficile	
○ Pleine lune		● Nouvelle lune	

SANTÉ. On ne vous reconnaît pas. Vous qui étiez si fringant le mois dernier semblez désormais léthargique, voire abattu. Vous en avez probablement trop fait, mais il n'est pas trop tard pour pallier cette fatigue physique et morale. Mangez sainement, prenez le temps de vous relaxer, oxygénez-vous, ça vous fera un bien immense.

SENTIMENTS. Avant le 15, le climat est parfois tendu, mais si vous jouez la carte de l'humour, vous pourrez empêcher une discussion avec un proche de dégénérer. Par la suite, une maladresse ou des paroles dépassant votre pensée risquent de mettre le feu aux poudres. Il vaut mieux être sur vos gardes, d'autant que vous supportez mal la chicane.

AFFAIRES. Votre route semble semée d'obstacles et de retards. Il est vrai que rien ne vient très facilement en ce moment, pourtant votre détermination vous permettra de triompher. Des changements imprévus vous forcent à vous réorienter. Ne laissez pas une personne malhonnête s'emparer de ce qui vous appartient et méfiez-vous des dégâts.

MARS

DIM	LUN	MAR	MER	JEU	VEN	SAM
		1	2 ●	3	4	5
6	7 D	8 D	9 F	10 F	11 F	12
13	14	15	16	17	18 ○	19 F
20 F	21 D	22 D	23	24	25	26
27	28	29	30	31		

F Jour favorable	D Jour difficile
○ Pleine lune	● Nouvelle lune

SANTÉ. La planète Mars entrera dans votre signe le 6, ce qui devrait vous tirer de votre torpeur. Vous afficherez un dynamisme manifeste bien qu'il ne sera pas toujours simple de canaliser cette énergie débordante. Il s'en faudrait de peu pour que vous recommenciez à abuser de vos forces. On décèle un risque d'accident et une possibilité de défaillance si vous ne faites pas suffisamment attention à vous.

SENTIMENTS. Joyeuse période du 6 au 31 : les activités sociales demeurent nombreuses et distrayantes. Si vous êtes seul, une amitié amoureuse pourrait sans aucun doute égayer votre vie. Ça continue de brasser à la maison, car personne ne semble prêt à faire des compromis, vous non plus d'ailleurs. La situation d'un proche vous inquiète.

AFFAIRES. Malgré votre bonne volonté et vos efforts répétés, rien ne fonctionne à votre goût. Les choses traînent en longueur, vous vous heurtez à de nombreux écueils. Inutile de rager, bientôt vous aurez la voie libre. En attendant, ne laissez personne vous déposséder de ce qui vous appartient. Une dépense imprévue vous force à revoir vos finances, ce qui vous déplaît au plus haut point.

AVRIL

DIM	LUN	MAR	MER	JEU	VEN	SAM
					1 ●	2
3 D	4 D	5 D	6 F	7 F	8	9
10	11	12	13	14	15 F	16 ○ F
17 D	18 D	19	20	21	22	23
24	25	26	27	28	29	30 ● D

F Jour favorable	D Jour difficile	
○ Pleine lune	● Nouvelle lune, celle du 30, combinée à une éclipse solaire partielle	

SANTÉ. Le passage de Mars près de Saturne pourrait avoir un impact défavorable jusqu'au 15. Une bonne dose de prévention, une meilleure hygiène de vie ainsi qu'une vigilance accrue vous épargneront différents ennuis de santé ou une blessure. Il est facile d'avoir les nerfs en boule, surtout à l'approche de l'éclipse.

SENTIMENTS. Vous devrez encore composer avec des problèmes familiaux ou de couple durant la première quinzaine. Au moins, vos relations sociales se portent à merveille et un ami pourrait vous aider à trouver la solution idéale. Les belles rencontres figurent toujours au programme de ce mois, votre charme ne laisse personne indifférent.

AFFAIRES. La seconde moitié d'avril est remplie de promesses sur le plan tant financier que professionnel. Hélas! en attendant, vous risquez d'en arracher. Les choses piétinent, vous n'arrivez pas à progresser comme vous le désirez, bref, vous ne semblez pas maître de votre existence. Quand ce ne sont pas les autres qui décident à votre place, c'est la vie qui se charge de mettre votre patience à l'épreuve.

MAI

DIM	LUN	MAR	MER	JEU	VEN	SAM
1 D	2 D	3 F	4 F	5	6	7
8	9	10	11	12	13 F	14 F
15 ○ D	16 D	17	18	19	20	21
22	23	24	25	26	27	28 D
29 D	30 ● F	31 F				

F Jour favorable		D Jour difficile	
○ Pleine lune et éclipse lunaire totale		● Nouvelle lune	

SANTÉ. Certaines influences déstabilisantes demeurent, mais on décèle désormais aussi des aspects planétaires plus positifs. Votre résistance nerveuse et physique pourrait augmenter sensiblement si vous acceptez de faire des efforts et quelques sacrifices. Cette façon d'agir vous gardera à l'abri des effets fragilisants de l'éclipse.

SENTIMENTS. Vous bénéficierez d'un transit avantageux de Vénus entre le 3 et le 28, ce qui s'annonce encourageant pour votre vie sociale et amoureuse. Rencontres romantiques et belles sorties sont au programme. Si vous êtes en couple, vous viendrez à bout d'une prise de bec avec votre partenaire. Ça ne s'annonce pas aussi aisé avec la famille, sans compter que la situation d'un proche risque encore de vous causer quelques soucis.

AFFAIRES. La grisaille du mois dernier fait place à un cycle beaucoup plus propice à la réalisation de vos projets. Les obstacles s'amenuisent et si, antérieurement, on vous mettait des bâtons dans les roues, voici qu'on pourrait commencer à vous appuyer. Gardez-vous des sous pour des frais imprévus concernant votre domicile ou votre véhicule.

JUIN

DIM	LUN	MAR	MER	JEU	VEN	SAM
			1 F	2	3	4
5	6	7	8	9 F	10 F	11 D
12 D	13	14 ○	15	16	17	18
19	20	21	22	23	24 D	25 D
26 F	27 F	28 ● F	29	30		

F Jour favorable		D Jour difficile	
○ Pleine lune		● Nouvelle lune	

SANTÉ. Si vous décidez de mettre de l'ordre dans votre existence, vous pourrez compter sur l'appui de Mars et de Jupiter. Mieux manger, aller dehors plus souvent et faire davantage d'exercice sont autant de mesures qui donneront des résultats fort encourageants. Bon mois aussi pour perdre des kilos ou pour une transformation beauté.

SENTIMENTS. Votre vie sociale est exquise et on s'arrache votre présence. Vous rencontrerez également beaucoup de nouvelles personnes, si bien que les célibataires pourraient devoir choisir entre deux prétendants. Il n'y a pas qu'eux qui se poseront des questions, puisqu'une importante discussion semble s'imposer chez les couples déjà existants.

AFFAIRES. Le moment est venu de foncer, de mettre vos projets en marche. L'obtention d'un contrat, des négociations menées avec brio ou tout simplement une consolidation de votre budget pourraient vous aider sur le plan financier. Les déplacements d'affaires ou de plaisance, les recherches pour un nouveau logis ou les rénovations auront un aboutissement positif.

JUILLET

DIM	LUN	MAR	MER	JEU	VEN	SAM
					1	2
3	4	5	6 F	7 F	8 F	9 D
10 D	11	12	13 ○	14	15	16
17	18	19	20	21 D	22 D	23 D
24 F	25 F	26	27	28 ●	29	30
31						

F Jour favorable		D Jour difficile	
○ Pleine lune		● Nouvelle lune	

SANTÉ. Vous serez soumis à un carré de Mars à partir du 5, ce qui pourrait vous rendre plus vulnérable. Ne négligez pas votre santé, ne courez pas de risques inutiles et faites attention à vous. En agissant de la sorte, vous demeurerez à l'abri de la tourmente. Le moral est bon jusqu'au 20 et, si vous voulez qu'il le reste, évitez les stress superflus.

SENTIMENTS. Le mois commence de manière entraînante et vous n'aurez guère le temps de vous ennuyer avant le 18. Par la suite, vous serez plus enclin à l'introspection. Vous ne laisserez pas n'importe qui vous approcher, et il se peut même que la compagnie de certaines personnes que vous appréciez habituellement vous tape sur les nerfs. Vous aurez absolument besoin de vous retrouver seul avec vous-même... Les autres devront attendre.

AFFAIRES. Si vous devez effectuer une démarche ou entreprendre quelque chose d'important, il vaut mieux agir durant la première semaine. Le succès ne tombera pas du ciel, mais des efforts soutenus vous permettront d'avoir gain de cause. Le reste du mois s'annonce décevant et vous devrez en plus protéger vos sous ainsi que vos biens.

AOÛT

DIM	LUN	MAR	MER	JEU	VEN	SAM
	1	2	3 F	4 F	5 D	6 D
7	8	9	10	11 ○	12	13
14	15	16	17	18 D	19 D	20 F
21 F	22	23	24	25	26	27 ●
28	29	30 F	31 F			

F Jour favorable		D Jour difficile	
○ Pleine lune		● Nouvelle lune	

SANTÉ. Le mauvais aspect de Mars durera jusqu'au 20, ce qui devrait vous inciter à la plus grande prudence. Soyez sur vos gardes pour ne pas vous faire mal dans vos déplacements ou lorsque vous utilisez un objet dangereux. Votre digestion et votre dos vous dérangeront si vous ne changez pas vos habitudes de vie. Le ciel se dégagera par la suite et vous vous sentirez beaucoup mieux.

SENTIMENTS. Vous ne mâchez pas vos mots, ce qui pourrait chagriner votre partenaire ou un membre de votre entourage. L'état d'un proche fluctue et on compte sérieusement sur votre aide. Les sorties seront plus nombreuses au cours des onze derniers jours et vous vous amuserez ferme. Si vous êtes seul, gardez l'œil ouvert, une surprise vous attend !

AFFAIRES. Pareil ici, la conjoncture est délicate jusqu'au 20. Les gestes irréfléchis et les entreprises précipitées envenimeraient les choses. Ne lâchez pas la proie pour l'ombre et n'allez surtout pas croire un promoteur douteux. Verrouillez également bien vos portes. Le reste du mois s'annonce infiniment meilleur, vos affaires débloqueront et votre situation se mettra à progresser.

SEPTEMBRE

DIM	LUN	MAR	MER	JEU	VEN	SAM
				1 D	2 D	3
4	5	6	7	8	9	10 ○
11	12	13	14 D	15 D	16 F	17 F
18 F	19	20	21	22	23	24
25 ●	26 F	27 F	28 D	29 D	30 D	

F Jour favorable	D Jour difficile
○ Pleine lune	● Nouvelle lune

SANTÉ. Mars a cessé de vous embêter et devient même votre alliée. Vous recouvrez une bonne dose de vitalité et d'énergie, excellent mois pour soigner vos bobos et pour prendre des résolutions. Le moral est plus robuste, vous apprenez à gérer le stress plus efficacement et vous adoptez une attitude positive. Bravo !

SENTIMENTS. Vous retrouvez votre aisance et votre facilité d'élocution, ce qui vous permet de régler plusieurs différends survenus récemment. Vous avez davantage envie de voir du monde, et ça tombe bien, vous ferez de belles rencontres ce mois-ci. La famille se porte mieux. D'ailleurs, un enfant pourrait vous confier une bonne nouvelle ou adopter un comportement dont vous serez très fier. Seul votre partenaire maugrée à l'occasion, inutile de trop vous inquiéter.

AFFAIRES. C'est le moment de penser à long terme et d'accomplir des gestes pour asseoir votre avenir. Entre deux options, préférez celle qui vous permettra de faire le plus long bout de chemin. Ajoutons que vos finances sont aussi sur la voie de la stabilisation. Quelques chances au jeu pour un prix secondaire.

OCTOBRE

DIM	LUN	MAR	MER	JEU	VEN	SAM
						1
2	3	4	5	6	7	8
9 ○	10	11 D	12 D	13 F	14 F	15 F
16	17	18	19	20	21	22
23 F	24 F	25 ● F	26 D	27 D	28	29
30	31					

F Jour favorable	D Jour difficile
○ Pleine lune	● Nouvelle lune et éclipse solaire partielle

SANTÉ. Plusieurs planètes continuent de jouer pour vous, mais l'éclipse pourrait assombrir momentanément ce beau tableau. Faites donc davantage attention à vous si vous souhaitez demeurer à l'abri des malaises et des accidents. Votre moral est en progression constante.

SENTIMENTS. Vénus, Jupiter et Mars vous favorisent jusqu'au 23. C'est une bonne période pour mettre du piquant dans votre vie de couple ou pour vous lancer à la recherche de l'âme sœur. Sur le plan social aussi, ça promet ! Vous vous amuserez avec vos amis, sans compter que vous rencontrerez des gens avec qui vous aurez énormément d'affinités. Quelques soubresauts d'ordre familial sont toutefois possibles.

AFFAIRES. Un autre mois plutôt positif pendant lequel on constate une amélioration de votre situation. Vous prendrez des décisions éclairées à partir du 11 et un changement de direction aura des répercussions profitables. Les jeux de hasard et les déplacements vous avantagent, mais une mauvaise surprise peut vous obliger à piger dans vos économies.

NOVEMBRE

DIM	LUN	MAR	MER	JEU	VEN	SAM
		1	2	3	4	5
6	7	8 ○ D	9 D	10 F	11 F	12
13	14	15	16	17	18	19
20 F	21 F	22 D	23 ● D	24	25	26
27	28	29	30			

F Jour favorable		D Jour difficile	
○ Pleine lune et éclipse lunaire totale		● Nouvelle lune	

SANTÉ. Les effets de cette autre éclipse dans un secteur délicat de votre thème astrologique se feront sentir jusqu'au 17. Un refroidissement, une blessure à une extrémité ou une recrudescence de la tension nerveuse pourrait alors vous affecter. Prenez les devants, soyez sur vos gardes et occupez-vous bien de vous. Le reste du mois sera bien plus clément.

SENTIMENTS. Votre vie mondaine est devenue trop tranquille, vous vous ennuyez. Vous devrez faire preuve de délicatesse pour conserver l'harmonie avec vos proches jusqu'au 16 et une séparation dans votre entourage pourrait vous attrister. Les choses promettent d'être plus excitantes par la suite sur le plan tant social qu'intime et les soucis commenceront à se dissiper.

AFFAIRES. C'est sensiblement la même chose dans ce secteur. Pour effectuer une démarche importante ou mettre un projet en chantier, il vaut mieux agir au cours de la seconde quinzaine, car c'est alors que vous disposez de la meilleure conjoncture. Le début du mois s'annonce contrariant et il se peut que vous ayez à affronter des obstacles ou des retards de taille. Continuez à protéger ce qui vous appartient.

DÉCEMBRE

DIM	LUN	MAR	MER	JEU	VEN	SAM
				1	2	3
4	5 D	6 D	7 ○ F	8 F	9 F	10
11	12	13	14	15	16	17 F
18 F	19	20 D	21 D	22	23 ●	24
25	26	27	28	29	30	31

F Jour favorable		D Jour difficile	
○ Pleine lune		● Nouvelle lune	

SANTÉ. Plus d'éclipses ni de dissonances de Mars pour vous gâcher la vie ! Vous avez tout ce qu'il faut pour vous ressaisir et remonter la pente. Le moral aussi est infiniment plus solide, bref, vous êtes sorti de la période sombre et vous commencez à fonctionner à votre pleine capacité. Profitez-en pour rafraîchir votre image et revoir votre alimentation.

SENTIMENTS. Voici un mois beaucoup plus encourageant. Les joies que vous connaîtrez en amitié et sur le plan social vous feront oublier les désagréments des dernières semaines. En amour également ça ira de mieux en mieux. Les célibataires feront une belle rencontre, tandis que les autres cesseront d'être à couteaux tirés avec leur partenaire et vivront même un rapprochement.

AFFAIRES. Vous n'aurez pas le temps de vous ennuyer tant vous aurez des choses à accomplir. Écoutez votre intuition lorsque viendra le moment de choisir entre deux propositions, vous ne pourrez pas vous tromper. Pendant les dix derniers jours, les déplacements d'affaires ou de loisirs ainsi que les transactions immobilières se révéleront avantageux, tandis que vous ferez des jaloux dans les tirages.

POISSONS

DU 20 FÉVRIER AU 20 MARS

Votre signe est marqué du sceau de la sensibilité. Vous pouvez passer des éclats de rire aux larmes en peu de temps. Vos yeux ont toujours un petit quelque chose qui trahit votre richesse émotive exceptionnelle. Vous êtes énormément touché par ce qui se passe autour de vous.

L'attitude de votre conjoint, les tendres attentions de vos enfants, le comportement de vos collègues ou de vos voisins, tout cela vous remue au plus profond de votre être. Vous vivez les émotions à 100 %, qu'elles se déroulent sur le petit ou le grand écran.

En plus de votre émotivité à fleur de peau, vous êtes une personne empreinte d'une générosité presque sans bornes. Vous voulez que tous soient heureux autour de vous et même ailleurs dans le monde. Vous êtes prêt à donner jusqu'à votre dernière chemise pour réaliser un rêve bien utopique. Avec une telle façon de penser et d'agir, vous pouvez vous mettre vous-même dans l'embarras. À force de tout sacrifier pour aider les autres, il peut vous arriver de vous retrouver dans le besoin.

Mélancolique et souvent rêveur, le Poissons n'est guère intéressé par le côté terre à terre des choses. Vos activités domestiques quotidiennes et même votre travail ne mobilisent pas votre énergie. On pourrait penser que vous manquez d'ambition, que vous vous laissez porter par les événements, alors que pour vous ce sont les sentiments qui comptent avant tout et qui régissent votre vie et vos actes.

Doux et bienveillant avec tout le monde, vous savez prêter une oreille attentive à ceux qui ont des problèmes et leur remonter le moral. Ces derniers vous choisissent pour confident, et ce, même lorsque vous-même n'êtes pas au mieux de votre forme. Quelle que soit l'heure du jour ou de la nuit, vous êtes prêt à accorder temps et énergie à ceux qui sont dans le besoin ; c'est pourquoi les soins prodigués à autrui vous conviennent très bien. Vous avez une âme de missionnaire, et c'est vrai jusque dans vos relations avec les autres.

Malheureusement, votre bonté et votre altruisme sont si forts que les gens tiennent souvent votre gentillesse pour acquise et n'essaient pas de la mériter. Il n'est pas rare que vous aidiez une personne à surmonter une difficulté ; cependant, après l'avoir fait, vous vous retrouvez seul alors que vous auriez à votre tour besoin d'un petit coup de pouce. Vous êtes déçu. Pourtant, vous gardez le cœur sur la main et vous êtes prêt à aider de nouveau chaque fois que le besoin s'en fait sentir.

Pour vous, la vie matérielle est bien secondaire. Vivre dans une petite maison délabrée ne vous effraie pas, du moment qu'elle est remplie d'amour. Les disputes, les engueulades, la méchanceté ou l'indifférence vous perturbent ; il est donc essentiel pour vous de rechercher un entourage de gens positifs et attentionnés.

Vous êtes si émotif, si malléable, que vous vous laissez facilement happer par les autres, manipuler même. De mauvaises influences peuvent vous causer beaucoup de tort. Vous ne vous fâchez que rarement, lorsque vous constatez à quel point on abuse de vous ; vous préférez vous plaindre, vous lamenter, tout en refusant de faire de la peine à ceux qui vous blessent... Vous êtes si sensible que pour oublier vos chagrins vous pourriez avoir recours à l'alcool ou à différentes drogues. Pourtant, au fond de vous, vous savez bien que s'évader de cette façon ne règle jamais rien, au contraire.

Votre plus grand problème est que vous en faites trop pour être aimé, et vos si belles qualités deviennent alors vos pires défauts.

Vous êtes sensible, bienveillant et gentil. Vous pouvez compter sur une imagination fertile et une vie spirituelle très riche, car vous avez souvent des dons pour pressentir les choses. Vous avez des prémonitions ou du moins une intuition fantastique ; vous devez veiller à mettre toutes ces qualités à votre service et pas seulement à celui des autres. Car comme vous avez tendance à laisser aller les choses, à attendre que les problèmes se règlent d'eux-mêmes, à tout remettre au lendemain, vous pâtirez souvent de ce trait de votre personnalité. Malgré tout, comment vous en vouloir ? Cela fait partie de votre petit côté bohème que l'on trouve si charmant.

COMMENT SE COMPORTER AVEC UN POISSONS ?

Les Poissons accordent leur priorité aux sentiments. Alors, n'essayez pas de faire appel à la raison, à la logique, pour démontrer votre point de vue si leur cœur leur en dicte un autre ; vous perdrez votre temps à essayer de les convaincre. Pour eux, la vie courante, les plans de carrière, les affaires personnelles sont avant tout une question de sixième sens ; ils se fient beaucoup plus à leur intuition qu'à la réflexion pure.

Donc, pour convaincre un Poissons de se ranger à votre avis, prenez-le plutôt par les sentiments et jouez sur le plan des émotions. Dites-lui que ça vous ferait plaisir, que ses proches seraient fiers de lui, qu'il dépannerait Untel, et le tour sera joué. Généreux et affable avec tous, le Poissons veut rendre le monde entier heureux et a bien du mal à dire non.

Romantique comme pas un, il a aussi une petite tendance à la nonchalance ; il a besoin de moments de répit pour se ressourcer, car sa vie émotive est son carburant.

Puisqu'il n'est pas très énergique, notre ami Poissons a souvent besoin de se faire pousser dans le dos, de se faire rappeler ses obligations, si peu importantes pour lui. Par contre, vous ne trouverez sans doute jamais quelqu'un qui vous aimera plus que lui et qui sera, comme lui, toujours prêt à vous secourir, à vous consoler et à vous dorloter.

SES GOÛTS

Les goûts du Poissons reflètent bien sa personnalité bohème. Il accorde peu d'intérêt à son apparence et opte donc souvent pour de vieux vêtements confortables mais romantiques. Avec lui, c'est le confort qui prime, et suivre la mode n'est pas dans ses priorités. Il préfère vagabonder pieds nus et se déchausse à la première occasion, parfois même en public. Chez lui, c'est la même chose : son intérieur n'est peut-être pas impeccable, mais on s'y sent si bien !

Notre beau Poissons aime bien manger, et la gourmandise pourrait être son principal défaut. Par contre, c'est le convive idéal, car il appréciera tout ce que vous lui offrirez et se resservira fort probablement. S'il suit un régime amaigrissant, permettez-lui de tricher à l'occasion ; il sera ravi de succomber à la tentation.

SON POTENTIEL

Sa richesse émotive et son grand cœur lui permettent d'envisager le travail social, la médecine, les soins à autrui, que ce soit dans les domaines médicaux, paramédicaux, la police, l'armée ou la marine, à moins qu'il ne se dirige vers les milieux hospitaliers ou carcéraux ; notre Poissons a besoin de se rendre utile. Les commerces de boisson ou d'alcool lui conviennent aussi tout à fait ; s'il est barman, il portera toujours une oreille attentive à ses clients.

C'est également un être doté d'un talent artistique indéniable, son intuition lui permettant d'appréhender un autre monde, celui de l'imaginaire. Il se révélera aussi très à l'aise dans ce qui a trait à la religion, aux sciences occultes et au paranormal. Le Poissons possède un potentiel énorme. Malheureusement, sa nonchalance, voire sa paresse, l'empêche de se réaliser pleinement et de développer totalement ses innombrables capacités.

SES LOISIRS

Il aime passer d'agréables moments en compagnie de ses amis, de sa famille, autour d'une bonne table, peut-être avec un verre ou deux d'un excellent vin. Comme il est sensible et qu'il se montre une « bonne oreille », tout le monde lui confie ses petits malheurs. S'il peut aider quelqu'un ou faire du bien autour de lui, il en sera ravi. Sa sensibilité et son goût inné pour toutes les formes d'expression de la beauté font de lui un fervent admirateur des arts et de la musique, et il pourrait s'y adonner lui-même avec bonheur et succès. La vie spirituelle, la parapsychologie, les sciences occultes, l'astrologie ou la métaphysique l'intéressent vivement. Il ne sera donc pas rare de le voir plonger pendant de longs moments dans un livre sur l'un de ces sujets. Il pourrait aussi passer quelques soirées à assister à des conférences traitant de ces domaines. Il a une excellente intuition et pourrait exceller dans des activités relevant de matières ésotériques.

Mais notre Poissons est surtout un adepte du farniente, de la douce oisiveté. Rester des heures à rêvasser sans rien faire de particulier ne le dérange nullement. À quoi peut-il donc rêver ainsi ?

SA DÉCORATION

Ni très grande ni très somptueuse, sa demeure est cependant si chaleureuse, si invitante qu'on s'y attarde souvent plus qu'on ne l'avait prévu au départ. Le Poissons nous y accueille à bras ouverts, ravi de voir quelqu'un qu'il pourra dorloter. Et puis se vautrer dans ses fauteuils moelleux est si agréable qu'on a bien du mal à les quitter.

Le décor du Poissons est plutôt romantique : belles dentelles, fleurs séchées, fin cristal et photos attendrissantes. S'il pense aux petites douceurs de l'âme, celles du palais ne sont pas en reste : vous y découvrirez une jolie boîte de biscuits, une bonbonnière remplie de gâteries… Il y a peut-être un peu de poussière çà et là, mais qu'importe, on est si bien qu'on oublie vite ce détail pour profiter de tout le reste. Cela ajoute au charme de notre tendre Poissons.

SON BUDGET

Puisqu'il évolue dans la sphère élevée des sentiments, faire son budget n'est pas le souci premier de ce cher Poissons. Ses affaires sont plutôt fluctuantes, mais il ne s'en préoccupe pas trop.

Si sa vie financière prend souvent l'allure de montagnes russes, son imprévoyance n'est pas en cause, c'est plutôt son grand cœur et sa confiance démesurée qui peuvent mettre son portefeuille à rude épreuve. Il se trouve toujours quelqu'un autour de lui qui est mal pris – ou, hélas, mal intentionné – pour tirer de lui de l'argent ou une faveur. Et comme il a du mal à dire non, notre Poissons finit immanquablement par se retrouver à tirer le diable par la queue.

Il faudrait qu'il fasse quelques efforts et, surtout, qu'il apprenne à se protéger en affaires s'il veut mieux équilibrer son budget. La première étape pour y parvenir est de refuser catégoriquement de prêter de l'argent ou d'endosser un prêt, ce qui n'est guère facile à lui faire comprendre. Il doit aussi apprendre à se méfier de sa crédulité et à demander des garanties, car il fait trop rapidement confiance au genre humain. Et le pire, c'est que ce sont souvent ceux en qui il a le plus foi qui se défilent au moment de le rembourser.

Sa générosité n'est pas toujours payée en retour, et il doit apprendre à penser à lui plutôt que de trop gâter les autres. Notre Poissons au grand cœur devrait durcir un peu ses positions, mais est-ce bien envisageable dans son cas ?

QUEL CADEAU LUI OFFRIR ?

De tout le zodiaque, notre Poissons est sans doute la personne la plus facile à satisfaire : un rien le comble. Si votre présent fait vibrer ses émotions, il le chérira longtemps. Laissez tomber les cadeaux pratiques et terre à terre, ce n'est pas la peine d'arriver avec un ouvre-boîte électrique, même s'il en a besoin. Même l'inutile le ravit. Offrez-lui des fleurs, une vieille photo agrandie, une carte, peu importe. Ce qui compte d'abord pour lui, c'est l'attention. Que vous ayez pensé à lui le mettra dans un état d'extase.

Évidemment, une boîte de bonbons, de chocolats fins, une belle bouteille de chartreuse ou de génépi l'emballeront... Mais allez-y avec modération, car notre beau Poissons succombe facilement à la tentation. Tenez, essayez de lui proposer des confiseries santé, par exemple des pâtes de fruits ; il appréciera cette attention particulière.

Puisqu'il aime la musique douce, vous pouvez aussi lui offrir des disques de chansons romantiques, de musique nouvel âge, des pièces instrumentales, des musiques de films. S'il aime la lecture, les grandes histoires d'amour ou les romans policiers lui plairont. Mais n'ayez crainte, vous n'aurez pas besoin de vider votre compte en banque pour lui faire plaisir, il appréciera le moindre geste, le plus petit cadeau, car, pour lui, c'est l'intention qui compte.

LES ENFANTS POISSONS

Dodus, douillets mais tellement adorables, les bébés Poissons ont la larme à l'œil facilement. En grandissant, ils sont des enfants très gentils, qui veulent constamment plaire et faire plaisir. Ils vous feront de jolis dessins, de mignons collages, des poteries attendrissantes. Sur le chemin de l'école, ils cueilleront des fleurs des champs pour l'institutrice ou pour maman, quand ce ne sera pas pour la petite copine de classe. Et si vous leur faites un beau sourire, ils seront mille fois récompensés, car ils n'en demandent pas plus. Imaginatifs et intelligents, ils sont aussi de doux rêveurs, souvent perdus dans leurs pensées. Timides et très sensibles, ils ont besoin de beaucoup d'affection, ce qui amènera leurs parents à trop les couver, alors qu'au contraire ils ont besoin d'être poussés doucement hors du nid et d'être stimulés. Il faut leur donner confiance en eux, leur apprendre à se fixer des objectifs réalistes et à s'y tenir, car ils auront un peu tendance à remettre les choses au lendemain, voire à traîner les pieds. Si vous parvenez à leur faire admettre que leurs belles qualités, rehaussées d'un brin de fermeté, peuvent faire d'eux des êtres exceptionnels, ils vous en seront éternellement reconnaissants.

L'ADO POISSONS

Tu as une personnalité si douce et si sensible qu'il t'arrive de passer de la joie à la tristesse la plus profonde en quelques minutes. Et tes proches ne comprennent pas pourquoi. Tu t'adaptes très facilement à toutes les situations, ce qui est ta principale force mais aussi ta grande faiblesse, car tu peux être aisément manipulé par les autres, surtout s'ils jouent avec toi la carte des sentiments. Tu aimes les gens et tu es très généreux ; quand il s'agit de donner, tu ne calcules pas, et il arrive qu'on en profite plus que nécessaire.

Tu as énormément de talents : tu as de bonnes idées et une inspiration féconde, tu peux donc exceller dans les arts. La logique, par contre, n'est pas ton point fort, mais elle est compensée par ton intuition. Tu sais quand cela va ou ne va pas, et ce, avant même d'avoir eu à faire marcher ton raisonnement.

Tu es si doux que tu crains de revendiquer, de parler, de poser des questions, et souvent tu laisses s'installer des situations ou des quiproquos qui te déplaisent, sans oser dire non. Il vaut mieux exprimer ce qui ne va pas, car souffrir en silence ne donne jamais grand-chose. Affirme-toi un peu plus, c'est ton droit.

Dans tes relations, tu places souvent les sentiments au premier plan, et pour toi, ton bonheur ou ta tristesse en dépendent. Quand ça ne va pas, tu as un peu tendance à broyer du noir, à pleurnicher. Tu aimerais qu'on vienne te consoler, mais parfois cela fait l'effet contraire, et les gens te fuient. Comme tu es généreux et que tu donnes beaucoup de toi-même, tu as horreur de l'injustice et de la misère humaine. Tu te consacres alors beaucoup à aider les autres. Tu donnes de tout ton cœur, mais n'oublie pas que tu dois aussi accepter de recevoir, car tu le mérites.

Tes études

Ton imagination est si féconde que tu as souvent de la difficulté à bien cerner tes préférences ; tu ne sais pas toujours ce que tu veux. Tu as une intelligence vive qui te permet de bien comprendre, mais comme tu rêvasses souvent, certaines choses peuvent t'échapper, et tes cours et tes travaux s'en ressentent. Secoue-toi un peu, fixe mieux ton attention et tu seras étonné de tout ce que tu peux réaliser. Tu te remets souvent en question, car le moindre échec parvient à te faire douter de tes capacités, mais c'est le contraire que tu dois faire. Tu dois vivre des échecs pour savoir comment les surmonter et finalement triompher. Fais face à la réalité, ne la fuis pas en te réfugiant dans les rêves, car elle sera toujours là à ton retour.

Ton orientation

Nos goûts changent avec le temps, et c'est parfaitement normal. Mais toi, tu t'éparpilles un peu trop. Cela te fait perdre du temps et te conduit dans des impasses. Plusieurs domaines peuvent t'attirer, entre autres tout ce qui a trait aux soins à autrui ou au monde des arts. Dans le premier cas, cela te permet de mettre en pratique ton sens inestimable du don de soi. Tu peux aider les autres, et cela te plaît. Dans la seconde sphère, cela te permet de t'exprimer. Toi qui n'oses pas toujours revendiquer, tu pourrais le faire en laissant parler ton talent. Parmi les activités qui t'attirent, citons les professions médicales et paramédicales, les médecines douces, le travail social, la psychologie, l'ésotérisme, la religion, le travail dans les prisons, les maisons d'hébergement ou les centres pour toxicomanes, la décoration, la musique, la danse, l'alimentation, la littérature et la peinture. Tu vois, le choix est vaste et il te permet d'exprimer les différentes facettes de ta personnalité.

Tes rapports avec les autres

Tu as tellement bon cœur qu'il est facile de te blesser ou de te faire du mal. Tu dois donc choisir tes amis avec soin. Tu attires beaucoup de gens, car tu es généreux et sympathique, et ces personnes pourraient facilement abuser de ces belles qualités. Il faut que tu apprennes à dire non et que tu t'imposes un peu plus. Tes amis sont très importants à tes yeux; si tu les choisis bien, ils t'aideront à t'extérioriser, à parler de tes problèmes, et ils te soutiendront dans tes projets. Ils apprécieront le petit coup de pouce que tu peux leur donner à l'occasion.

Comme tu as une âme de missionnaire, les gens à problèmes essaieront aussi de s'insérer dans ton entourage; évite-les le plus possible, car tu es trop sensible et tu te laisserais facilement manipuler. Tu as ton mot à dire, et il est important que tu le fasses.

LE PARENT POISSONS

Le parent aidant

Vous avez un cœur immense : tout le monde le sait, et vos enfants les premiers. Vous vous oubliez constamment pour eux, vous leur pardonnez tout. Comme vous avez du mal à dire non, vous versez un peu dans la permissivité : c'est facile, mais ça peut devenir une bombe à retardement. Vous écoutez vos petits, vous privilégiez les échanges, vous êtes empathique et aidant ; vous les gâtez parfois trop, mais une chose est sûre, vous êtes plein d'amour.

L'EMPLOYÉ POISSONS

Le facteur humain compte pour lui : c'est un employé en or tant qu'on le traite bien. Il veut être apprécié et il en fait toujours plus que ce que le client ou le patron en demande. Flexible, il aime qu'on lui laisse exploiter sa créativité, qui peut souvent surprendre. Il est cependant très émotif. Le tact s'impose et il vaut mieux ne pas lui parler trop brusquement.

LE PATRON POISSONS

Sensible et intuitif, il cerne rapidement la personnalité des autres. S'il se montre dur, c'est uniquement pour masquer ses émotions : il n'aime pas réprimander ni, pire encore, congédier ses employés. En réalité, il est compatissant et attentif à autrui, et pourrait à la limite devenir un peu trop bon.

LE POISSONS DANS LA CUISINE

Vous êtes généreux et sensible, et votre façon de cuisiner est liée à vos états d'âme. Lorsque vous êtes triste ou épuisé, vous vous contentez de n'importe quoi. Tant pis pour l'équilibre alimentaire.

En fait, vous préférez cuisiner pour les autres que pour vous seul. Ainsi, quand vous êtes en forme et que vous recevez des gens que vous aimez, vous pouvez réaliser des prouesses de créativité.

Vous adorez :
- cuisiner en grande quantité, car vous pensez toujours aux autres ;
- les sauces à base de vin ou d'autres alcools ;
- élaborer votre menu en fonction des goûts de vos convives : vous n'hésitez pas à préparer un plat spécial pour celui qui suit un régime ou qui ne mange pas la même chose que les autres ;
- les crustacés, les fruits de mer et le poisson ;
- les saveurs plutôt douces.

✦ CE QUE LA NATUROPATHE VOUS SUGGÈRE

Augmentez les quantités de légumes et de protéines dans vos portions.

Réduisez un peu votre consommation de sucre.

Efforcez-vous de bien manger, même lorsque vous êtes seul.

Essayez de vous ouvrir à de nouvelles textures et saveurs.

ILS SONT POISSONS EUX AUSSI

Christian Bégin, Réal Béland, Justin Bieber, Jessica Biel, Eugenie Bouchard, Raymond Bouchard, Étienne Boulay, Daniel Craig, Julie Deslauriers, Alain Dumas, Michel Forget, Céline Galipeau, Cathy Gauthier, Sandrine Kiberlain, Ricardo Larrivée, Daniel Lavoie, Patrice L'Écuyer, Guillaume Lemay-Thivierge, Adam Levine, Jerry Lewis, Eric Lindros, Jean L'Italien, Eva Longoria, Claudine Mercier, Yannick Nézet-Séguin, Thérèse Parisien, Luc Plamondon, Colette Provencher, Isabelle Racicot, Rihanna, Jonathan Roy, Maxim Roy, Stefie Shock, René Simard, Sharon Stone, Stromae, Sugar Sammy, Mario Tessier, Saskia Thuot, Dany Turcotte, Sonia Vachon, Bruce Willis.

◆ OUTILS POUR TRANSFORMER VOTRE DESTINÉE

Ne placez pas les autres avant vous. Vous avez un cœur immense, mais on en profite souvent. Pensez à vous en premier... N'est-ce pas ce que font les autres ?

Cultivez la véritable indépendance, sur le plan affectif notamment. Vous vous sentirez libre et vous pourrez alors faire de meilleurs choix.

Cessez de voir des menaces là où il n'y en a pas. Vous êtes beaucoup plus fort que vous ne le croyez, faites-vous confiance.

Pensée positive pour le Poissons

Mon intuition me guide vers le bonheur et l'épanouissement.
Plus je l'écoute, plus j'avance en sécurité.

Pensée positive spéciale pour 2022

J'ouvre la porte à la chance et à la bonne fortune.
Je mérite ce qu'il y a de meilleur.

Le subconscient nous dirige toujours selon nos pensées. En répétant le plus souvent possible ces pensées conçues tout spécialement pour vous, vous vous attirerez plein de belles choses.

Signe : Poissons

Élément : eau

Catégorie : double

Symbole : ♓

Points sensibles : pieds (problèmes ou déformation), mélancolie,
état dépressif, intestins, circulation, boulimie, parfois
un penchant pour l'alcool, les pilules ou les drogues.

Planète maîtresse : Neptune, planète du mental.

Pierres précieuses : pierre de lune, saphir, aigue-marine.

Couleurs : blanc cassé et toutes les nuances de bleu.

Fleurs : lys, lotus, iris.

Chiffres chanceux : 5-7-17-19-23-25-32-34-41-49.

Qualités : compatissant, émotif, tendre, généreux, intuitif,
imaginatif, sentimental, esprit de groupe, doux.

Défauts : nonchalant, manque de volonté, bonasse, crédule,
désorganisé, passif, influençable.

Ce qu'il pense en lui-même
C'est drôle, les gens viennent toujours me voir quand ils ont
des problèmes...

Ce que les autres disent de lui
Ça ne va pas bien... je vais aller le voir pour qu'il me remonte un peu.

PRÉDICTIONS ANNUELLES

Vous voici sur le point d'entamer une année dont vous vous souviendrez longtemps. La présence de Jupiter dans votre signe vous fera vivre plusieurs événements inhabituels. En plus de transformer l'existence, ce transit provoque une importante évolution de la personnalité. On ressent profondément le désir de faire peau neuve, de se lancer dans de nouvelles aventures, de relever d'autres défis. Ce qui nous satisfaisait jadis ne suffit plus à nous contenter. On a besoin de changer d'air, presque de repartir à zéro. Jupiter est la planète de l'abondance, et s'il est vrai qu'elle engendre généralement beaucoup de bonnes choses, elle peut aussi déclencher une profusion de trucs moins agréables. Tout dépend de la façon dont on gère cette conjoncture. En vous croyant tout permis ou en pensant que vous êtes devenu invincible, vous risquez de vous attirer des désagréments et de ne pas profiter pleinement des largesses qui pourraient découler de son passage.

SANTÉ. Si Jupiter apporte le goût de mordre dans la vie à pleines dents, elle est également responsable d'une diminution de la volonté. N'abandonnez pas trop vite vos sages résolutions, sans quoi vous pourriez perdre du terrain. Ceux qui fourniront des efforts pour garder la forme ou pour la retrouver seront abondamment récompensés, mais ceux qui se laisseront aller pourraient connaître quelques ennuis avec leur silhouette ou leur santé. Sur le plan psychologique, l'année s'annonce sur le thème de l'optimisme, de la bonne humeur et de la joie de vivre.

SENTIMENTS. Certains de vos proches pourraient avoir du mal à accepter que vous changiez. Ils ne sont pas habitués à ce que vous posiez vos limites ou exprimiez votre désaccord aussi ouvertement. Au lieu de tout garder à l'intérieur et de souffrir en silence, vous devenez plus transparent et vous n'hésitez pas à revendiquer lorsque nécessaire. Soyez sans crainte, les gens qui vous aiment vont s'ajuster, tant pis pour les autres ! De toute façon, vous traverserez un cycle d'extraordinaire popularité et vous n'éprouverez aucune difficulté à tisser de nouveaux liens. Magnifique année pour refaire votre vie, pour trouver l'âme sœur et agrandir votre cercle d'amis.

AFFAIRES. L'an dernier, nous vous avions annoncé que 2022 serait une année exceptionnelle et c'est effectivement ce qui se dessine. Si vous caressez des projets d'envergure, c'est le moment de passer aux actes. En effet, les gestes que vous accomplirez en vue de donner un élan ou une nouvelle direction à votre existence rapporteront gros. La seule recommandation qu'on ait à vous faire, c'est celle de prendre garde aux erreurs de jugement. Ne soyez pas naïf comme vous l'avez été trop souvent et n'accordez votre confiance à personne sans avoir dûment vérifié la véracité des allégations. Vos finances iront en s'améliorant. La chance sera dans le décor tant et si bien que vous aurez la main heureuse au jeu. Bonne année pour l'immobilier, pour voir du pays et pour mettre des sous de côté.

JANVIER

DIM	LUN	MAR	MER	JEU	VEN	SAM
						1 D
2 ●	3	4	5	6	7	8
9	10	11	12	13 D	14 D	15 D
16 F	17 ○ F	18 F	19	20	21	22
23	24	25	26 F	27 F	28 D	29 D
30	31					

F	Jour favorable	D	Jour difficile
○	Pleine lune	●	Nouvelle lune

SANTÉ. Un mauvais aspect de Mars devrait vous inciter à la plus grande prudence jusqu'au 25. Soyez sur vos gardes pour ne pas vous faire mal dans vos déplacements ou en manipulant des objets dangereux. Votre digestion, vos jambes et votre dos continueront à vous déranger aussi longtemps que vous ne changerez pas vos habitudes.

SENTIMENTS. Si Mars risque de vous jouer des tours, Vénus quant à elle viendra mettre du piquant dans votre vie amoureuse et sociale. Les couples se rapprocheront tandis que les célibataires rencontreront une personne qui fera chavirer leur cœur au cours d'une sortie. Avec des membres de la famille, ça brasse un peu, mais vous ne cédez plus au chantage et vous arrivez à leur tenir tête.

AFFAIRES. Les choses ne se passent pas comme vous le souhaitez, vous vous sentez à la merci des autres ou des événements. Vous finirez par triompher, mais en attendant le mois prochain il vaut mieux vous adapter. Ce n'est pas le moment de faire des folies avec vos sous, surtout avec cette menace de dépense imprévue qui plane actuellement.

FÉVRIER

DIM	LUN	MAR	MER	JEU	VEN	SAM
		1 ●	2	3	4	5
6	7	8	9	10 D	11 D	12 F
13 F	14 F	15	16 ○	17	18	19
20	21	22 F	23 F	24 D	25 D	26
27	28					

F Jour favorable	D Jour difficile	
○ Pleine lune	● Nouvelle lune	

SANTÉ. La planète Mars cesse de vous menacer et vous vous retrouvez en bien meilleure posture. Si vous avez eu des pépins dernièrement, le moment est venu d'y remédier. Il n'y a que la gourmandise qui représente encore un risque pour votre silhouette et votre bien-être général. Sur le plan moral, vous vivrez une période en or jusqu'au 15 et vous vous libérerez d'une foule de contraintes passées.

SENTIMENTS. Les bonnes influences de Jupiter et de Vénus, planète de la félicité amoureuse et de la popularité sociale, vous réservent toutes sortes de surprises formidables. Ne restez surtout pas dans votre coin, allez vers les autres, acceptez les invitations et ouvrez-vous davantage, il ne peut en résulter que du positif !

AFFAIRES. Les astres vous choient et vous auriez tort d'attendre à plus tard pour agir. Vous êtes dans un cycle fortuné durant lequel vous arriverez aisément à atteindre vos objectifs. La chance se range de votre côté y compris dans les jeux de hasard. Peu importe la nature de vos projets, que ce soit en affaires, sur le plan des transactions, des voyages ou de vos activités en général, vous en sortez gagnant.

MARS

DIM	LUN	MAR	MER	JEU	VEN	SAM
		1	2 ●	3	4	5
6	7	8	9 D	10 D	11 D	12 F
13 F	14	15	16	17	18 ○	19
20	21 F	22 F	23 D	24 D	25	26
27	28	29	30	31		

F Jour favorable	D Jour difficile	
○ Pleine lune	● Nouvelle lune	

SANTÉ. Un début de mois fantastique ! Toutefois, le passage de plusieurs planètes dans votre douzième secteur entre le 7 et le 31 peut compliquer les choses. Ne tenez donc rien pour acquis, car vous risquez d'être rappelé à l'ordre si vous recommencez à vous négliger ou à abuser de vos forces. Sur le plan moral, vous avez les émotions à fleur de peau.

SENTIMENTS. Vénus continue de vous avantager pendant la première semaine. Les gens en couple consolideront leur relation, voire retomberont en amour, tandis que les autres trouveront enfin une personne susceptible de répondre à leurs critères. La vie sociale sera elle aussi excitante et les choses se tasseront avec la famille. Le reste du mois s'annonce plus tranquille, mais tout doux.

AFFAIRES. Même scénario dans ce secteur. Si vous souhaitez mettre un projet en chantier ou faire des démarches, tâchez d'agir avant le 7, car c'est à ce moment que les probabilités de réussite sont les meilleures. Bonne période également pour effectuer des changements ou vous déplacer. Possibilité de déception par la suite. Au jeu, vous conservez vos chances tout le long du mois.

AVRIL

DIM	LUN	MAR	MER	JEU	VEN	SAM
					1 ●	2
3	4	5 D	6 D	7 D	8 F	9 F
10 F	11	12	13	14	15	16 ○
17 F	18 F	19 D	20 D	21	22	23
24	25	26	27	28	29	30 ●

F Jour favorable	D Jour difficile	
○ Pleine lune	● Nouvelle lune, celle du 30, combinée à une éclipse solaire partielle	

SANTÉ. Le fait marquant de ce mois en ce qui vous concerne n'a rien à voir avec l'éclipse, mais plutôt avec l'arrivée de Mars dans votre signe le 15. Vous sortirez alors du cycle d'indolence que vous traversez toujours. Si ce transit fournit énergie et dynamisme, il apporte souvent un risque accru de blessures dues à un faux sentiment d'invincibilité ou à une distraction.

SENTIMENTS. Plusieurs planètes dans votre signe entre le 7 avril et le 3 mai augmenteront votre charisme, voire votre magnétisme. Pas étonnant que les célibataires fassent une conquête de taille. Quant aux autres, ils auront tout ce qu'il faut pour séduire à nouveau leur partenaire. Vous serez vraiment très populaire, les invitations arriveront de tous les côtés.

AFFAIRES. Puissant courant de chance durant la seconde quinzaine, vous gravirez d'importants échelons. Excellente période pour mettre des sous de côté, conclure une transaction avantageuse, prendre des vacances et pour faire des démarches ou des améliorations domiciliaires. Mauvais *timing* par contre pour les risques financiers ou pour défier la loi. Bon mois pour les tirages de toutes sortes.

MAI

DIM	LUN	MAR	MER	JEU	VEN	SAM
1	2	3 D	4 D	5 F	6 F	7 F
8	9	10	11	12	13	14
15 ○ F	16 F	17 D	18 D	19	20	21
22	23	24	25	26	27	28
29	30 ● D	31 D				

F Jour favorable		D Jour difficile
○ Pleine lune et éclipse lunaire totale		● Nouvelle lune

SANTÉ. Encore une fois, l'éclipse n'annonce rien de menaçant, elle se produit même dans un secteur bénéfique de votre thème astrologique. On ne peut pas en dire autant de ce transit de Mars qui présente encore quelques dangers jusqu'au 25. Vous pourrez cependant en venir aisément à bout en vous prémunissant contre les accidents bêtes et les troubles de santé.

SENTIMENTS. On vous tourne autour, c'est incroyable ! Loin de fléchir, votre popularité ne cesse de grandir. Bonne nouvelle pour ceux qui cherchent l'amour. Si vous fascinez les inconnus, on doit avouer que c'est plus compliqué avec l'entourage immédiat. Vous n'acceptez plus qu'on vous écrase et ça crée des remous par moments. Tenez votre bout !

AFFAIRES. Ça va trop vite et vous vous sentez dépassé par les événements. Prenez le temps de vous arrêter pour bien analyser la situation, car vous risqueriez des pertes en précipitant les choses ou en courant deux lièvres à la fois. Attention aux contraventions et aux amendes ce mois-ci. Chances au jeu entre le 1er et le 10.

JUIN

DIM	LUN	MAR	MER	JEU	VEN	SAM
			1 D	2 F	3 F	4
5	6	7	8	9	10	11 F
12 F	13 D	14 ○ D	15	16	17	18
19	20	21	22	23	24	25
26 D	27 D	28 ● D	29 F	30 F		

F Jour favorable		D Jour difficile	
○ Pleine lune		● Nouvelle lune	

SANTÉ. On décèle une nette accalmie au niveau des influences planétaires, pas étonnant que vous vous sentiez renaître ! Vous semblez bien décidé à mettre enfin vos priorités à la bonne place et à vous occuper davantage de votre bien-être que de celui des autres. Bravo ! Reste maintenant à espérer que vous conserverez cette brillante disposition.

SENTIMENTS. La conjoncture est exceptionnelle jusqu'au 23. La complicité qui vous unit à votre partenaire ira en grandissant, vous rigolerez aussi beaucoup ensemble. Des heures de divertissement vous attendent avec vos amis, sans compter que vous pourrez vous en faire de nouveaux. Quant à ce membre de votre famille qui s'ingérait dans vos affaires, il cessera au cours de la première quinzaine, probablement parce que vous le remettrez à sa place.

AFFAIRES. La cadence ralentit et vous reprenez la situation en main. Bon mois pour mettre de l'ordre dans votre budget, pour faire une acquisition et pour tout ce qui a trait à votre demeure. Vous aurez des arguments du tonnerre entre le 1er et le 14, vous arriverez à convaincre à peu près tout le monde.

JUILLET

DIM	LUN	MAR	MER	JEU	VEN	SAM
					1	2
3	4	5	6	7	8	9 F
10 F	11 D	12 D	13 ○	14	15	16
17	18	19	20	21	22	23
24 D	25 D	26 F	27 F	28 ● F	29	30
31						

F Jour favorable		D Jour difficile	
○ Pleine lune		● Nouvelle lune	

SANTÉ. La conjoncture devient particulièrement avantageuse le 5. Vous aurez non seulement la voie libre, mais aussi la possibilité de progresser considérablement si vous vous en donnez la peine. Les efforts pour vous remettre en forme, pour vous sentir mieux dans votre peau ou pour vous débarrasser d'un problème récurrent auront des résultats fantastiques. Allez-y, ça en vaut vraiment le coup.

SENTIMENTS. Vénus se baladera dans un secteur très favorable de votre ciel entre le 18 juillet et le 12 août. Les querelles d'amoureux se régleront et vous jouirez également d'une vague de popularité et de sympathie impressionnante. Plusieurs activités sociales vous feront passer des moments stimulants.

AFFAIRES. Vous avez d'énormes atouts pour arriver à vos fins. Votre jugement sûr, votre aplomb et votre perspicacité vous permettent de réussir dans l'immédiat, mais aussi d'asseoir confortablement votre avenir. Attendez-vous à une signature de contrat avantageuse, à une réponse positive à une requête ou à des négociations en votre faveur entre le 5 et le 20.

AOÛT

DIM	LUN	MAR	MER	JEU	VEN	SAM
	1	2	3	4	5 F	6 F
7 D	8 D	9	10	11 ○	12	13
14	15	16	17	18	19	20 D
21 D	22	23 F	24 F	25	26	27 ●
28	29	30	31			

	F Jour favorable		D Jour difficile
	○ Pleine lune		● Nouvelle lune

SANTÉ. Tout ira comme sur des roulettes jusqu'au 20, mais la quadrature de Mars risque de vous jouer des tours par la suite. En redoublant de prudence pour ne pas vous blesser, en vous accordant des moments de repos et en mettant un peu d'ordre dans votre vie, vous pourrez aisément échapper à la conjoncture.

SENTIMENTS. N'oubliez pas que Vénus continue de veiller sur vos amours jusqu'au 12. Si vous êtes seul, gardez l'œil ouvert, vous pourriez faire la connaissance d'un être surprenant. Excellente période pour consolider les liens qui vous unissent à certaines personnes. Les trois premières semaines s'annoncent fort divertissantes sur le plan social.

AFFAIRES. Ici aussi, ce sont les trois premières semaines qui offrent les meilleures possibilités pour vos entreprises, vos recherches, vos déplacements et vos démarches. Ne perdez donc pas de temps pour agir, car le reste du mois pourrait se révéler décevant. Ce serait également une bonne idée de mieux protéger votre argent et vos biens.

SEPTEMBRE

DIM	LUN	MAR	MER	JEU	VEN	SAM
				1 F	2 F	3 D
4 D	5	6	7	8	9	10 ○
11	12	13	14	15	16 D	17 D
18 D	19 F	20 F	21	22	23	24
25 ●	26	27	28 F	29 F	30 F	

F Jour favorable	D Jour difficile
○ Pleine lune	● Nouvelle lune

SANTÉ. Le mauvais aspect de Mars n'est pas de tout repos. Comme ce transit vous rend plus vulnérable, il demeure essentiel que vous privilégiiez la prudence et la modération. Sur le plan moral, toutefois, vous traverserez une phase constructive avant le 23. Vous arriverez à chasser le cafard, vous aurez les deux pieds sur terre et ne vous énerverez plus avec des chimères.

SENTIMENTS. Votre partenaire a besoin d'encouragements. Il est préoccupé et c'est ce qui explique qu'il ne prenne guère d'initiative. Pourtant, si vous lui proposez des activités, il abondera très certainement dans votre sens. Les discussions avec un membre de la famille ou un ami ont tendance à dégénérer sans raison. C'est dommage, car au fond, vous vous aimez bien.

AFFAIRES. Les tensions que vous ressentez actuellement vous donnent envie d'abdiquer. Au lieu de tout balancer par-dessus bord, pourquoi ne pas prendre une pause, tout simplement ? Ça vous permettra de vous distancer de ce qui accroche et ainsi de vous préparer à mieux rebondir dans quelques semaines.

OCTOBRE

DIM	LUN	MAR	MER	JEU	VEN	SAM
						1 D
2 D	3	4	5	6	7	8
9 ○	10	11	12	13	14 D	15 D
16 F	17 F	18 F	19	20	21	22
23	24	25 ●	26 F	27 F	28 D	29 D
30	31					

F Jour favorable	D Jour difficile
○ Pleine lune	● Nouvelle lune et éclipse solaire partielle

SANTÉ. Ce n'est pas l'éclipse qui est susceptible de vous déranger, mais plutôt cette quadrature de Mars qui s'éternise. Il est trop tôt pour relâcher votre vigilance ou pour vous croire tout permis. Les excès, tout comme la témérité, joueront contre vous et vous risquez de vous retrouver sur le carreau. Apprenez à vous détendre, vous avez trop souvent les nerfs en boule.

SENTIMENTS. Tout ira infiniment mieux à partir du 23. En attendant, vous pourriez connaître certaines désillusions et un manque flagrant de communication. Mettez votre orgueil de côté et ouvrez votre cœur à un ami qui saura accueillir vos confidences avec respect et même vous donner de précieux conseils.

AFFAIRES. Vous perdez temps et énergie à trop vous entêter. En parlant de gaspillage, ce serait le moment d'arrêter de dépenser follement. Ce n'est que vers la fin du mois que vous commencerez à voir la lumière au bout du tunnel. Un peu de patience, vous y êtes presque.

NOVEMBRE

DIM	LUN	MAR	MER	JEU	VEN	SAM
		1	2	3	4	5
6	7	8 ○	9	10 D	11 D	12 F
13 F	14 F	15	16	17	18	19
20	21	22 F	23 ● F	24 D	25 D	26
27	28	29	30			

F	Jour favorable		D	Jour difficile
○	Pleine lune et éclipse lunaire totale		●	Nouvelle lune

SANTÉ. Bien que nous dénotions encore un danger de blessure, on peut affirmer que le reste devrait aller beaucoup mieux, à commencer par le moral. En effet, l'éclipse vous aide à prendre les choses plus légèrement et à exprimer plus librement ce que vous avez sur le cœur. Bon moment pour vous soigner et faire des gestes concrets visant à améliorer votre santé.

SENTIMENTS. Les seize premiers jours se passent dans la joie. Si vous souhaitez que le reste du mois demeure aussi agréable, vous avez intérêt à mettre de l'eau dans votre vin et à peser les mots que vous utiliserez afin d'éviter les confrontations. On aurait la riposte trop facile, ce qui vous peinerait beaucoup.

AFFAIRES. Tout se déroule avec lenteur. Vos démarches prennent du temps pour aboutir tandis que vos activités piétinent. Je vous garantis qu'en insistant un peu vous finirez par faire évoluer la situation. La première moitié de ce mois est idéale pour changer d'air, négocier ou présenter une demande. Les chances dans les tirages sont de retour.

DÉCEMBRE

DIM	LUN	MAR	MER	JEU	VEN	SAM
				1	2	3
4	5	6	7 ○ D	8 D	9 D	10 F
11 F	12	13	14	15	16	17
18	19 F	20 F	21 F	22 D	23 ● D	24
25	26	27	28	29	30	31

F Jour favorable	D Jour difficile
○ Pleine lune	● Nouvelle lune

SANTÉ. Les dix premiers jours comportent quelques écueils. Vous pourriez contracter une infection, être victime d'un accident, développer quelques soucis de santé et ressentir des épisodes d'anxiété. Presque tout se replacera rapidement par la suite sauf les risques d'incident, qui demeureront présents. Vous pourriez cependant les éviter en redoublant de prudence.

SENTIMENTS. Vous vous ennuyez. Vous trouvez que votre vie manque de piquant, qu'il ne se passe rien d'amusant et que votre entourage vous néglige. Deux options s'offrent à vous : prendre les devants et réunir des gens que vous aimez, ou patienter jusqu'à la seconde quinzaine, qui vous réserve toutes sortes de belles surprises. La situation d'un proche piétine, ça monte, ça descend, vous ne savez plus à quoi vous attendre. Ne désespérez pas, ça finira par se tasser.

AFFAIRES. Pareil dans ce secteur. Le mois commence de manière stressante, mais les choses devraient se replacer par la suite. Un déblocage important, une bonne nouvelle ou l'aboutissement d'une affaire qui traînait vous enlèvera une épine du pied. Chances au jeu entre le 1er et le 21.

NOS ANIMAUX EN ASTROLOGIE

L'astrologie nous renseigne sur notre caractère, notre personnalité et notre comportement, et elle peut également s'appliquer à nos petits compagnons à quatre pattes ou à plumes.

Leur signe du zodiaque exerce une certaine influence sur eux. Qu'il s'agisse d'un vieux gros toutou ou d'un chaton, d'un canari ou d'un bel iguane, n'hésitez pas à recourir à l'astrologie pour mieux le comprendre et deviner ce qu'il ne peut vous dire. En sachant interpréter son comportement, vous serez plus apte à répondre à ses besoins. L'astrologie peut aussi vous aider à choisir le compagnon idéal qui correspondra à votre personnalité. Que vous ayez déjà un animal domestique à la maison ou que vous pensiez en adopter un, les lignes qui suivent vous éclaireront sur son caractère.

MON BESTIAIRE ASTROLOGIQUE

LE BÉLIER. Plutôt petit, qu'il soit chien, chat ou reptile, il possède tout un caractère. Il sait ce qu'il veut et n'en fait qu'à sa tête. Impulsif, vif et rapide, il n'arrête pas une seconde, et il court vite. Tant mieux, me direz-vous, mon Patou est un cheval de course. Mais si votre Médor est un bon chien de ville, il pourrait bien profiter d'une porte ouverte pour prendre la poudre d'escampette. En fait, cet animal prend beaucoup de place, mange comme un glouton et trop vite. C'est un animal qui déborde d'énergie ; il faudra donc vous attendre à ce qu'il vous demande souvent de jouer... et à nettoyer quelques dégâts si vous le laissez seul à la maison. Mais il est si adorable, ce minet... qui vient de déchirer la moquette, que finalement vous lui pardonnez, comme toujours !

LE TAUREAU. Cet animal est de compagnie très agréable. Il apprécie son domicile, son petit coin bien à lui où la vie s'écoule, calme et tranquille. Félix aimera bien faire un petit tour dehors, mais pas trop loin... Quant à Fido, il ne rechignera pas à rester toute la journée à vous attendre à la maison. Il la connaît bien et ne s'y ennuie pas. Certains jours pourtant, il sera un peu plus entêté qu'à l'habitude, mais une belle caresse et quelques mots gentils, et il se montrera à nouveau obéissant et docile. Par contre, il apprend lentement. Si vous tenez absolument à ce qu'il donne la « papatte », armez-vous de patience. Dès qu'il aura compris, toutefois, vous réussirez à la lui faire donner rapidement. Ce sera un compagnon fidèle. Il reste tellement attaché à vous et à ses habitudes que les changements l'incommodent ; mais si vous vous en occupez, s'il sent que vous l'aimez, il sera rassuré et heureux. Si votre oiseau est Taureau, écoutez son chant, il est très joli.

LE GÉMEAUX. Cet animal a besoin de voir du monde et d'avoir beaucoup de vie autour de lui. Il sera très heureux dans une famille nombreuse, avec plusieurs enfants et même d'autres animaux. Il adore faire son petit tour dehors, explorer, découvrir, croiser des connaissances à quatre pattes. À la maison, il trouve toujours quelque chose à faire, mais il n'aime pas être seul trop longtemps. Si vous pensez le laisser seul pendant que vous êtes au travail, il serait bon de lui procurer un compagnon de jeu. Cet animal a besoin d'énormément d'attention ; il faudra donc souvent jouer avec lui. Par contre, il se montre assez indépendant lorsqu'il le décide. C'est un grand parleur qui a besoin d'un public, alors il chante, jappe ou miaule beaucoup. C'est aussi un petit coquin très intelligent et un tantinet manipulateur. Il vous fera savoir rapidement ce qu'il veut... et il finira par l'obtenir.

LE CANCER. C'est le signe le plus attachant qui soit pour un animal. Ce petit compagnon adore son maître et tous les membres de la famille. Les marques d'affection et les caresses sont ses deux moteurs, car il aime tellement faire plaisir. Son bonheur est immense lorsqu'il se sent entouré de tout son petit monde à la maison. Il fait de gros efforts pour satisfaire son entourage, même les enfants qui lui tirent les oreilles ou la queue. Comme c'est plutôt un animal gourmand et dormeur, il faut veiller à lui faire faire suffisamment d'exercice, sinon l'obésité le guette. Docile et affectueux, il est digne de confiance ; il fera de son mieux pour protéger la maison, même si c'est un minuscule chihuahua. Les femelles Cancer sont d'excellentes mères.

LE LION. Voilà un animal qui a du panache. De race pure ou non, on le remarque. Si votre petit Lion est un chat, il se comportera comme s'il était le roi des animaux au milieu de ses sujets ; en tant que chien, museau au vent et queue relevée, il montrera qui est le maître dans la maison, tandis que l'oiseau Lion exhibera fièrement son plumage. Bref, il fera l'envie de tout le voisinage. Comme c'est une vraie star, il faudra lui donner beaucoup d'attention, lui montrer que vous l'aimez. Si vous oubliez la caresse habituelle en rentrant, il boudera. Avec les autres animaux, ça risque d'être la guerre. Il veut occuper l'avant-scène et n'appréciera pas qu'on le néglige ou qu'on le tienne à l'écart pour s'occuper d'un autre, animal ou humain d'ailleurs. De toute façon, il ne supportera pas d'être traité comme un bibelot ; alors, même s'il se comporte bien et se montre sage, il cherchera sûrement à faire un petit tour pour épater la galerie. Enseignez-lui quelques trucs simples et applaudissez à tout rompre ; cela fera son plus grand bonheur.

LA VIERGE. Il est tout timide, tout gentil. En fait, c'est pour cela que vous l'avez pris, même si ce n'est pas lui qui était le plus fringant de la portée. Il se montre un peu craintif avec les étrangers, mais avec vous, n'ayez pas peur, ce sera un compagnon fidèle, attentif et tranquille. Il ne vous causera pas d'ennuis, car il comprend très bien les règles et les interdits et ne les transgresse pas. Par contre, il a ses petites habitudes. N'allez pas bouleverser son horaire du jour au lendemain. Si vous le sortez chaque jour vers 8 heures, il ne faudra pas être en retard, car il vous le fera savoir. Son point faible, c'est la digestion ; il faut donc veiller à lui procurer une bonne nourriture et ne pas la lui changer continuellement. Qu'il soit chien, chat, cheval ou canari, il sera très attaché à son maître et doux avec les enfants. C'est le compagnon idéal des gens calmes et plutôt sédentaires.

LA BALANCE. Cet animal est une vraie soie. Il a tout pour se faire aimer et aussi pour vous amuser ; il a mille et un tours dans son sac. Comme c'est un petit être sensible, vous ne l'aimerez jamais trop et il réclamera toujours plus de caresses. Pour qu'il soit heureux, offrez-lui un foyer calme et harmonieux. Il préférera fuir les enfants criards et chamailleurs, car il ne supporte ni les bruits ni les cris. S'il fait une bêtise et que vous le grondez, il sera très honteux et affecté. En parlant assez fort, vous obtiendrez de bons résultats, sans avoir à le punir plus. Ce petit animal appréciera son douillet coussin ou votre plus beau fauteuil pour dormir en paix… Et en plus, comme il déteste être seul, il pourrait même choisir vos moelleux genoux pour sa sieste. C'est un charmeur, et son regard fait fondre le plus récalcitrant des humains. Il est irrésistible.

LE SCORPION. Celui-là possède son petit caractère. Monsieur (ou madame) est bien affectueux, mais attention, il se montre souvent possessif. Il choisit son maître et ne le lâche plus. Il pourrait venir s'installer entre vous et votre partenaire, car il vous appartient en propre et non aux deux. Pire, il pourrait même carrément prendre la place du conjoint qui le dérange pour l'obliger à s'asseoir plus loin. Il affiche un petit air mystérieux, ce qui fait en sorte qu'on ne comprend pas toujours ce qu'il veut. Il peut être très enjoué, mais il lui arrive aussi parfois d'être assez grognon et, dans ces cas-là, il vaut mieux le laisser tranquille. Par contre, il n'a pas son pareil pour deviner ce que vous ressentez et il a une mémoire du tonnerre. Si quelqu'un lui a fait mal, il s'en souviendra, même des mois ou des années plus tard… Ce n'est pas un animal facile, mais il vous adore.

LE SAGITTAIRE. Ce cher Sagittaire est un tantinet agité… Pour lui, voir la vie à l'extérieur est bien plus passionnant que dormir sur un coussin moelleux. Si vous l'empêchez de sortir, il reste à la fenêtre pour observer la rue. Il adore courir, se promener, et si vous n'y faites pas attention, il peut faire des fugues de plusieurs jours. Fermez bien les portes. Laissé seul à la maison, il s'ennuie. Vous devez lui faire dépenser son trop-plein d'énergie. L'idéal est de lui offrir un grand jardin, un terrain à la campagne où il pourra se dégourdir les pattes à loisir. C'est un petit être indépendant, donc l'obéissance parfaite, ce n'est pas tellement sa tasse de thé. Il se comporte généralement bien avec les autres animaux, mais ceux de la même espèce que lui le dérangent un peu. Avec les enfants, il est très à l'aise, car ils courent et jouent avec lui, et c'est ce qu'il aime. Par contre, ceux-ci doivent le respecter, sinon il fera la loi à coups de dents ou de griffes. Il peut aussi se montrer glouton et prendre rapide-ment du poids ; il faut donc bien doser sa nourriture et lui faire faire beaucoup d'exercice.

LE CAPRICORNE. On dit que le chien est le meilleur ami de l'homme ; s'il est Capricorne en plus, vous avez déniché la perle rare, le plus fidèle des fidèles. Dévoué, cherchant toujours à faire plaisir, ce petit timide restera néanmoins à l'écart des inconnus. Ce n'est pas un animal très démons-tratif, mais votre famille et surtout vous, son maître, comptez plus que tout dans sa vie. Plutôt menu et souvent maigre, il est également frileux ; donc, durant l'hiver, faites attention lorsque vous le sortez, un man-teau serait peut-être approprié. C'est un bon compagnon, tranquille et doux. Il est très patient, et quelques heures de solitude ne lui font pas peur. Il apprend lentement, donc n'hésitez pas à répéter plusieurs fois vos consignes lorsqu'il est encore bébé, de façon qu'il assimile bien les règles. Une fois qu'il les aura apprises, il les retiendra pour toujours. Comme il est fort discret, on pourrait l'oublier facilement ; mais surtout ne le négligez pas, car c'est vraiment votre meilleur ami, et il vous aime.

LE VERSEAU. Ce chaton, ce vieux chien, cette perruche ou ce furet sont des animaux qui vous procureront des heures de plaisir. Avec le Verseau, pas d'ennui possible. Il bouge, va vers les gens, s'intéresse à tout ce que vous faites. Lorsque vous arrivez avec des sacs d'épicerie, il n'hési-tera pas à plonger le nez dedans pour découvrir ce qu'ils contiennent. Les nouvelles odeurs, les nouveaux objets l'intriguent. Dehors, vous le verrez souvent en train de « discuter » avec ses congénères, de sur-veiller son territoire ou d'explorer les environs. Vif, spirituel, remuant, il a une petite personnalité indépendante qui n'est pas tellement adaptée aux règles et à l'obéissance ; vous devrez répéter souvent, et peut-être même le gronder plus que d'autres. Mais comme il aime tout le monde et que tout le monde l'aime, vous lui pardonnez facilement ces incartades.

LE POISSONS. Affectueux, doux et tendre, votre compagnon à plumes ou à fourrure vous rendra toujours heureux. Vos caresses et vos mots doux sont sa raison de vivre. Lorsque vous revenez du travail, c'est la fête. D'ailleurs, vous n'avez qu'à sortir cinq minutes puis à revenir, et ce sera encore la fête. Pour le faire fâcher et le rendre bougon, il faut vraiment en mettre beaucoup, car il oublie très vite. C'est un animal sensible, il ne supporte pas qu'on parle fort autour de lui ; il croit alors qu'il a fait quelque chose de mal et se sauve. Par contre, il devine toujours comment vous allez. Si vous vous sentez un peu triste, il se montrera encore plus câlin pour vous consoler. Si vous êtes de bonne humeur, il sera heureux pour vous. Comme il est un peu paresseux, c'est à vous de veiller à ce qu'il fasse ses exercices quotidiens. Comme les animaux Poissons adorent l'eau (même les chats), pourquoi ne pas placer un bain dans la cage de l'oiseau et une grosse piscine de plastique pour Médor dans la cour ?

L'ASTROLOGIE CHINOISE

L'étude du zodiaque remonte à la nuit des temps. On le sait aujourd'hui, même l'homme de Néandertal scrutait les astres pour y déchiffrer le sens de l'Univers.

Plus que millénaire, l'astrologie n'est pas une science propre à la civilisation occidentale ; en Orient aussi, les planètes, les astres et les étoiles fascinent. Cependant, l'astrologie chinoise diffère de la nôtre en ce sens que, contrairement à elle, qui se base sur le cycle du Soleil dans les 12 signes, elle est établie sur une période de 12 ans.

L'astrologie zodiacale comporte 12 signes qui se succèdent, et chacun dure un mois. En astrologie chinoise, chaque année correspond à un signe représenté par un animal totem.

En astrologie chinoise, les cycles lunaires permettent de déterminer le début de l'année. Cela fait donc en sorte que les signes chinois commencent à une date différente chaque année.

L'astrologie chinoise constitue un excellent moyen de se connaître et de découvrir les autres. Nous vous invitons à en prendre connaissance plus amplement dans les pages suivantes.

LES 12 SIGNES CHINOIS

Repérez votre date de naissance dans ce tableau pour connaître votre signe chinois.

1930	Cheval	Du 30 janvier 1930 au 16 février 1931
1931	Chèvre	Du 17 février 1931 au 5 février 1932
1932	Singe	Du 6 février 1932 au 25 janvier 1933
1933	Coq	Du 26 janvier 1933 au 13 février 1934
1934	Chien	Du 14 février 1934 au 3 février 1935
1935	Cochon	Du 4 février 1935 au 23 janvier 1936
1936	Rat	Du 24 janvier 1936 au 10 février 1937
1937	Buffle	Du 11 février 1937 au 30 janvier 1938
1938	Tigre	Du 31 janvier 1938 au 18 février 1939
1939	Chat	Du 19 février 1939 au 7 février 1940
1940	Dragon	Du 8 février 1940 au 26 janvier 1941
1941	Serpent	Du 27 janvier 1941 au 14 février 1942
1942	Cheval	Du 15 février 1942 au 4 février 1943
1943	Chèvre	Du 5 février 1943 au 24 janvier 1944
1944	Singe	Du 25 janvier 1944 au 12 février 1945
1945	Coq	Du 13 février 1945 au 1er février 1946
1946	Chien	Du 2 février 1946 au 21 janvier 1947
1947	Cochon	Du 22 janvier 1947 au 9 février 1948
1948	Rat	Du 10 février 1948 au 28 janvier 1949
1949	Buffle	Du 29 janvier 1949 au 16 février 1950
1950	Tigre	Du 17 février 1950 au 5 février 1951
1951	Chat	Du 6 février 1951 au 26 janvier 1952
1952	Dragon	Du 27 janvier 1952 au 13 février 1953
1953	Serpent	Du 14 février 1953 au 2 février 1954
1954	Cheval	Du 3 février 1954 au 23 janvier 1955
1955	Chèvre	Du 24 janvier 1955 au 11 février 1956
1956	Singe	Du 12 février 1956 au 30 janvier 1957
1957	Coq	Du 31 janvier 1957 au 17 février 1958
1958	Chien	Du 18 février 1958 au 7 février 1959
1959	Cochon	Du 8 février 1959 au 27 janvier 1960
1960	Rat	Du 28 janvier 1960 au 14 février 1961
1961	Buffle	Du 15 février 1961 au 4 février 1962
1962	Tigre	Du 5 février 1962 au 24 janvier 1963
1963	Chat	Du 25 janvier 1963 au 12 février 1964
1964	Dragon	Du 13 février 1964 au 1er février 1965

1965	Serpent	Du 2 février 1965 au 20 janvier 1966
1966	Cheval	Du 21 janvier 1966 au 8 février 1967
1967	Chèvre	Du 9 février 1967 au 29 janvier 1968
1968	Singe	Du 30 janvier 1968 au 16 février 1969
1969	Coq	Du 17 février 1969 au 5 février 1970
1970	Chien	Du 6 février 1970 au 26 janvier 1971
1971	Cochon	Du 27 janvier 1971 au 14 février 1972
1972	Rat	Du 15 février 1972 au 2 février 1973
1973	Buffle	Du 3 février 1973 au 22 janvier 1974
1974	Tigre	Du 23 janvier 1974 au 10 février 1975
1975	Chat	Du 11 février 1975 au 30 janvier 1976
1976	Dragon	Du 31 janvier 1976 au 17 février 1977
1977	Serpent	Du 18 février 1977 au 6 février 1978
1978	Cheval	Du 7 février 1978 au 27 janvier 1979
1979	Chèvre	Du 28 janvier 1979 au 15 février 1980
1980	Singe	Du 16 février 1980 au 4 février 1981
1981	Coq	Du 5 février 1981 au 24 janvier 1982
1982	Chien	Du 25 janvier 1982 au 12 février 1983
1983	Cochon	Du 13 février 1983 au 1er février 1984
1984	Rat	Du 2 février 1984 au 19 février 1985
1985	Buffle	Du 20 février 1985 au 8 février 1986
1986	Tigre	Du 9 février 1986 au 28 janvier 1987
1987	Chat	Du 29 janvier 1987 au 16 février 1988
1988	Dragon	Du 17 février 1988 au 5 février 1989
1989	Serpent	Du 6 février 1989 au 26 janvier 1990
1990	Cheval	Du 27 janvier 1990 au 14 février 1991
1991	Chèvre	Du 15 février 1991 au 3 février 1992
1992	Singe	Du 4 février 1992 au 22 janvier 1993
1993	Coq	Du 23 janvier 1993 au 9 février 1994
1994	Chien	Du 10 février 1994 au 30 janvier 1995
1995	Cochon	Du 31 janvier 1995 au 18 février 1996
1996	Rat	Du 19 février 1996 au 6 février 1997
1997	Buffle	Du 7 février 1997 au 27 janvier 1998
1998	Tigre	Du 28 janvier 1998 au 15 février 1999
1999	Chat	Du 16 février 1999 au 4 février 2000
2000	Dragon	Du 5 février 2000 au 24 janvier 2001
2001	Serpent	Du 25 janvier 2001 au 12 février 2002
2002	Cheval	Du 13 février 2002 au 1er février 2003
2003	Chèvre	Du 2 février 2003 au 21 janvier 2004
2004	Singe	Du 22 janvier 2004 au 7 février 2005

2005	Coq	Du 8 février 2005 au 28 janvier 2006
2006	Chien	Du 29 janvier 2006 au 16 février 2007
2007	Cochon	Du 17 février 2007 au 6 février 2008
2008	Rat	Du 7 février 2008 au 25 janvier 2009
2009	Buffle	Du 26 janvier 2009 au 13 février 2010
2010	Tigre	Du 14 février 2010 au 2 février 2011
2011	Chat	Du 3 février 2011 au 22 janvier 2012
2012	Dragon	Du 23 janvier 2012 au 9 février 2013
2013	Serpent	Du 10 février 2013 au 30 janvier 2014
2014	Cheval	Du 31 janvier 2014 au 18 février 2015
2015	Chèvre	Du 19 février 2015 au 7 février 2016
2016	Singe	Du 8 février 2016 au 27 janvier 2017
2017	Coq	Du 28 janvier 2017 au 15 février 2018
2018	Chien	Du 16 février 2018 au 4 février 2019
2019	Cochon	Du 5 février 2019 au 24 janvier 2020
2020	Rat	Du 25 janvier 2020 au 11 février 2021
2021	Buffle	Du 12 février 2021 au 31 janvier 2022

RAT

VOS PLUS BELLES QUALITÉS : convaincant, instinctif, doté d'un sens pratique, intelligent, terre à terre, drôle, vif, habile, rusé.

VOS PÉCHÉS MIGNONS : angoissé, méfiant, profiteur, manipulateur.

S'il est un animal qui provoque des réactions mitigées, c'est bien le rat. Il entraîne parfois des mouvements de répulsion, mais le plus souvent il suscite la crainte. Et faire peur, c'est justement votre cas. Les gens ne vous connaissent pas beaucoup et, pour cette raison, se méfient un peu. Vous-même, vous vous montrez plutôt craintif, soupçonneux et, pour gagner votre confiance, il faut savoir montrer patte blanche.

En société, vous évitez les bains de foule et préférez de beaucoup rester à l'écart. Pourtant, lorsqu'on vous connaît, on vous trouve sociable, rempli d'humour et enjoué. Néanmoins, vous vous confiez peu et préférez regagner votre petit nid douillet lorsque quelque chose ne tourne pas rond. Vous avez une acuité toute particulière qui vous permet de déceler ce qu'on tente de vous cacher. Votre sens de l'observation est aiguisé ; rien ne vous échappe.

Vous vous défendez avec vos dents et vos griffes lorsqu'on vous blesse ou si l'un de vos proches est attaqué. Sur le plan psychologique, vous paraissez nerveux, parfois tourmenté.

Côté personnalité, votre émotivité vous permet d'exceller dans les domaines artistiques, notamment la musique, la littérature et les arts, qui vous fournissent la possibilité de vous exprimer et de vous libérer de votre trop-plein d'émotion.

Votre intelligence est vive et plutôt raisonnée. Vous trouvez des solutions ingénieuses aux problèmes, et votre flair en affaires est très aiguisé. Vous avez un don particulier et le doigté nécessaire pour retourner les pires situations en votre faveur. Beau parleur comme vous l'êtes, vous pouvez devenir un excellent négociateur. Votre sixième sens vous permet de trouver les mots qu'il faut pour convaincre ; il vous indique quand et comment agir. Sur le plan professionnel, ces multiples talents vous poussent souvent à diriger les gens, à commander, et parfois même à manipuler vos collègues ou vos subalternes.

Puisque vous avez un bon sens pratique, que vous possédez un esprit terre à terre, vous appréciez l'argent, mais aussi les valeurs sûres, les beaux objets. Pourtant, il semble que l'argent file à une rapidité excessive entre vos doigts. Heureusement, vous parvenez à équilibrer votre budget sans avoir à trop jongler avec les rentrées et les sorties.

Votre petit côté séducteur vous ouvre de nombreuses portes. Vous savez plaire ; avouez que vous jouez de votre charme. Vous êtes un être passionné qui est attiré par le romantisme. Cela peut vous inciter à fuir votre quotidien et votre routine, que vous considérez comme de vrais éteignoirs. Une telle façon d'être complique votre vie sentimentale, mais vous n'en avez cure. Vous recherchez les gens originaux, amusants, que vous pouvez admirer, et, malgré votre froideur initiale, on finit par découvrir en vous un être affectueux, ardent, possessif même. Les demi-mesures ne sont pas pour vous, et vous ne supportez pas d'être brimé dans votre liberté.

✦ SELON LES SAGES ORIENTAUX

VOTRE DOMAINE SYMBOLIQUE : ce qu'on ne sait pas et qui est près de nous, le mystère, le monde souterrain.

VOS ARMES : les dents acérées du rat, son instinct et ses paroles mordantes.

BUFFLE

VOS PLUS BELLES QUALITÉS : sérieux, travailleur, économe, prudent, sens des responsabilités, esprit de famille.

VOS PÉCHÉS MIGNONS : tatillon, peureux, lent, manque d'audace, inflexible.

Sérieux et travailleur, vous vous adaptez très bien au système et vous défendez les traditions auxquelles vous tenez. L'originalité et l'initiative ne font pas partie de votre vocabulaire. Par contre, votre discipline et votre sens des responsabilités sont irréprochables. Vous êtes solide comme un roc, et l'on peut compter sur vous sans crainte.

Au travail, vous ne calculez pas vos heures, et les tâches qu'on vous confie sont menées à terme avec opiniâtreté. Comme on dit, vous avez beaucoup de cœur à l'ouvrage. Vous êtes organisé et déterminé, mais les autres vous reprochent votre lenteur et vous trouvent plutôt tatillon. Qu'importe, vous poursuivez votre petit bonhomme de chemin et vous savez ce que vous faites. Si vous œuvrez dans un secteur d'activité qui vous permet d'exploiter votre potentiel, votre réussite est assurée. Par exemple, vous ferez des miracles en architecture, en chirurgie, en gestion d'entreprises, en agriculture, et même si l'on vous trouve souvent lourd et dépourvu d'émotivité, vous saurez tromper tout le monde dans le domaine des arts, en peinture et en cinéma, car vous avez une inspiration hors normes. Par ailleurs, vous seriez un très bon chef d'entreprise, car vous avez les qualités nécessaires pour stimuler vos troupes.

Sur le plan financier, vous vous montrez sage et solide. Vous trimez dur et ne comptez que sur votre labeur pour vivre. Si des échecs passagers ou des revers de fortune vous tombent dessus, vous les vivez difficilement, et si en plus vous êtes victime d'une injustice, vous aurez du mal à accepter la situation et à poursuivre votre route comme si de rien n'était. Vous n'êtes pas du genre à jeter votre argent par les fenêtres, car vous connaissez sa valeur et le travail nécessaire pour le gagner. Donc, « épargne » et « budget » ne sont pas des mots vains pour vous. Avec de telles valeurs, il y a de fortes chances que vous finissiez vos jours à l'aise financièrement.

Honnête et loyal, vous appréciez une bonne poignée de main ; pour vous, c'est presque de l'argent comptant. Vous êtes très déçu par les promesses non tenues, les engagements non respectés, car jamais vous ne manquez à votre parole. Que les autres puissent y déroger vous laisse complètement abasourdi.

Vous n'appréciez guère le changement, que ce soit au travail ou dans votre vie personnelle. Vous préférez la stabilité, le confort, la tranquillité. Vous vous montrez accueillant, et votre table est toujours bien garnie. Vous êtes même un tantinet gourmand.

En société, on apprécie votre bon cœur et votre simplicité. Vous êtes un excellent confident, car votre bienveillance est légendaire. Quant à votre petite famille, elle compte beaucoup à vos yeux, et vous êtes toujours là pour vos proches en cas de besoin ; on l'a dit, vous êtes solide comme un roc.

Dans l'intimité, vous ne brûlez pas les étapes, vous recherchez un partenaire fiable et sérieux, vous ne vous précipitez donc pas sur la première amourette venue. La stabilité affective est si importante pour vous que vous attendez avant d'exprimer vos sentiments et de vous engager... Ensuite, c'est pour la vie. La passion, le romantisme, vous êtes d'avis que tout cela s'éteint bien vite ; vous comptez plutôt sur la solidité des sentiments dans vos relations amoureuses. Vous avez tant à offrir, et le bonheur de votre conjoint devient alors l'une de vos priorités.

✦ SELON LES SAGES ORIENTAUX

VOTRE DOMAINE SYMBOLIQUE : les sillons des champs, la terre, la glaise et les chemins sinueux.

VOS ARMES : les cornes du Minotaure, grâce auxquelles il est capable de défendre son labyrinthe.

TIGRE

VOS PLUS BELLES QUALITÉS : courageux, fonceur, déterminé, ambitieux, leader, ardent, franc, adaptable.

VOS PÉCHÉS MIGNONS : impulsif, téméraire, peu soucieux des détails, soupe au lait, émotif.

À l'instar de ce félin sauvage, vous régnez en maître sur votre entourage. Vous avez beaucoup d'emprise sur les autres, aussi bien dans votre vie privée que professionnelle. Vous êtes un chef-né, volontaire et rempli d'ambition, mais honnête, ce qui ne gâche rien.

Vous pouvez être fier de vous lorsque le succès vient couronner vos nombreux efforts, car vous ne vous ménagez pas ; vif et courageux comme vous l'êtes, rien ne vous rebute. Cela peut même vous rendre plutôt téméraire et vous exposer à des dangers. Heureusement, en bon félin, vous retombez toujours sur vos pattes. Avec un peu plus de prudence et de planification, vous pourriez éviter certains déboires et aller encore plus loin sur le chemin de la réussite.

Votre sang-froid et votre instinct sont remarquables, et vous savez jauger les situations avec un sens peu commun de l'analyse. Rarement impressionné par la hiérarchie et les conventions, vous vous fiez à votre intuition et vous n'hésitez pas à faire ce que bon vous semble. Stimulé par de nouveaux défis, vous ne craignez ni les changements ni les obstacles ; d'ailleurs, vous les utilisez souvent comme moteur pour foncer vers de nouveaux buts.

Vous usez de franchise, une de vos plus belles qualités, mais pas toujours à bon escient, car elle peut vous conduire à la brusquerie, et vous devenez alors blessant. Mais vous défendez pied à pied vos idées et vos opinions, et vous ne vous en laissez pas imposer, surtout qu'en plus vous avez souvent raison.

Si vous parvenez à dominer votre émotivité, votre promptitude, vous pourrez devenir un meilleur chef de file. D'ailleurs, vous vous exprimerez pleinement dans les secteurs d'activité qui vous permettent de diriger et d'utiliser votre potentiel et votre flair. En affaires, vous avez beaucoup de chance ; vous semblez attirer l'argent et le succès. Peut-être parce que vous êtes certain de ne jamais manquer de rien, vous vous souciez peu de votre budget. Votre compte en banque reflète ce léger laisser-aller ; il joue aux montagnes russes.

Comme vous êtes fier, vous soignez votre apparence, et lorsqu'on vous remarque, vous ronronnez de plaisir. Un peu soupe au lait avec les étrangers, vous savez vous montrer généreux avec vos amis.

En amour non plus, pas de demi-mesures ; vous laissez parler votre nature ardente, passionnée et entreprenante. Vous idéalisez votre partenaire, vous le mettez sur un piédestal et puis, un beau jour, vous découvrez sa personnalité et vous déchantez. Vous avez donc besoin d'un conjoint qui saura vous faire vibrer, vous amuser, vous surprendre, et surtout qui saura conserver tout son mystère après plusieurs années de vie commune.

✦ SELON LES SAGES ORIENTAUX

VOTRE DOMAINE SYMBOLIQUE : les cimes et la puissance terrestre où conduit la chance.

VOTRE ARME : la fourrure protectrice du tigre.

CHAT

VOS PLUS BELLES QUALITÉS : sociable, charmant, souple, diplomate, romanesque, élégant, doux, positif, prévoyant, enthousiaste.

VOS PÉCHÉS MIGNONS : timoré, peur de déplaire, matérialiste, indécis, changeant, frivole, crainte des affrontements.

Quel charmant animal que ce minet, et séducteur en plus ! Votre lucidité exceptionnelle vous permet de ne pas vous laisser prendre au dépourvu. Vous êtes un enjôleur et un habile diplomate, ce qui vous évite les surprises. Votre goût est sûr et délicat : vous aimez les belles choses, les objets d'art. Votre élégance se reflète sur vous, de la tête aux pieds, dans vos vêtements et dans votre allure générale. Vous affectionnez les endroits à la mode, et vous êtes très sociable. Querelles et disputes vous agacent : vous avez besoin de tranquillité. La recherche de l'harmonie en toutes choses est le trait marquant de votre caractère. Vous avez le don de plaire, car votre gentillesse, vos bons mots, votre comportement charmeur sont appréciés. Vous brillez en société et vous n'hésitez pas à courir les réunions mondaines, qui sont vos endroits de prédilection pour élargir votre cercle de relations, provoquer des rencontres et vous cultiver. Votre conversation est enjouée, et vous vous retrouvez rapidement entouré.

Respectueux des traditions, vous refusez de sortir des sentiers battus ; peut-être à cause de votre sentiment d'insécurité. Vous êtes craintif, et les nouveaux projets ne vous emballent guère ; vous êtes plutôt réfractaire à ce que vous ne connaissez pas. Votre discrétion au travail est légendaire et vous êtes d'une féroce efficacité. On ne peut rien vous reprocher. Vous travaillez avec soin, sans oublier un seul détail et sans faux pas. En plus d'un sens particulier de la minutie, vous possédez une mémoire sans faille, des atouts majeurs pour mener vos tâches à bien. Comme vous détestez être pris de court ou avoir à vous décider à la dernière minute, il vous faut peser le pour et le contre, ce qui se révèle un solide avantage en affaires. Vous appréciez le luxe et le confort, et vous êtes conscient des efforts que vous devez faire pour vous les offrir. Donc vous gérez votre portefeuille avec discernement : les placements hasardeux, très peu pour vous. Cette façon d'agir vous garantit une certaine sécurité matérielle durant vos vieux jours.

Vous êtes habituellement optimiste. Même dans les pires situations, vous essayez de trouver le bon côté des choses et vous vous entourez bien. Cette qualité est appréciée de vos amis, car en plus vous savez vous montrer compréhensif envers eux. Vous les écoutez et leur donnez un coup de pouce, quoi qu'il arrive. Vous n'appréciez pas les affrontements, les chicanes et les critiques, ce qui fait de vous un expert dans l'art du compromis. Vous savez mettre de l'eau dans votre vin. Cela vous permet de mener des négociations et des transactions avec une redoutable efficacité. Vous ferez donc une brillante carrière dans les relations publiques, la politique, la justice, l'enseignement, ainsi que dans le domaine artistique, notamment la musique et la danse, qui conviennent très bien à votre grâce féline.

Vous accordez beaucoup d'importance à l'amour. Les dîners en tête à tête, le jeu de la séduction et le flirt vous enchantent. Vous aimez faire les yeux doux. Bref, vous êtes un incorrigible romantique. Vous aimez aussi qu'on s'occupe de vous. Vous voyez la vie de couple comme une relation douce et tendre. Pourtant, vous ne vous laissez pas facilement apprivoiser, car vous avez peur d'être déçu. Vous affichez souvent un air indépendant qui peut refroidir les mieux intentionnés. Pour trouver le partenaire de vos rêves, vous faites du temps votre meilleur allié. Une fois que vous l'avez déniché, vous le traitez avec respect, amour et sincérité, et vous déployez des efforts considérables pour que votre vie de couple soit agréable et harmonieuse.

✦ SELON LES SAGES ORIENTAUX

VOTRE DOMAINE SYMBOLIQUE : la pleine lune et le monde mystérieux de la nuit, où seuls les chats peuvent voir.

VOS ARMES : les griffes du chat, qu'on ne voit pas... mais qui peuvent déchirer.

DRAGON

VOS PLUS BELLES QUALITÉS : flamboyant, fort, confiant, brillant, intelligent, intrépide, fier, acharné, franc, magnétique.

VOS PÉCHÉS MIGNONS : obstiné, égocentrique, orgueilleux, colérique, insatisfait, irritable, folie des grandeurs.

Voilà un signe peu banal, qui frappe l'imagination. Les empereurs chinois l'ont choisi comme emblème pour sa fougue et sa vitalité. Votre personnalité est fortement teintée de ces deux qualités, qui vous permettent d'atteindre des sommets sur tous les plans.

Votre talent, votre intelligence, votre fierté, votre intrépidité, votre ténacité, tout en vous est décuplé. Par contre, la patience n'est pas votre fort, et vous ne supportez ni la critique, ni la contrariété, ni l'indifférence à votre égard. Vous devez laisser votre empreinte dans les esprits partout où vous passez. Vous savez ce que vous voulez et vous ne démordez pas aisément de vos idées ; vous êtes terriblement obstiné, mais heureusement, comme vous avez un solide esprit d'analyse et une bonne perspicacité, vous pouvez maîtriser toute situation qui autrement pourrait vous nuire.

Les efforts et l'énergie que vous déployez sont aussi remarquables, et les pires obstacles ne vous résistent jamais bien longtemps. Tout tremble sur votre passage.

Vous avez une telle confiance en vous, vous croyez tellement en votre potentiel, votre personnalité est si affirmée et votre nature, si indépendante, que vous faites l'envie de bien du monde. Par contre, toutes ces belles qualités deviennent rapidement de beaux défauts, car vous n'écoutez pas les autres, vous fiant à votre seul jugement. Évidemment, cela vous entraîne à commettre des erreurs qu'il sera difficile de vous faire admettre, entêté comme vous l'êtes. Et comme vous ne supportez pas la contradiction, vous aurez aussi tendance à vous emporter rapidement, à manquer de tact dans vos relations avec les autres.

Vous êtes flamboyant; il est pratiquement impossible de ne pas vous remarquer. Comme vous montrez en plus beaucoup de charisme, y compris avec les foules, on parle de vous, et cela vous plaît énormément. Rien ne vous fait autant plaisir que d'être le centre d'attention.

De telles prédispositions vous permettent d'envisager une carrière fructueuse dans le monde du spectacle, bien sûr, mais aussi dans les arts graphiques, la peinture, la littérature, les médias, la politique ou les affaires... y compris les affaires louches !

L'argent vous file entre les doigts, heureusement vous apportez toujours de l'eau au moulin. Votre signe est celui de la richesse, mais aussi de l'illusion. Pour vous, l'argent n'est qu'un moyen comme un autre de vous mettre en valeur, et non une fin en soi. Vous en avez beaucoup et tout semble vous réussir. On remarque moins les efforts que vous déployez pour atteindre vos objectifs. On pourrait croire que la chance vous sourit tout simplement, alors que vous créez vous-même cette réussite insolente.

En amour, c'est tout ou rien. Votre idéalisme vous pousse à rechercher un conjoint parfait... et, bien entendu, vous ne le trouvez pas, vous courez d'un amour à l'autre, sans vous fixer définitivement. Vous aimez briller et si vous trouvez un partenaire qui n'a d'yeux que pour vous, qui vous admire, qui vous idolâtre, peut-être finirez-vous par craquer. Cependant, beaucoup de natifs du Dragon vivent très bien leur célibat, en papillonnant à droite et à gauche.

◆ **SELON LES SAGES ORIENTAUX**

VOTRE DOMAINE SYMBOLIQUE: les fonctions royales, la hiérarchie, la prospérité et les cycles de la vie.

VOS ARMES: le feu que crache le dragon, qui brûle mais purifie.

SERPENT

VOS PLUS BELLES QUALITÉS : philosophe, pacifique, sage, modéré, intuitif, déterminé, économe, sensé, magnétique.

VOS PÉCHÉS MIGNONS : renfermé, avaricieux, sournois, mystérieux, peureux.

Le serpent provoque plutôt la répulsion et la crainte dans notre monde occidental. Pourtant, dans le symbolisme oriental, on lui associe la prudence, la sagesse, la science, les connaissances secrètes et le souffle vital. En Chine, avoir un enfant Serpent est un grand honneur.

Votre sagesse, votre modération, votre équilibre, votre habileté à faire la part des choses, votre capacité de peser le pour et le contre font de vous un philosophe extrêmement respecté par votre entourage et vos proches.

Vous avez le rare pouvoir de prendre du recul, d'évaluer la situation, de jauger les événements, sans vous laisser emporter par le courant. Une telle façon de concevoir la vie fait en sorte que vous vous trompez rarement, ce qui étonne tout le monde.

Vous êtes secret, renfermé même, et il est bien difficile de deviner ce qui vous anime. Votre sens de la réflexion est si puissant, votre vie psychique, si riche, que vous pouvez vous permettre de vivre comme un contemplatif. Votre intuition est phénoménale et votre raisonnement, profond. Pourtant, vous vous fiez plus à votre instinct qu'à la logique ; mais peut-être que chez vous l'un ne va pas sans l'autre et que ces deux qualités se complètent à merveille.

En affaires, votre flair est presque infaillible, et vous pouvez devenir un excellent conseiller financier. Comme nous tous, vous craignez un peu l'échec, mais chez vous cette crainte devient une motivation supplémentaire pour faire mieux. En plus, vous savez éviter les risques inutiles, ce qui vous permettra de vivre relativement à l'aise jusqu'à la fin de vos jours. D'ailleurs, vous êtes trop économe pour jeter l'argent par les fenêtres et vous n'êtes pas non plus prêteur. Par contre, vous êtes généreux de votre temps comme de vos conseils.

L'inconnu et le mystère vous attirent. Les connaissances millénaires, les savoirs secrets vous intriguent, et vous vous y intéressez avec délectation.

Pacifique, conciliant, mais doté d'une volonté inébranlable, vous êtes aussi un habile diplomate. Vous n'attaquez pas vos adversaires de front; vous choisissez plutôt la subtilité pour les vaincre. Comme rien ne vous échappe, vous savez profiter de la moindre erreur de vos ennemis pour retourner la situation en votre faveur.

Vous pourriez faire votre marque dans des domaines tels que la politique, la psychologie, la philosophie, l'enseignement, la loi, la recherche, l'investigation et, grâce à votre sixième sens si remarquable, la voyance ou l'astrologie... Comme vous recherchez toujours la perfection, vous excellerez!

Sur le plan sentimental, votre charme est fascinant, presque hypnotique. Ce n'est pas pour rien que votre signe est représenté par un serpent. Par contre, vous n'êtes pas particulièrement tendre; vous vous montrez possessif et jaloux, alors que la fidélité ne vous étouffe pas. Si, par contre, vous rencontrez un conjoint stimulant tant physiquement qu'intellectuellement, vous devenez plus stable, loyal et affectueux, et vous l'aimez de tout votre cœur.

 SELON LES SAGES ORIENTAUX

VOTRE DOMAINE SYMBOLIQUE : le serpent qui se mange la queue, symbole de la vie et de l'éternel recommencement.

VOTRE ARME : le regard du serpent qui hypnotise ses proies.

CHEVAL

VOS PLUS BELLES QUALITÉS : ambitieux, vif, drôle, ardent, désintéressé, éloquent, séducteur, persuasif, loyal, brillant.

VOS PÉCHÉS MIGNONS : frivole, changeant, perd vite sa motivation, peur de la routine, instable.

Comme le fier étalon qui file tel l'éclair dans les vastes plaines, crinière au vent, on remarque en vous votre vivacité, votre fougue, votre entrain et votre énergie. Ambitieux, vous savez établir de bons plans d'action et des méthodes de travail infaillibles qui vous permettent d'atteindre vos objectifs plus vite et plus efficacement.

Votre signe est marqué par la vitesse. La patience n'est donc pas votre principale qualité ; perdre du temps, attendre vous met en rogne. Les projets à long terme viennent souvent à bout de votre motivation. Vous avez besoin d'agir dans l'instant présent, d'être dans l'action, de faire bouger les choses rapidement. Pour cette raison, vous préférez agir de vous-même. Le dicton « on n'est jamais si bien servi que par soi-même » pourrait d'ailleurs devenir votre leitmotiv. Fier et indépendant comme vous l'êtes, vous ne voulez pas compter sur les autres pour que les choses progressent. Et en plus, vous vous passez très bien des conseils d'autrui.

En tant que brillant parleur, votre éloquence joue en votre faveur lorsqu'il s'agit de négocier ou même de converser à bâtons rompus entre amis. Votre vocabulaire et votre sens de la répartie sont étonnants, ce qui ne cesse de surprendre et même de désarmer vos interlocuteurs. Comme en plus votre pouvoir de persuasion est très fort, vous remportez tous les succès dans les joutes oratoires. En tant qu'avocat, représentant de commerce ou diplomate, rien ne saurait vous résister. Si vous préférez un domaine plus artistique, la poésie, la peinture, l'architecture sont à votre portée. Les domaines de l'import-export, du commerce et tout ce qui touche aux voyages vous conviendraient également et sauraient très bien répondre à votre soif de liberté.

Comme vous êtes loyal et honnête, ces deux qualités priment pour vous. L'argent, la richesse, l'aisance financière ne sont rien comparés aux contacts humains et à tout ce que vous pouvez apprendre ou découvrir. Quant à votre liberté, elle n'a pas de prix.

Une telle indépendance vous permet d'être audacieux au travail et d'en changer lorsque vous sentez la monotonie et la routine s'installer. Vous avez continuellement besoin de relever de nouveaux défis et d'élargir vos horizons. Vous êtes polyvalent et savez vous adapter à de nombreuses situations. Par contre, cela peut devenir rapidement un défaut, car vous changez constamment de direction, et il devient très difficile de bien réussir dans de telles conditions.

Vous avez besoin de contacts humains, vous êtes sociable et vous aimez échanger des idées, rencontrer du monde, briller ; vous avez de l'esprit, de l'humour à revendre, et l'on apprécie votre présence. Votre assurance pourrait toutefois cacher une certaine insécurité. Les autres vous font plus confiance que vous ne le faites vous-même. Étonnant, n'est-ce pas ?

Sur le plan sentimental, votre pouvoir de séduction est indéniable, mais votre fougue vous emporte facilement. Vous vous montrez alors passionné, presque exalté, capable de toutes les folies pour attirer l'attention de l'objet de votre désir. En amour, vous iriez jusqu'à donner votre chemise ; vous êtes d'une telle générosité ! Par contre, si la routine s'installe, si vous perdez un peu d'intérêt pour votre partenaire, l'envie d'aller voir ailleurs ne tarde pas à vous prendre. Pour vous, le conjoint idéal est une personne qui sait vous amuser et sans cesse vous surprendre, tout en vous laissant votre liberté. Vous vous montrez alors constant et protecteur envers elle.

✦ SELON LES SAGES ORIENTAUX

VOTRE DOMAINE SYMBOLIQUE : les grands espaces et les eaux que caresse Vayu, le dieu du Vent.

VOTRE ARME : la vitesse et l'insaisissabilité de l'étalon qui fend les vents.

CHÈVRE

VOS PLUS BELLES QUALITÉS : sensible, doux, intuitif, inspiré, affectueux, conciliant, sociable, esthète.

VOS PÉCHÉS MIGNONS : capricieux, indécis, profiteur, irresponsable, rêveur, manque de sens pratique, dépendant.

Vous êtes le seul animal « féminin » de l'astrologie chinoise. Calme, paisible, doux, facile à vivre et sensible, vous possédez le charme bucolique de votre homonyme de la campagne. Votre vie évolue dans la beauté et la paix, qui vous sont essentielles pour vous sentir bien dans votre peau.

Vos goûts raffinés, artistiques même, reflètent votre importante créativité. Vous n'avez pas un sens pratique à toute épreuve, mais votre perfectionnisme ressort lorsque vous tenez à quelque chose. Une telle recherche de la perfection dans les moindres détails vous rend parfois incapable de prendre une décision ou, tout au moins, vous laisse hésitant sur celle à prendre. Devant un dilemme insoluble selon vous, vous préférez laisser les autres décider à votre place. Par contre, si vous avez finalement réussi à déterminer ce que vous voulez, vous aurez le courage de vos opinions et saurez les défendre avec justesse et opiniâtreté.

Discrète, réservée, gentille aussi, votre nature sociable vous attire beaucoup d'amis ; les gens s'intéressent à vous, et vous bénéficiez de nombreux appuis lorsque le besoin s'en fait sentir. Comme votre sens des responsabilités est plutôt mince, que vous agissez plus en « suiveur » qu'en chef de file, vous avez besoin des autres pour avancer. Heureusement, votre flair vous guide bien, et vous vous retrouvez rarement dans une mauvaise posture.

Vous êtes un peu rêveur, mais ce trait de caractère vous a permis de développer une inspiration étonnante. Le domaine artistique rend justice à votre créativité ; vous excellez dans l'artisanat, la comédie, mais aussi dans le commerce, les relations publiques, le jardinage et les soins aux animaux. Cependant, vous hésitez à faire cavalier seul : vous avez besoin d'un partenaire pour vous stimuler, vous donner ce petit coup de pouce qui mène à la réussite, et cela, aussi bien d'un point de vue professionnel que financier.

Vous préférez vivre dans une atmosphère empreinte d'harmonie, loin du brouhaha et des affrontements du monde, et vous vous retranchez alors dans votre nid, généralement douillet, pour vous ressourcer et y refaire vos forces vitales. Hôte remarquable, vous accueillez ceux que vous aimez avec chaleur et, dès lors, vous devenez, à leurs yeux, un centre d'attraction remarquable, ce qui fait parfaitement votre affaire.

Vous recherchez la sécurité affective auprès d'un partenaire qui vous apportera tout le soutien et la confiance qui vous manquent ; vous attachez une importance capitale à votre vie sentimentale et vous tenez à la réussir.

Sur le plan financier, vous n'hésitez pas à dépenser pour vous procurer le confort matériel nécessaire à votre plein épanouissement. Les attentions et les marques de gentillesse vous enchantent. De même, vous êtes très amoureux, très généreux et vous donnez aux autres sans compter.

SELON LES SAGES ORIENTAUX

VOTRE DOMAINE SYMBOLIQUE : les nuages, qui indiquent la possibilité de s'élever et de s'améliorer.

VOTRE ARME : la douceur attachante de la chèvre se fiant au berger qui la nourrit.

SINGE

VOS PLUS BELLES QUALITÉS : amusant, drôle, boute-en-train, convaincant, érudit, éveillé, esprit vif, lucide, perspicace.

VOS PÉCHÉS MIGNONS : mesquin, rusé, profiteur, opportuniste, dépensier.

Tout comme l'animal qui vous représente, vous êtes facétieux, « drôle comme un singe », rempli d'humour. Vous ne reculez devant rien pour faire rire et attirer l'attention. Votre esprit est vif ; votre intelligence, éveillée et curieuse. Tout vous intéresse, surtout la nouveauté. Vous êtes un être fantaisiste, bourré d'imagination et de créativité, et les astres vous ont aussi doté d'une mémoire d'éléphant.

Votre originalité et votre humour vous permettent d'occuper l'avant-scène, quoi que vous fassiez. Vous êtes un véritable boute-en-train, et votre bonne humeur rayonnante est très appréciée, tellement que vous avez toujours une petite cour d'inconditionnels qui vous suit partout. Votre affabilité vous gagne amitiés et appuis, et comme vous n'hésitez pas à donner vous-même un coup de pouce à une personne dans le besoin, on sait qu'on peut compter sur vous en tout temps. Par contre, vos inimitiés sont aussi exacerbées que vos marques d'amour, et il vaut mieux ne pas se faire un ennemi d'un natif du Singe, car il peut se montrer assez mesquin.

Votre entregent est remarquable, mais il ne vous aveugle pas, et vous ne perdez jamais de vue vos intérêts. En fait, vous n'avez confiance qu'en vous-même. Observateur et perspicace comme personne, vous repérez les points faibles de vos interlocuteurs au premier coup d'œil et vous en profitez sans vergogne. Tout comme vous savez sauter rapidement sur les occasions, vous n'êtes pas du genre à attendre que le train passe pour le prendre. Discipliné et méticuleux, vous trouvez des solutions pour résoudre les problèmes les plus complexes, et évidemment les plus ingénieuses sont souvent de votre cru. La concurrence ne vous gêne absolument pas, car vous connaissez votre valeur et êtes apte à vous défendre seul. Les défis vous stimulent, car vous êtes doté d'une promptitude et d'une belle vivacité d'esprit qui vous évitent d'être pris au dépourvu.

Sur le plan de vos amitiés et de vos amours, vous vous montrez charmant, amusant, jovial, mais cela cache une légère tendance à batifoler à droite et à gauche, la fidélité étant toute relative pour vous. Vous êtes une personne adroite, rusée même, qui sait comment faire travailler les autres à sa place et à son profit. Vous sous-estimez souvent autrui et adorez impressionner, briller et être le centre d'attention. L'humilité ne vous étouffe pas.

Capable de mener de multiples activités de front et doté de nombreux talents, vous gagnez facilement de l'argent, que vous dépensez tout aussi facilement, car vous n'aimez guère les restrictions et les contraintes. Vous faites confiance à votre bonne étoile pour remplir votre compte en banque au fur et à mesure de vos coups de folie. Les carrières qui vous conviennent sont évidemment celles d'amuseur public, de comédien, d'acrobate, mais aussi de diplomate ou de politicien. Les sciences, le commerce, la littérature et les affaires sont aussi des domaines qui pourraient vous attirer.

Vous batifolez, donc vous pouvez devenir une véritable girouette, en amitié et plus encore en amour. Vos relations sont enflammées au début, puis, rapidement, vous vous ennuyez et vous vous demandez comment cette personne a pu vous plaire. Sous des apparences très émotives et parfois éclatées, vous cachez une personnalité lucide et vous avez la tête froide. Pour vous garder, votre partenaire devra déployer un talent d'amuseur, vous surprendre, vous divertir, bref, vous copier.

◆ SELON LES SAGES ORIENTAUX

VOTRE DOMAINE SYMBOLIQUE : l'illusion que crée le bateleur du jeu de tarot.

VOS ARMES : les facéties du singe qui distraient… le laissant libre d'agir à sa guise.

COQ

VOS PLUS BELLES QUALITÉS : beau parleur, brillant, sociable, planificateur hors pair, déterminé, économe, franc, conservateur.

VOS PÉCHÉS MIGNONS : vantard, jaloux, renfermé, craintif, coléreux, inflexible, rigide, manque de tact.

En bon roi de la basse-cour, vous faire remarquer, briller, déployer votre talent pour plaire, voilà ce qui vous motive. Et en plus, ce qui ne gâche rien, vous avez un tel magnétisme que vous attirez irrésistiblement tous les yeux vers vous. Une telle popularité vous pousse forcément à la vantardise et à la fanfaronnade, car vous êtes « fier comme un coq ».

Votre imagination fertile et votre rêverie vous entraînent dans des conversations intéressantes, mais comme vos idées sont plutôt conservatrices et que vous y tenez mordicus, votre entourage vous trouve un peu trop rigide, voire inflexible. En plus, comme vous êtes franc, que vous ne mâchez pas vos mots et que ce n'est pas la diplomatie qui vous étouffe, on vous reproche souvent vos opinions trop tranchées. Votre franchise peut blesser mais, même vos adversaires doivent en convenir, vous êtes l'honnêteté et la sincérité incarnées.

Sous vos plumes multicolores et éclatantes, vous conservez votre jardin secret et vous êtes somme toute plutôt renfermé. Vous vous montrez également sélectif en amitié comme en affaires, mais vous avez un grand besoin d'être aimé. Vous souffrez parfois d'un sentiment d'insécurité qui vous pousse à désirer la perfection en toutes choses. Vous risquez de vous perdre dans des détails sans importance ou d'avoir une petite tendance à l'obsession. Pourtant, pour planifier, il y en a peu de votre trempe. Vous n'avez pas peur de vous investir corps et âme pour atteindre vos objectifs. Pour vous, le temps et l'énergie consacrés à votre réussite sont autant d'investissements.

Vous cherchez à vous surpasser, et en tant que travailleur acharné vous êtes prêt à tout pour défendre vos acquis. Si vous constatez que rien n'avance comme vous le voulez, vous pouvez monter sur vos ergots et vous emporter. Pour vous, la chance n'a aucune part dans votre vie ; l'argent est trop difficile à gagner pour vous fier au hasard. Vous voulez donc profiter au maximum du fruit de vos efforts. Votre acharnement vous permettra très probablement de couler des jours paisibles à l'abri du besoin, une fois l'heure de la retraite sonnée.

Votre sociabilité et votre sens de l'organisation sont de précieux atouts, particulièrement dans des domaines tels que le théâtre, la peinture, la danse, les relations publiques, la vente, la promotion, la publicité, l'hôtellerie, la restauration, la chirurgie, les soins dentaires, ou même l'investigation et la sécurité.

D'apparence soignée, vous cultivez ce trait de votre personnalité qui vous permet de plaire et de vous pavaner. Par contre, comme vous craignez le ridicule, vous pouvez devenir craintif et même jaloux. Vous recherchez l'âme sœur, celle qui vous admirera, qui sera à la hauteur de vos désirs et que vous serez fier d'exhiber en société.

✦ SELON LES SAGES ORIENTAUX

VOTRE DOMAINE SYMBOLIQUE : le soleil éclatant, dont le chant du coq annonce le lever.

VOTRE ARME : le tempérament combatif du coq.

CHIEN

VOS PLUS BELLES QUALITÉS : loyal, généreux, vigilant, toujours prêt à aider ceux qui sont dans le besoin, compatissant, désintéressé, sensible.

VOS PÉCHÉS MIGNONS : renfermé, anxieux, craintif, critique, pessimiste, peu rassuré, manque de tact.

On a toujours dit que le chien était le meilleur ami de l'homme, et vous faites honneur à l'animal qui symbolise votre signe car, comme lui, vous êtes fidèle, loyal et vigilant. Par contre, vous demeurez constamment sur vos gardes, car vous êtes craintif. Même votre entourage proche avoue ne pas vous connaître à fond ; vous restez souvent sur votre quant-à-soi, et il devient difficile de vous percer à jour.

Votre bon cœur vous incite à vouloir améliorer les conditions de vie de vos congénères. L'injustice et la souffrance humaine font vibrer vos cordes sensibles. Vous n'hésitez pas une seconde à déployer beaucoup d'énergie pour défendre une cause humanitaire. Puisque vous êtes un idéaliste dans l'âme, vous consacrez plus de temps à réaliser vos objectifs de don de soi qu'à songer à votre confort ou à vos intérêts personnels. Cette faculté d'accorder aux autres votre priorité vous permet de devenir un chef de meute apprécié et capable de sortir des sentiers battus.

Votre générosité, votre sens du devoir et votre intégrité sont appréciés, même plus que vous ne l'espériez. Par contre, comme vous ne mâchez pas vos mots pour dire ce que vous pensez, vous pourriez choquer certains de vos interlocuteurs. Vous avez un esprit particulièrement critique, vous pouvez être bougon, parfois même agressif; pourtant, ce n'est qu'un loup de carnaval qui masque votre grande sensibilité et votre bonté. Vous avez l'impression que le monde va de plus en plus mal, que les gens ne cherchent qu'à profiter les uns des autres, et de vous par la même occasion. Cela vous prédispose à l'angoisse; vous avez des idées noires, vous êtes même pessimiste, surtout quant à l'avenir de l'humanité. En bon chien de garde, vous êtes aux aguets, prêt à intervenir. Vous êtes désintéressé. Donc, pour vous, vos finances et vos affaires sont secondaires, et du moment que vos revenus vous permettent de faire vivre votre petite famille, vous êtes satisfait. L'excédent est aussitôt dépensé. Vous ne prêtez guère d'intérêt à la vie matérielle et vous ne recherchez pas la gloire, ce qui fait de vous l'associé idéal ou l'employé modèle.

Vos pleines capacités s'exprimeront par les soins à autrui, la religion, le monde syndical, la loi, la philosophie, le journalisme, la politique, l'enseignement. Votre but principal est de faire le bien autour de vous et de veiller à être utile à ceux qui vous entourent.

Sur le plan interpersonnel, vous n'êtes pas très sociable: les réunions mondaines et les bandes d'amis ne sont pas votre fort. De nature plutôt solitaire, vous parlez peu de vous, mais votre altruisme vous rend attachant. En amour, vous êtes comme un bon chien fidèle, dévoué et honnête, mais un peu craintif et tourmenté. Perdre l'être aimé demeure votre principale crainte, comme le chien qui a peur de perdre son maître. Pour vous sentir bien dans votre peau, vous devez avoir un compagnon de vie doté d'une forte personnalité, qui partage vos idéaux et dissipe vos inquiétudes en se montrant à la hauteur de la confiance que vous lui accordez.

◆ SELON LES SAGES ORIENTAUX

VOTRE DOMAINE SYMBOLIQUE: la complémentarité du chien-loup qui mène à la purification et à la poursuite d'un idéal.

VOTRE ARME: la vaillance du chien qui n'hésite pas à se sacrifier pour son maître.

COCHON

VOS PLUS BELLES QUALITÉS : cœur d'enfant, pacifique, généreux, amusant, tolérant, déterminé, honnête, sens de la famille, propre.

VOS PÉCHÉS MIGNONS : crédule, indécis, obstiné, sensuel, peur de la chicane et des affrontements.

Contrairement à la croyance populaire, le cochon est un animal très propre ; le natif de ce signe supporte peu la saleté et le désordre. Chez lui, tout brille de propreté. À l'intérieur de vous aussi, vous savez faire le ménage lorsque cela est nécessaire, mais vous avez gardé votre cœur d'enfant, que vous conserverez toute votre vie ; c'est ce qui fait votre charme.

Gentil, tolérant, compréhensif et pacifique, le natif du Cochon déteste les complications et les disputes ; tant et si bien qu'il se range à l'avis de ses interlocuteurs, tout en sachant qu'il a raison, simplement pour ne pas les contredire et créer de la bisbille. Le Cochon sait se taire lorsqu'il sent que la discussion pourrait l'entraîner trop loin.

Dominé par la sincérité, vous accordez facilement votre confiance, au risque de voir cette marque d'estime se retourner contre vous, surtout en affaires. Comme vous n'êtes pas rancunier et que votre douceur masque votre tempérament, on pourrait croire que vous êtes faible de caractère... eh bien, pas du tout ! Vous pouvez même être têtu comme un cochon. Cette détermination vous permet d'ailleurs de mener à bien vos projets, car vous ne baissez jamais les bras. Votre entourage sait très bien qu'il peut compter sur votre loyauté et que la parole d'un Cochon vaut de l'or.

Travailleur assidu, vous accordez une énorme importance à la réussite professionnelle. Les affaires, la Bourse, les professions libérales, les arts, la littérature, les soins à autrui, l'architecture, la décoration et la restauration (vous êtes si gourmand) sont des domaines qui pourraient vous mener à réaliser de grandes choses. Comme vous avez de la facilité à gagner de l'argent, en dépenser beaucoup ne vous pose aucun problème ; vous gâtez ceux que vous aimez et vous avez autant de plaisir à donner qu'eux à recevoir. Par contre, le Cochon est comme la fourmi de la fable de La Fontaine : il n'est pas prêteur. De mauvaises expériences vous auraient-elles échaudé ?

Votre parole est d'or et vous tenez scrupuleusement vos promesses. Cette qualité vous incite à la prudence, et vous ne vous engagez pas à la légère ; vous pesez le pour et le contre pendant des jours avant de vous décider. Mais ce n'est pas plus mal, parce qu'une fois que vous avez dit oui on sait qu'on peut compter sur vous. Vous préférez agir seul, sans demander l'avis de ceux qui vous entourent. Et si vous avez quelque chose en tête, il est impossible de vous en faire démordre. Au milieu d'inconnus, vous êtes si discret qu'on se demande si vous êtes là. Mais avec vos proches, vous savez vous montrer drôle, faire rire et vous mettre au premier plan lorsque cela vous convient. Vos amis se comptent sur les doigts d'une seule main, mais vous pouvez leur faire confiance, car leur fidélité vous est acquise. Votre vie familiale est aussi très importante, et vous ne ménagez ni votre temps ni vos efforts pour assurer le bonheur de votre progéniture. Votre domicile est votre refuge. Il est confortable et accueillant. On se sent bien chez vous !

Sur le plan amoureux, on ne reste pas insensible à vos beaux yeux. Mais vous avez d'autres qualités qui attirent le sexe opposé : votre charme, votre humour, le plaisir que vous prenez aux bonnes choses de la vie, votre sensualité et votre raffinement. Vous êtes quelqu'un de généralement tolérant. Pourtant, en amour, votre possessivité est exacerbée, et comme la vie de couple est, rappelons-le, très importante pour vous, vous ne supportez pas qu'on vous mente ou qu'on vous trompe.

◆ SELON LES SAGES ORIENTAUX

VOTRE DOMAINE SYMBOLIQUE : le chêne qui symbolise la solidité, la longévité et l'hospitalité.

VOS ARMES : le calme et la douceur qui cachent la détermination du cochon.

L'ASCENDANT CHINOIS

Pour déterminer votre ascendant chinois, nul besoin de vous lancer dans de savants calculs, il suffit de connaître votre heure de naissance. Consultez le tableau présenté ici pour le découvrir.

N'oubliez pas de vous en tenir à l'heure réelle. Vous pouvez vous référer au chapitre « Trouver son ascendant, c'est facile ! », à la page 47 de ce livre, pour savoir si, le jour de votre naissance, l'heure était avancée ou non. Si elle l'était, enlevez une heure et continuez.

Si vous êtes né	Votre ascendant chinois est
entre minuit et 1 h	Rat
entre 1 h 01 et 3 h	Buffle
entre 3 h 01 et 5 h	Tigre
entre 5 h 01 et 7 h	Chat
entre 7 h 01 et 9 h	Dragon
entre 9 h 01 et 11 h	Serpent
entre 11 h 01 et 13 h	Cheval
entre 13 h 01 et 15 h	Chèvre
entre 15 h 01 et 17 h	Singe
entre 17 h 01 et 19 h	Coq
entre 19 h 01 et 21 h	Chien
entre 21 h 01 et 23 h	Cochon
entre 23 h 01 et minuit	Rat

Une fois que vous avez trouvé votre ascendant, il ne vous reste plus qu'à consulter les pages qui suivent.

ASCENDANT RAT

Votre ascendant Rat vous rend certainement un peu craintif, et votre entourage doit trimer dur pour gagner votre confiance. Plusieurs personnes vous trouvent distant et froid, mais une fois la glace rompue entre vous, ce sont surtout vos belles qualités qui ressortent.

Votre esprit pratique vous permet de trouver des solutions ingénieuses aux problèmes qui semblent insolubles à d'autres. Vous ne manquez jamais une bonne occasion lorsqu'elle croise votre route, et dans les discussions vos arguments sont si convaincants que c'est avec une grande facilité que vous ralliez tout le monde à votre point de vue. En fait, vous êtes dangereusement persuasif. Vous réussissez souvent le tour de force de faire agir votre entourage, et même des inconnus, de la façon dont vous voulez, et, en plus, à leur insu. C'est tout un talent que de savoir convaincre de cette manière. En amour, la passion est un très bon moteur, mais l'admiration que vous avez envers votre partenaire en est un encore plus fort.

ASCENDANT BUFFLE

Même si vous êtes plutôt réservé et conservateur, on peut vous faire confiance, car vous agissez avec sérieux, franchise et honnêteté. En affaires ou en amitié, vous gagnez à être connu. Vous êtes un bon travailleur ; votre détermination et les nombreux efforts que vous déployez vous conduiront sans aucun doute vers la réussite, et, ce qui ne gâche rien, vous avez un très bon sens de l'organisation. Sur le plan financier, vous vous montrez plutôt économe et prévoyant ; vous ne vous mettrez jamais dans le pétrin, et vos vieux jours sont assurés. En amour, pour vous, c'est la loyauté et la stabilité qui priment. Vous prenez donc tout votre temps pour vous décider, mais lorsque vous vous engagez, c'est pour la vie. Votre famille est pour vous le cocon où vous vous sentez le mieux, et vous savez la préserver.

ASCENDANT TIGRE

Téméraire comme le gros félin qui vous représente, vous n'avez peur de rien. Votre persévérance, votre intelligence, votre ambition et votre sens de la gestion des ressources humaines font de vous un être que rien n'arrête ; au contraire, plus les obstacles s'accumulent, plus il y a de défis à relever, et plus vous êtes heureux.

En affaires, les conventions ne vous embarrassent pas ; vous êtes autonome et vous agissez à votre guise. Vous avez le don de gagner de l'argent, car votre vision d'ensemble de la situation est optimale. Par contre, l'argent sort aussi vite de votre porte-monnaie qu'il y entre. En amitié comme en amour, avec vous, c'est tout ou rien. Vous recherchez un partenaire que vous pouvez idéaliser, car vous vous enflammez aussi rapidement que vous pouvez vous éteindre. Pour vous apprivoiser, votre conjoint devra déployer tous ses atouts : être brillant, vous surprendre, vous stimuler et même vous suivre dans vos nombreuses aventures.

ASCENDANT CHAT

Courir les réceptions, les mondanités, les cocktails, c'est vraiment ce que vous aimez le plus. Vous êtes une personne sociable qui adore voir des gens, toutes sortes de gens. Bien sûr, dans de tels événements, vous pouvez déployer votre charme et briller, ce que vous adorez. Votre pouvoir de séduction est tout simplement phénoménal. On remarque votre élégance naturelle et toutes ces belles choses que vous portez si bien. Vous avez aussi le don de la parole, vous savez comment communiquer, comment convaincre, et vous êtes un habile négociateur et surtout un fin diplomate. Néanmoins, les affrontements directs ne vous plaisent pas du tout et vous font même fuir. Malgré votre envie de plaire, vous gardez un certain côté conservateur qu'on perçoit tant dans votre façon d'agir que dans celle de mener vos affaires.

Sur le plan affectif, c'est le romantisme qui marque vos relations. Vous aimez plaire, charmer et ronronner. Vous usez de séduction, tout en demeurant sur vos gardes ; vous craignez beaucoup qu'on vous fasse du mal, car les critiques et les éclats de voix vous traumatisent.

ASCENDANT DRAGON

Flamboyantes, les personnes ayant un ascendant Dragon possèdent un magnétisme indéniable ; elles ne passent jamais inaperçues. Vous n'êtes pas très patient et aimez que les choses se déroulent rondement, sans perte de temps. Vous donnez l'exemple en étant un travailleur acharné, aux grandes ambitions, et vous réussissez souvent à atteindre vos buts grâce aux nombreux efforts que vous déployez. Vous avez du talent et de la détermination, ce qui vous donne une grande confiance en vous et en vos capacités. En affaires, aucun obstacle ne vous rebute, vous les surmontez haut la main ; l'argent et la réussite sont au rendez-vous. Mais comme les richesses sont faites pour circuler, elles ne restent jamais bien longtemps à dormir dans votre coffre-fort. En amour, vous êtes également très exigeant envers vous-même et votre partenaire, par le fait même. Vous demandez la perfection, rien de moins, et c'est la raison pour laquelle vous ne vous précipitez pas sur la première personne venue. Avant de rencontrer la personne parfaite que vous avez en tête, vous briserez bien des cœurs, car votre magnétisme est puissant. On vous aime plus que vous n'aimez.

ASCENDANT SERPENT

Clairvoyance, sagesse, perfectionnisme, esprit de décision, prudence et intuition phénoménale sont vos principaux atouts, et vous n'hésitez jamais à vous en servir. Pour vous, tout doit être clair et net ; vous cherchez à atteindre la perfection. Dans vos loisirs comme en affaires, vous réfléchissez abondamment, vous êtes très avisé, et l'on ne vous surprend pas facilement, car vous ne prenez aucune décision à la légère. Bien sûr, vous vous fiez à votre raisonnement, mais votre instinct occupe une grande place quand vient le moment de faire les bons choix. Vous êtes déterminé à atteindre l'aisance et vous y arriverez ; comme, en plus, vous êtes économe, voire parcimonieux, vous vous mettez largement à l'abri du besoin. Votre charme est puissant ; néanmoins, vous n'êtes ni tendre ni romantique. En amour, vous vous montrez même possessif avec votre partenaire. Par contre, lorsqu'il est question de vous, vous vous permettez de batifoler à droite et à gauche et vous devenez volage. Néanmoins, une fois le conjoint idéal trouvé, vous devenez loyal, et l'on peut compter sur vous.

ASCENDANT CHEVAL

Vif comme l'éclair, rapide comme le vent : ces qualités se retrouvent tant dans votre état d'esprit et votre caractère que dans vos agissements. Avec vous, pas de temps pour le surplace ; il faut que ça bouge, et vite ! Brillant causeur, vous avez des reparties rapides et percutantes, ce qui vous permet de faire bonne impression en public et vous rend de bons services en affaires. La routine n'est décidément pas pour vous. De toute façon, lorsqu'elle semble s'installer, vous vous étiolez. De nouveaux défis, de nouveaux visages à rencontrer, de nouvelles cultures à explorer, tout suscite en vous le dynamisme. Populaire et sympathique comme vous l'êtes, vous attirez de nombreuses personnes autour de vous. Mais rien n'a plus d'attraits que la liberté à vos yeux. Puisque vous êtes quelqu'un de rapide, vous tombez très vite amoureux, car en plus vous possédez un pouvoir de séduction et un charisme enjôleurs. Mais vos amours ne sont bien souvent que des feux de paille. Lorsque vous vous sentez coincé, bridé dans vos aspirations, vous n'avez de cesse de briser vos liens pour courir, la crinière au vent. Votre conjoint devra respecter ce trait de votre personnalité pour vous rendre heureux. Dès lors, vous serez attentif et généreux.

ASCENDANT CHÈVRE

Doux, raffiné et conciliant, vous attachez aussi beaucoup d'importance à la beauté. On pourrait toutefois vous reprocher votre légère indécision qui vous empêche souvent d'agir. Vous n'êtes parfaitement à l'aise qu'au sein du noyau familial. Votre vie intérieure est probablement plus riche que votre vie au quotidien et en société. En fait, vous êtes un être inspiré, mais vous avez peu confiance en vous. Vous rêvassez, au détriment de l'action. Sur le plan des finances ou du travail, vous trouvez toujours un collègue, un associé ou un subalterne qui saura vous aider et vous stimuler, car vous avez besoin qu'on vous pousse un peu dans le dos. Sur le plan sentimental, votre émotivité est très forte, et vous êtes également rêveur. Vous cherchez un partenaire compréhensif, qui saura vous épauler en tout temps et, en plus, qui vous gâtera. En effet, les cadeaux et les petites attentions vous font fondre, et vous aimez autant en donner qu'en recevoir. Comme vous avez beaucoup de charme, vous trouverez certainement la perle rare.

ASCENDANT SINGE

Avec vous, c'est presque tous les jours la fête. Vous êtes fantaisiste, rempli d'originalité et débordant d'humour. En plus, vous êtes curieux et vous vous intéressez à tout. Avec votre mémoire d'éléphant, vous parvenez même à impressionner de purs étrangers. Bref, vous êtes très sociable et vous recherchez sans cesse les contacts humains, probablement dans le but inavoué d'épater la galerie. Votre capacité de travail est étonnante, et vous pouvez mener plusieurs projets en même temps, grâce surtout à votre solide discipline et à l'énorme potentiel qui vous anime. Vous êtes aussi très convaincant. Sous vos dehors clownesques sommeille un négociateur redoutable qui ne perd pas de vue ses propres intérêts. Vous savez embobiner les autres tout en n'en laissant rien paraître. Sur le plan sentimental, votre nature enjouée et curieuse fait en sorte que vous vous emballez vite et que vous vous lassez tout aussi rapidement. Possédant un caractère plutôt versatile, vous êtes conscient de votre nature fuyante, et il est assez rare que vous vous engagiez à fond. Il vous faut un partenaire qui sera aussi votre complice, qui saura vous amuser, vous surprendre, vous faire rire et qui, en même temps, renouvellera votre quotidien.

ASCENDANT COQ

Vous avez de l'entregent, vous êtes un bon communicateur, vous aimez briller en société, et en plus vous avez un certain charisme. Donc toutes les qualités qu'il faut pour vous faire de nombreux amis. Mais même si vous êtes un beau parleur, vous ne vous ouvrez jamais totalement ; vous gardez votre part de mystère et vous restez un tantinet sur la défensive. Votre principal objectif étant de toujours faire mieux, votre perfectionnisme en devient tatillon. Vous vous perdez dans les détails sans importance. Heureusement, votre détermination, vos dons de planificateur hors pair et votre agressivité constructive compensent ce petit côté un peu trop minutieux. Côté argent, vous êtes prévoyant et sage.

Comme vous attachez une grande importance à votre apparence générale, vous plaisez beaucoup, mais vous êtes si exigeant avec vous-même et avec les autres qu'il est bien difficile de vous plaire. Vous cherchez un conjoint loyal qui vous admire et que vous serez fier de présenter à vos amis. Par nature, vous vous montrez un peu jaloux.

ASCENDANT CHIEN

Voici l'idéaliste généreux et intègre type. Votre nature est foncièrement loyale. Votre principal point faible est votre tendance à demeurer constamment sur le qui-vive, à être sur la défensive, à toujours voir le côté noir des choses et des gens. Bref, vous souffrez parfois d'anxiété et vous vous inquiétez souvent inutilement. Vous êtes énormément touché par la souffrance humaine, et cela vous pousse à consacrer de nombreux efforts au service d'une cause humanitaire au détriment de vos propres intérêts. Honnête et franc, vous préférez toutefois garder vos pensées pour vous, car vous savez que vous avez la critique très facile.

On vous trouve attachant. Pourtant, on arrive difficilement à bien cerner votre caractère, car vous êtes plutôt renfermé. Sous cette carapace se cache cependant un grand sentimental qui a toujours peur d'être blessé. C'est d'ailleurs cette forte insécurité et votre manque de confiance en vous qui risquent de peser sur votre vie de couple. Votre conjoint devra vous sécuriser.

ASCENDANT COCHON

Vous avez gardé votre âme d'enfant; vous êtes sans malice et vous accordez facilement votre confiance, trop peut-être. On apprécie votre grande générosité et votre tolérance proverbiale. Vous n'êtes cependant pas très à l'aise avec des inconnus et préférez rester entouré de vos meilleurs amis. Vous êtes rempli de gentillesse et de gaieté, mais ce n'est pas chez vous une faiblesse de caractère. Au contraire, vous savez ce que vous voulez et vous faire changer d'idée relève parfois de l'exploit. Par contre, si vous sentez venir le vent de la discorde, vous n'hésitez pas une seconde à vous ranger à l'avis de votre interlocuteur, même si vous n'en pensez pas moins puisque, de toute façon, vous n'en ferez qu'à votre tête.

Vous êtes plutôt naïf et crédule, mais, en affaires, on ne vous roule pas facilement dans la farine. Vous savez comment gagner de l'argent. D'ailleurs, une partie de tous ces sous servira à choyer votre petite famille et ceux que vous aimez, tandis que l'autre sera investie pour avoir un certain confort qui vous rendra la vie plus agréable. Vous aimez les bonnes choses et vous êtes un excellent amoureux. Votre conjoint doit cependant démontrer que vous pouvez lui faire confiance, car vous êtes un peu possessif et jaloux.

ILS ONT LE MÊME SIGNE CHINOIS QUE VOUS

Rat
Doris Day, Linda de Suza, Marie Denise Pelletier, Wayne Gretzky, Clark Gable, Carol Burnett, Nana Mouskouri, Pierre Bertrand, Nancy Martinez, André-Philippe Gagnon.

Buffle
René Simard, Daniel Lavoie, Jean Coutu, Charles Trenet, Walt Disney, Michel Louvain, Carole Laure, Jean-Pierre Coallier, Peter Gabriel, Corey Hart, André Gagnon, Bruce Springsteen.

Tigre
Marie Michèle Desrosiers, Jerry Lewis, Louise Portal, Martine St-Clair, Olivier Guimond, Félix Leclerc, Charles Dutoit, Claude Poirier, Marilyn Monroe, Andrée Boucher, Tina Turner.

Chat
Brian Mulroney, Billie Holiday, Sylvie Bernier, Bob Hope, Guy Lafleur, Renée Claude, Michel Rivard, Sting, Roger Moore, Sandra Dorion, Frank Sinatra, George Michael.

Dragon
Richard et Marie-Claire Séguin, Jean Drapeau, Marie Philippe, Serge Laprade, Pierre Lalonde, Bing Crosby, Christian Dior, Faye Dunaway, John Lennon, Gino Vanelli.

Serpent
Jacques Brel, Sylvie Tremblay, Claude Barzotti, Marjo, Nicole Leblanc, Greta Garbo, Marc Favreau, Grace de Monaco, Martin Luther King, Francis Cabrel, Pierre Labelle.

Cheval
Barbra Streisand, Michel Fugain, Janet Jackson, Jean-Paul II,
Paul McCartney, Geneviève Bujold, Edith Butler, Lise Watier,
Janis Joplin, Martine Chevrier, Aretha Franklin, Samantha Fox.

Chèvre
Suzanne Lévesque, Tino Rossi, Denise Filiatrault,
Michel Tremblay, Louise Forestier, Lise Payette, Alys Robi,
Andrée Lachapelle, Daniel Lemire, Mick Jagger, Angèle Arsenault.

Singe
Elizabeth Taylor, Diana Ross, Céline Dion, Joan Crawford,
Claude Blanchard, Yves Corbeil, Claude Léveillée, Julio Iglesias,
Mike Bossy, Dalida, Mario Tremblay.

Coq
Simone Signoret, Janine Sutto, Joan Collins, Jean-Paul Belmondo,
Michel Jasmin, Bette Midler, Clémence DesRochers, Joe Bocan,
Dolly Parton, Robert Bourassa.

Chien
Liza Minnelli, Patrick Norman, Brigitte Bardot, Madonna,
Michael Jackson, René Lévesque, Prince, Michèle Richard,
mère Teresa, Jean-Pierre Ferland, Elvis Presley.

Cochon
Claude Dubois, Danielle Ouimet, Jean Lapointe, Jean Duceppe,
Luciano Pavarotti, Ronald Reagan, Fred Astaire, Dudley Moore,
Elton John, Irene Cara, Lucille Ball, Arnold Schwarzenegger.

BIBLIOGRAPHIE

CHALIFOUX, Anne-Marie, D.N., *Mon cours d'astrologie*, Montréal, Communication Véga, 1991, 452 p.

LUKAS, E., *L'Extraordinaire Pouvoir de la Lune*, Paris, Éditions de Vecchi, 1989, 192 p.

L'ASTROLOGIE VOUS INTÉRESSE ?

Nos cours sont faciles, amusants et abondamment illustrés. Ils ont été conçus pour ceux qui n'ont jamais fait d'astrologie, et vous pourrez les suivre à votre rythme, chez vous.

Pour avoir des renseignements sur nos services, entre autres sur nos *Cours d'astrologie par correspondance,* il suffit de nous contacter à l'adresse suivante :

info.astro@gmx.com

f Restez à l'affût des titres à paraître
aux Éditions Publistar
en suivant la page de Groupe Librex :
facebook.com/groupelibrex

edpublistar.com

Cet ouvrage a été composé en Garamond Premier Pro 12/14
et achevé d'imprimer en août 2021 sur les presses
de Marquis imprimeur, Québec, Canada.